危险品运输

主　编　李学斌

副主编　蔡　欣

哈爾濱工程大学出版社

Harbin Engineering University Press

内容简介

本书的主要内容包括危险品运输认知、危险品运输相关法律法规及标准、危险品包装与标志、道路危险品运输、铁路危险品运输、航空危险品运输、水运危险品运输、常见危险品安全要求及事故应急措施等。本书内容广泛、资料新颖、案例丰富、实用性强。

本书可以作为高职高专院校物流管理、国际航运管理及相关专业的教材，也可以作为从事物流运输的社会人员的培训教材和自学读本。

图书在版编目(CIP)数据

危险品运输/李学斌主编. —哈尔滨:哈尔滨工程大学出版社,2016. 4(2025. 2 重印)
ISBN 978 - 7 - 5661 - 1246 - 0

Ⅰ. ①危… Ⅱ. ①李… Ⅲ. ①危险货物运输 Ⅳ. ①U

中国版本图书馆 CIP 数据核字(2016)第 077841 号

选题策划 包国印
责任编辑 张忠远 马毓聪
封面设计 恒润设计

出版发行 哈尔滨工程大学出版社
社　　址 哈尔滨市南岗区南通大街 145 号
邮政编码 150001
发行电话 0451 - 82519328
传　　真 0451 - 82519699
经　　销 新华书店
印　　刷 哈尔滨午阳印刷有限公司
开　　本 787 mm × 1 092 mm　1/16
印　　张 18. 5
插　　页 4
字　　数 470 千字
版　　次 2016 年 4 月第 1 版
印　　次 2025 年 2 月第 9 次印刷
定　　价 39. 80 元
http://www. hrbeupress. com
E-mail:heupress@ hrbeu. edu. cn

前　　言

随着我国经济的快速发展，科学技术日新月异，危险品的品种和数量在不断增加。通过道路、铁路、航空和水路运输的危险品的种类和数量也在不断增长。由于危险品种类繁杂、性质各异、危险性大小不同，在运输危险品的过程中，稍有不慎，很容易导致严重的灾害，造成人身伤亡和财产损失。近年来，在危险品的运输、装卸、仓储和保管过程中频繁发生各类大大小小的事故，给人们的生命、财产和环境造成了严重的损害。如何加强危险品的安全生产、运输、仓储和保管是目前国家面临的重要课题。

相对于普通货物运输而言，危险品运输是物流业中一个特殊且重要的组成部分，需要更准确、全面、可靠的科学管理和控制。实践证明：只要正确掌握危险品的性质和特点，严格流程管理，重视对危险品物流过程各个环节的管理，严格控制可能导致发生事故的各种因素，可以实现危险品安全运输。

本书根据最新修订的危险品相关国际公约、规则和国内法律法规，结合作者多年的教学经验及企业实践，学习、借鉴了国内很多教材的精华，参考、借鉴了最新研究成果的主要内容编写而成。本书系统地介绍了危险品的定义、分类和特性，与危险品运输有关的国际、国内法律法规，危险品的包装与标志，道路、铁路、航空及水路运输危险品的相关知识。

本书以物流人才的培养目标和规格为依据，以“任务驱动，学做合一”的理念设计内容，突出对学生职业技能的培养。本书具有以下特点：

1. 内容广泛、新颖

本书内容广泛，涉及危险品的包装、标志、装卸、四种不同方式的运输、常见危险品安全要求及事故应急措施，以及国内国际相关法律法规等诸多内容，吸取了危险品运输最新的知识和行业标准，满足学生在不同危险品运输岗位上的职业需求。

2. 案例丰富，实用性强

本书选取了大量的国内外危险品生产、运输、仓储、装卸和保管过程中发生的各类重大事故和最新事故，所选案例具有典型性、代表性和时代性。本书通过案例介绍和分析，将理论与实践相结合，突出危险品运输知识的实用性和情境性，培养学生分析问题和解决问题的能力及职业能力。

本书由首批全国交通职业教育示范院校江苏省南通航运职业技术学院李学斌担任主编，负责教材的框架和所有章节的编写，南通港口集团通州港务分公司总经理蔡欣先生担任副主编，提出了许多宝贵的修改意见。

本书在编写过程中参阅了国内外大量专家学者的著作、教材和案例，并通过互联网查阅了许多网站的相关资料、信息和图片，在此向所参考的有关著作及文献资料的作者表示深深的感谢！

本书的编写还得到了许多物流企业的支持，在此诚挚感谢南通港口集团集装箱码头分公司副总经理徐晓东先生提供了最新的资料，感谢江苏百成大达物流有限公司副总经理黄亚峰先生、浙江嘉兴环洋国际物流有限公司董事长王春先生、南通海安亚太亿发物流有限公司董事长陈荣女士，他们为本书的编写提供了大量的实践资料。哈尔滨工程大学出版社的编辑及工作人员为本书的及时出版做了大量的工作，在此一并表示衷心感谢！

由于所掌握的资料有限、时间仓促和编者水平有限等各种原因，书中难免有疏漏、不妥之处，敬请专家、读者不吝赐教。

编　者

2016 年 2 月

目　录

项目一　危险品的分类与主要特性

❖ 学习目标

一、知识目标

1. 掌握危险品的定义；
2. 明白危险品和危险化学品的区别；
3. 熟悉危险货物的品名和编号；
4. 熟知危险品的类别和项别；
5. 明白《危险货物品名表》结构；
6. 掌握各类危险品的主要特性；
7. 熟知各类常见危险品；
8. 清楚危险品对人体的伤害。

二、能力目标

1. 能够辨识各类危险品；
2. 能通过危险品编号识别危险品的相关信息。

❖ 学习重点

1. 危险品的定义和分类；
2. 各类危险品的主要特性。

模块一　危险品的定义和分类

☞ 案例导入

2015 年 8 月 12 日，天津市某物流公司危险化学品堆垛发生剧烈爆炸，火光冲天，冲击波巨大。爆炸导致周边地区门窗等财产受损的居民户数达到一万多户，另外还有七百多家商户受损，遇难者总人数 165 人，8 人失联。爆炸还导致临近的一个汽车仓储地数千辆进口汽车损毁。据估算，受损新车价值超过 20 亿元人民币。8 月 14 日、15 日，安监部门组织了交通、公安、海关、安监、天津港等有关部门，对事故企业负责人、安全管理人员、仓库管理员等进行了调查询问，并调出天津市交通委信息系统、海关、报关数据，以及企业人员回忆所掌握的数据资料，初步认为事故危化品主要集中在装箱区和运抵区。装箱区的危险化学品可能有钾、钠、氯酸钠、硝酸钾、烧碱、硫化碱、硅化钙、三氯乙烯、氯磺酸等。运抵区的危险化学品可能有环己胺、二甲基二硫、甲酸、硝酸铵、氰化钠、四六二硝基、邻仲丁基等。危险化学品种类约为40种,数量为2 500吨左右。这些危险化学品主要分为三大类:第一类是氧化物,主要是硝酸铵、硝酸钾等,共1 300吨左右;第二类是易燃物体,主要品种是金属钠和金属镁等,加起来大约500吨;第三类是剧毒物,以氰化钠为主,约700吨。事故发生后国务院成立了事故调查组,初步查明天津市相关单位在危险品仓储审批、管理和监督等环节存在的严重失职渎职问题。这是最近几年来我国发生的一起造成重大人员伤亡和财产损失、社会影响恶劣的安全生产责任事故。

资料来源:新华网 http://www.xinhuanet.com

任务　掌握危险品的定义和分类

一、危险品的定义

危险品也称危险货物或危险物品(dangerous goods)。根据中华人民共和国国家标准《危险货物分类和品名编号》(GB 6944—2012)的规定,危险货物是指具有爆炸、易燃、毒害、感染、腐蚀、放射性等危险特性,在运输、储存、生产、经营、使用和处置中,容易造成人身伤亡、财产损毁或环境污染而需要特别防护的物质和物品。本定义从危险品的性质、危险后果和特别防护三个方面对其进行了说明。

(1)危险品具有不同于一般物品的特殊物理化学性质。

危险品具有爆炸、易燃、毒害、感染、腐蚀、放射性等危险特性,这是造成火灾、中毒、灼伤、辐射伤害与污染等事故的基本条件。

(2)危险品在一定条件下容易造成人身伤亡、财产损毁或环境污染。

当危险品受到震动、撞击、明火、高温、曝晒等外界因素的影响,或与性质相抵触的物品接触时,容易发生燃烧、爆炸、感染、腐蚀等危及生命、造成财产损失的事故,甚至造成环境污染。

(3)危险品在运输、储存、生产、经营、使用和处置过程中需要特别防护。

这里所说的特别防护,不仅是普通货物运输必须做到的轻装轻卸、谨防明火之类的防护,还包括针对各种危险货物的物理化学特性所必须采取的各种特别防护措施。例如:某些有机过氧化物需要控制环境温度;搬运高压钢瓶时要套好防护帽和防震胶圈,不得摔倒和撞击;有的爆炸品在运输时需要添加抑制剂,等等。大多数危险货物的包装、储存和运输都有特定的要求。

要强调的是,同时具备上述三点才能被称为危险品,缺少任何一个都不能被称为危险品。例如,易碎器皿(需预防破损)、精密仪器(需预防震动)等都需要特别防护,但是这些物品不具有特殊理化性质,防护不当不会造成人身伤亡或除了货物本身以外的财产损毁,所以不属于危险品。

中华人民共和国国家质量监督检验检疫总局和中国国家标准化管理委员会于2012年5月11号发布的《危险货物品名表》(GB 12268—2012)中,在册的危险品已达2 763个品名。据悉,我国目前常用的危险品有2 000多种。随着经济和科学技术的快速发展,危险品的种类越来越多,性质越来越复杂。成千上万种危险品被广泛应用于生产和生活等各个领域。各种危险品的物理和化学性质差异很大,对外界条件有着严格的要求。如果危险品在运输、仓储等过程中发生事故,将会造成很大的危害。我国每年因危险品引发的各类重大安全事故有上百起。

我们在实践中发现,由于危险品种类繁多,加上相关人员的文化素养较低和缺乏危险品专业知识的培训，在危险品的认识上存在误区，存在把列明的危险品当作一般物品处理的现象。有专家学者曾对危险品生产、包装、运输企业的管理人员、质检员、工人及检验检疫工作人员等50多名从业人员进行测试。题目是：下列哪些物品是危险品？可供选项有：①摩丝；②复写纸；③棉花；④石棉；⑤灭火器；⑥锂电池；⑦钢屑；⑧稻草；⑨木炭。测试结果是：答对6题以上者约占47%，全部答对者约占6%。这说明，在我国危险品生产、包装、运输、储存行业及相关行业需要加强危险品知识的学习和普及，增强危险品运输安全管理意识，提高危险品运输管理水平。

二、危险品与危险化学品的区别

根据我国2011年12月1日起施行的《危险化学品安全管理条例》第三条的规定，危险化学品是指具有毒害、腐蚀、爆炸、燃烧、助燃等性质，对人体、设施、环境具有危害的剧毒化学品和其他化学品。由此可见，危险品包括的范围更广，除了包括危险化学品涵盖的范围外，还包括放射性物质和一些在运输、储存过程中容易产生危害的物质。例如：棉花不是危险化学品，但却被收录于《危险货物品名表》中，这是因为棉花在运输和储存过程中容易燃烧，产生危险。

☞ **案例**

【案例1】 2011年11月19日，山东省泰安市某化工有限公司三聚氰胺项目在停车检修过程中发生喷射燃烧事故，造成15人死亡、4人受伤。

【案例2】 2012年2月28日，河北省石家庄市某化工厂硝酸胍车间发生爆炸，造成25人死亡、4人失踪、46人受伤。

【案例3】 2013年8月31日，上海市某公司发生液氨泄漏事故，造成15人死亡、8人重伤、17人轻伤。

以上资料来源：国家安监总局网站 http://www.chinasafety.gov.cn

【案例4】 据外媒报道，韩国某著名电视生产商旗下一公司位于首尔附近的面板工厂，在2014年12日下午发生氮气泄漏事故，事故造成2死4伤。

资料来源：新华网 http://www.xinhuanet.com

三、危险品的分类

世界是由各种物质构成的。危险品是有着特殊物理化学性质的物品。危险品不仅种类繁多、性质各异，有的还相互抵触，接触后会引起强烈的化学反应，如发生爆炸、燃烧或产生有毒气体等。例如：有的危险品呈液态或固态，但曝露在空气中遇明火极易燃烧；有的危险品在常温下是气态，与空气混合后会形成易燃、易爆的混合蒸气；有的危险品性质不稳定，当受到高温、摩擦、撞击或震动等外界因素影响时很容易分解燃烧；还有的危险品遇水就发生化学反应，产生可燃气体。为了保证危险品的安全生产、仓储和运输，有必要根据各种危险品的主要特性，对危险品进行分类。按照危险品是否有包装划分，危险品可以分为包装危险品和散装危险品。散装危险品又可以分为固体散货和液体散货。液体散货再分为油类、化学品和液化气。下面介绍国家标准分类。

根据中华人民共和国国家质量监督检验检疫总局和中国国家标准化管理委员会于

2012 年 5 月 11 号发布,2012 年 12 月 1 号实施的《危险货物分类和品名编号》,危险品分为 9 个类别,有些类别还分成项别,这些类别和项别如表 1－1 所示。

表 1－1 危险品的类别和项别

危险货物类别	项别	举例
第 1 类:爆炸品	1.1 项:有整体爆炸危险的物质和物品	黑火药、爆破雷管
	1.2 项:有迸射危险,但无整体爆炸危险的物质和物品	照明弹、枪弹
	1.3 项:有燃烧危险并有局部爆炸危险或局部迸射危险或这两种危险都有,但无整体爆炸危险的物质和物品	烟幕弹药
	1.4 项:不呈现重大危险的物质和物品	礼花弹、烟火、爆竹
	1.5 项:有整体爆炸危险的非常不敏感物质	E 型或 B 型引爆器
	1.6 项:无整体爆炸危险的极端不敏感物品	
第 2 类:气体	2.1 项:易燃气体	氢气、甲烷、丙烷、乙烯、乙烷、乙炔
	2.2 项:非易燃无毒气体	氮气、二氧化碳
	2.3 项:毒性气体	
第 3 类:易燃液体		汽油、乙醇、苯
第 4 类:易燃固体、易于自燃的物质、遇水放出易燃气体的物质	4.1 项:易燃固体、自反应物质和固态退敏爆炸品	硫黄、铝粉
	4.2 项:易于自燃的物质	黄磷
	4.3 项:遇水放出易燃气体的物质	电石、氢化钙、氰化钠
第 5 类:氧化性物质和有机过氧化物	5.1 项:氧化性物质	氯酸盐类、硝酸盐类
	5.2 项:有机过氧化物	过氧化苯甲酸
第 6 类:毒性物质和感染性物质	6.1 项:毒性物质	有毒的农药
	6.2 项:感染性物质	管制下的医学废物
第 7 类:放射性物质		由天然铀制成的物品
第 8 类:腐蚀性物质		亚硫酸氢盐
第 9 类:杂项危险物质和物品,包括危害环境物质		石棉、锂电池组、救生设备

注:表 1－1 中类别和项别的号码顺序并不是危险程度的顺序。

危险品的分类主要是依据危险品具有的危险性或最主要的危险性。一般而言,哪一种特性在运输、仓储中处于主导地位,就把该货物划归为哪一类危险品。例如,压缩气体和液化气体是根据其物理性质划分的,毒性物质和感染性物质是根据物品对人身伤害的情况而划分的,腐蚀性物质是根据物品的化学性质划分的,易燃液体是结合物品的物理和化学性质划分的。大多数危险品都兼有两种以上的性质,所以在运输、仓储危险品时不但要注意其主要特性,还要注意到该危险品的其他特性。

随着科技的快速发展，新产品不断出现，《危险货物品名表》也需要不断补充和完善。危险品生产、运输、仓储行业及相关行业的从业人员需要不断关注国家最新发布的危险品法律法规，更新危险品知识，才能适应形势的发展。

四、危险货物的品名和编号

（一）危险货物的品名

2012 年 12 月 1 号实施的《危险货物品名表》（GB 12268—2012 ）列出了运输、储存、经销及相关活动等过程中最常见的危险货物的品名和对应编号，适用于危险货物的运输、生产、储存、销售及相关活动。

《危险货物品名表》的每个条目都对应一个编号，该编号采用联合国编号（即 UN 号）。《危险货物名表》的条目包括以下四类：

（1）“单一”条目适用于意义明确的物质或物品。

示例：UN 1114　苯

UN 1194　亚硝酸乙酯溶液

（2）“类属”条目适用于意义明确的一组物质或物品 。

示例：UN 1133　黏合剂，含易燃液体

UN 1266　香料制品，含有易燃溶剂

UN 2761　固态有机氯农药，毒性

UN 3109　液态 F 型有机过氧化物

（3）“未另作规定的”特定条目适用于一组具有某一特定化学性质或特定技术性质的物质或物品。

示例：UN 1481　无机高氯酸盐，未另作规定的

UN 3272　酯类，未另作规定的

（4）“未另作规定的”一般条目适用于一组符合一个或多个类别或项别标准的物质或物品。

示例：UN 3178　无机易燃固体，未另作规定的

UN 1993　易燃液体，未另作规定的

（二）《危险货物品名表》的结构

《危险货物品名表》分为 7 栏，如表 1－2 所示。

表 1－2 《危险货物品名表》（摘录）

联合国编号	名称和说明	英文名称（略）	类别或项别	次要危险性	包装类别	特殊规定
0004	苦味酸铵，干的，或湿的，按质量含水低于 10%		1. 1D			
0005	武器弹药筒，带有爆炸装药		1. 1F			
0006	武器弹药筒，带有爆炸装药		1. 1E			
0007	武器弹药筒，带有爆炸装药		1. 2F			

表 1－2(续)

联合国编号	名称和说明	英文名称（略）	类别或项别	次要危险性	包装类别	特殊规定
0009	燃烧弹药，带有或不带起爆装置、发射剂或推进剂		1.2G			
0010	燃烧弹药，带有或不带起爆装置、发射剂或推进剂		1.3G			
0012	武器弹药筒，带惰性射弹或轻武器弹药筒		1.4S			
0014	武器弹药筒，无弹头或轻武器弹药筒，无弹头		1.4S			
0015	发烟弹药，带有或不带起爆装置、发射剂或推进剂		1.2G			204
0016	发烟弹药，带有或不带起爆装置、发射剂或推进剂		1.3G			204
0018	催泪弹药，带有起爆装置、发射剂或推进剂		1.2G	6.18		
0019	催泪弹药，带有起爆装置、发射剂或推进剂		1.3G	6.18		
0020	毒性弹药，带有起爆装置、发射剂或推进剂		1.2K	6.1		274
0021	毒性弹药，带有起爆装置、发射剂或推进剂		1.3K	6.1		274
0027	黑火药（火药），颗粒状或粉状		1.1 D			
0028	压缩黑火药（火药）或丸状黑火药（火药）		1.1 D			
0029	非电引爆雷管，爆破用		1.1B			
0030	电引爆雷管，爆破用		1.1B			
0033	炸弹，带有爆炸装药		1.1F			
0034	炸弹，带有爆炸装药		1.1D			
0035	炸弹，带有爆炸装药		1.2D			
0037	摄影闪光弹		1.1F			
0038	摄影闪光弹		1.1D			
0039	摄影闪光弹		1.2G			
0042	助爆管，不带雷管		1.1D			
0043	起爆装置，爆炸性		1.1D			
0044	帽型起爆器		1.4S			
0048	爆破炸药		1.1 D			

其说明如下：

第 1 栏“联合国编号”——即危险货物编号，是根据联合国分类制度给危险货物划定的系列编号。

第 2 栏“名称和说明”——危险货物的中文正式名称，用黑体字（加上构成名称一部分的数字、希腊字母、“另”、“特”、间、正、邻、对等）表示；也可附加中文说明，用宋体字表示（其中“%”符号代表：①如果是固体或液体混合物以及溶液和用液体湿润的固体，为根据混合物、溶液或湿润固体的总质量计算的质量分数，单位为 10^{-2}；②如果是压缩气体混合物，按压力装载时，用占气体混合物总体积的体积分数表示，单位为 10^{-2}；按质量装载时，用占混合物总质量的质量分数表示，单位为 10^{-2}；③如果是液化气体混合物和加压溶解的气体，用占混合物总质量的质量分数表示，单位为 10^{-2}）。

第 3 栏“英文名称”——危险货物的英文正式名称，用大写字母表示；附加说明用小写字母表示。

第 4 栏“类别或项别”——危险货物的主要危险性，其中第 1 类危险货物还包括其所属的配装组，危险货物的类别或项别以及爆炸品配装组划分按GB 6944 确定。

第 5 栏“次要危险性”——除危险货物主要危险性以外的其他危险性的类别或项别，按 GB 6944 确定。

第 6 栏“包装类别”——按照联合国包装类别给危险货物划定的包装类别号码，按 GB 6944确定。

第 7 栏 “特殊规定”——与物品或物质有关的任何特殊规定，其适用于允许用于特定物质或物品的所有包装类别。

世界各国都特别重视危险货物的运输和储存。联合国危险货物运输专家委员会用4 位阿拉伯数对危险货物进行编号，称为联合国编号（UN number），用以识别一种物质或一类特定物质。我们国家对危险货物的品名编号采用联合国编号。

模块二　各类危险品的主要特性

☞ 案例导入

1993 年 8 月 5 日，深圳市清水河某公司危险品仓库，因 4 号仓内混存的氧化剂与还原剂发生接触，发热自燃，于当日 13 时 27 分发生了特大爆炸事故。具体情况为 4 号仓内储有过硫酸铵 20 吨、多孔硝酸铵 65 吨、高锰酸钾 10 吨、硫化碱 60 吨、碳酸钡 60 吨、火柴 3 000 箱。因火灾严重缺水，猛烈的火势难以得到有效的控制，所以 1 小时后，即 14 时 28 分，在 6 号仓又发生了第二次特大爆炸。6 号仓内当时存有亚硝酸钠 1 200 袋、氢氧化钾 1 600 袋、多孔硝酸铵 1 200 袋、碳酸钡 2 400 袋、硫化钠 2 400 袋、硫黄 314 桶等大量易燃易爆物品。第二次特大爆炸是高温作用引起的。两次特大爆炸，除 8 号仓和双氧水罐库房外，整个危险品库区被夷为平地，两个爆炸地点被掀起了两个直径 24 米、深 10 米的大坑。1 千米之内的建筑物受到严重破坏，4 千米范围内的房屋玻璃不同程度受损，天花板脱落。广深线上一列北上特快列车在行驶中被震碎了 51 块玻璃。香港大部分地区居民感到地面震动。爆炸还同时引燃了14个仓库、2幢办公楼、2个露天堆场和8片山林，烧毁建筑面积39 000平方米，经济损失2.5亿人民币，18人在火灾中丧生，300多人受伤。

事故的直接原因是硫化钠吸湿后变成粉红色黏稠液体流向与之毗邻的过硫酸铵堆垛，并与散落在地面上的过硫酸铵接触，发生剧烈化学反应。硫化钠易溶于水、易吸收空气中的水蒸气，属还原剂。过硫酸铵受冲击或高温即发生爆炸，属强氧化剂。因氧化剂与还原剂接触，发热自燃，引起爆炸。

资料来源：中国化学品安全协会网 http://www.chemicalsafety.org.cn

任务一　掌握爆炸品的定义和主要特性

一、爆炸品的定义

爆炸品是指在外界作用下(如受热、受压、撞击等)，能通过本身的化学反应产生大量的气体和热量，使周围压力急剧上升，发生爆炸，对周围环境具有破坏作用的固态或液态物质(或混合物质)，还包括具有燃烧、抛射及较小爆炸危险的物品，以及能产生烟火化学反应如产生热、光、声响或烟气等一种或几种作用的物质。爆炸根据发生的变化的性质可以分为物理爆炸、化学爆炸和核爆炸三种。

1. 物理爆炸

物理爆炸是由物质因状态或压力发生物理变化而引起的爆炸。例如装有压缩气体的钢瓶受热爆炸，蒸汽锅炉因加热水快速汽化，压力超过设备所能承受的强度而产生的锅炉爆炸等。

2. 化学爆炸

化学爆炸是因各种原因导致发生化学反应而引起的爆炸。例如：粉尘爆炸，是可燃粉末与空气的混合物遇明火或火源而引起的爆炸；煤矿的瓦斯爆炸，是可燃气体和助燃气体的混合物遇明火或火源而引起的爆炸；炸弹、火药、爆破雷管的爆炸等都是化学爆炸。化学爆炸反应速度快、释放出大量的热量、产生大量的气体，对周边环境造成巨大的冲击力和破坏力。

3. 核爆炸

核爆炸是由核反应引起的爆炸。例如：原子弹或氢弹的爆炸。大多数爆炸品由于危险性太大，通常被禁止航空运输。

在爆炸品中，如果两种或两种以上的物质或物品能够安全积载或运输，而不会明显增加事故概率或在一定数量情况下不会明显提高事故危害程度的，可视其为同一配装组。不同的爆炸品能否混装在一起进行安全运输，取决于它们的配装组是否相同。属于同一配装组的爆炸品可以放在一起运输。爆炸品分为以下13个配装组，如表1-3所示。

表 1－3 爆炸品的配装组合

配装组合	待分类物质和物品的说明
A 配装组(1.1A)	一级爆炸性物质
B 配装组(1.1B、1.2B、1.4B)	含有一级爆炸性物质、而不含有两种或两种以上有效保险装置的物品
C 配装组(1.1C、1.2C、1.3C、1.4C)	推进爆炸性物质或其他爆燃爆炸性物质或含有这类爆炸性物质的物品
D 配装组(1.1D、1.2D、1.4D、1.5D)	二级起爆物质或黑火药或含有二级起爆物质的物品,它们均无引发装置和发射药;或含有一级爆炸性物质和两种或两种以上有效保护装置的物品
E 配装组(1.1E、1.2E、1.4E)	含有二级起爆物质的物品,无引发装置,带有发射药(含有易燃液体或胶体或自燃液体的除外)
F 配装组(1.1F、1.2F、1.3 F、1.4 F)	含有二级起爆物质的物品,带有引发装置,带有发射药(含有易燃液体或胶体或自燃液体的除外)或不带有发射药
G 配装组(1.1G、1.2G、1.3G、1.4G)	烟火物质或含有烟火物质的物品或既含有爆炸性物质又含有照明、燃烧、催泪或发烟物质的物品(水激活的物品或含白磷、磷化物、发火物质、易燃液体或胶体或自燃液体的物品除外)
H 配装组(1.2H、1.3H)	含有爆炸性物质和白磷的制品
J 配装组(1.1J、1.2J、1.3J)	含有爆炸性物质和易燃液体或胶体的物品
K 装配组(1.2K、1.3K)	含有爆炸性物质和毒性化学剂的物品
L 配装组(1.1L、1.2L、1.3L)	爆炸性物质或含有爆炸性物质并且具有特殊危险性(例如由于水激活或含有自燃液体、磷化物或发火物质)而需要彼此隔离的物品
N 配装组(1.6N)	只含有极端不敏感起爆物质的物品
S 配装组(1.4S)	如下包装或设计的物质或物品,除了包件被火烧损的情况外,能使意外起爆引起的任何危险效应不波及包件之外,在包件被火烧损的情况下,所有爆炸和迸射效应也有限,不至于妨碍或阻止在包件紧邻处救火或采取其他应急措施

☞ 案例分析

昆山市某金属制品有限公司特别重大铝粉尘爆炸事故

1. 事故概述

2014 年 8 月 2 日 7 时,江苏省昆山市某金属制品有限公司抛光车间员工上班。7 时 10 分,除尘风机开启,员工开始作业。7 时 34 分,1 号除尘器发生爆炸。爆炸冲击波沿除尘管道向车间传播，扬起的除尘系统内和车间集聚的铝粉尘发生系列爆炸。此次特别重大铝粉尘爆炸事故，当天造成75人死亡、185人受伤。加上后来经全力抢救医治无效陆续死亡的人数，共有97人死亡。事故车间和车间内的生产设备被损毁。直接经济损失3.51亿元。

2. 事故原因分析

(1)直接原因

第一，事故车间除尘系统较长时间未按规定清理粉尘，造成除尘管道内和作业现场残留铝粉尘过多，铝粉尘集聚。除尘系统风机开启后，打磨过程产生的高温颗粒在集尘桶上方形成粉尘云；第二，1号除尘器集尘桶锈蚀破损，桶内铝粉受潮，发生氧化放热反应，达到粉尘云的引燃温度，引发除尘系统及车间的系列爆炸；第三，因没有泄爆装置，爆炸产生的高温气体和燃烧物瞬间经除尘管道从各吸尘口喷出，导致全车间所有工位操作人员直接受到爆炸冲击，造成群死群伤；第四，对粉尘危险性认识不足，控制措施不够，小事故不断但未警醒。

(2)管理原因

事故公司违法违规组织项目建设和生产，是事故发生的主要原因。

①厂房设计与生产工艺布局违法违规。事故车间厂房原设计建设为戊类，而实际使用应为乙类，导致一层原设计泄爆面积不足，疏散楼梯未采用封闭楼梯间，贯通上下两层。事故车间生产工艺及布局未按规定规范设计。生产线布置过密，作业工位排列拥挤，人员密集，且通道中放置了轮毂，造成疏散通道不畅通，加重了人员伤害。

②除尘系统设计、制造、安装、改造违规。事故车间除尘系统改造委托无设计安装资质的昆山某公司设计、制造、施工安装。除尘器本体及管道未设置导除静电的接地装置、未按要求设置泄爆装置，集尘器未设置防水防潮设施，集尘桶底部破损后未及时修复，外部潮湿空气渗入集尘桶内，造成铝粉受潮，产生氧化放热反应。

③安全生产管理混乱。公司安全生产规章制度不健全、不规范，盲目组织生产，未建立岗位安全操作规程，现有的规章制度未落实到车间、班组。未建立隐患排查治理制度，无隐患排查治理台账。风险辨识不全面，对铝粉尘爆炸危险未进行辨识，缺乏预防措施。未开展粉尘爆炸专项教育培训和新员工三级安全培训，安全生产教育培训责任不落实，造成员工对铝粉尘存在爆炸危险没有认知。

④安全防护措施不落实。事故车间电气设施设备不符合规定，均不防爆，电缆、电线敷设方式违规，电气设备的金属外壳未作可靠接地。现场作业人员密集，岗位粉尘防护措施不完善，未按规定配备防静电工装等劳动保护用品，进一步加重了人员伤害。

资讯来源：新华网 http://www.xinhuanet.com

二、爆炸品的分项

中华人民共和国国家标准《危险货物分类和品名编号》(GB 6944—2012)将第1类爆炸品按危险程度分为6项：

第1.1项　有整体爆炸危险的物质和物品。

整体爆炸是指在瞬间即迅速传播到几乎全部装入药量的爆炸。例如雷汞、四氮烯等起爆药，梯恩梯、硝铵炸药等猛炸药，浆状火药、闪光弹药等火药，黑火药及其制品，爆破用的电雷管、非电雷管，弹药用雷管等火工品均属此项。

第1.2项　有迸射危险，但无整体爆炸危险的物质和物品。

迸射一般指由内而外地强烈放射出、四处喷射，如火星迸射、泥浆迸射等。例如空中照明弹在空中火星四处喷射。例如带有炸药或抛射药的火箭、火箭弹头，装有炸药的炸弹、弹丸，燃烧弹以及摄影闪光弹等均属此项。

第 1.3 项　有燃烧危险并有局部爆炸危险或局部迸射危险或这两种危险都有，但无整体爆炸危险的物质和物品。

本项包括满足下列条件之一的物质和物品：

a. 可产生大量热辐射的物质和物品；

b. 相继燃烧产生局部爆炸或迸射效应或两种效应兼而有之的物质和物品。

属于此项的有速燃导火索、点火管、礼花弹等。

第 1.4 项　不呈现重大危险的物质和物品。

本项包括运输中万一点燃或引发时仅出现小危险的物质和物品。其影响主要限于包件本身，并预计射出的碎片不大、射程也不远，外部火烧不会引起包件几乎全部内装物的瞬间爆炸。

属于此项的有点火器、火帽、信号弹药、起爆引信、烟火制品等。

第 1.5 项　有整体爆炸危险的非常不敏感物质。

本项包括有整体爆炸危险性但非常不敏感，以致在正常运输条件下引发或由燃烧转为爆炸的可能性很小的物质。

属于此项的有铵油炸药、B 型、E 型爆炸剂等。

第 1.6 项　无整体爆炸危险的极端不敏感物品。

本项包括仅含有极端不敏感起爆物质并且其意外引发爆炸或传播的概率可忽略不计的物品。本项物品的危险仅限于单个物品的爆炸。

☞ **知识链接**

火工品是指装有火药或炸药，受外界刺激后产生燃烧或爆炸，以引燃火药、引爆炸药或做机械功的一次性使用的元器件和装置的总称。其包括火帽、点火管、雷管、传爆管、导火索、导爆索等，常用于引燃火药、引爆炸药，还可作为小型驱动装置，用以快速打开活门、解除保险等。

三、爆炸品的主要特性

（一）爆炸性

爆炸品当受到火花、高热、摩擦、撞击、震动、点燃等外来因素的作用或与其他性质相抵触的物质接触时，就会发生剧烈的化学反应，放出具有足够能量的高温、高压气体，并迅速膨胀，发生爆炸。衡量爆炸性的主要理化性能指标有敏感度、威力和猛度及安定性等。

1. 敏感度

爆炸品的敏感度，简称感度，是指在外界作用影响下发生爆炸反应的难易程度。通常以引起爆炸品爆炸所需的最小外界初始能量来表示。引起爆炸所需的外界初始能量愈小，其感度愈高。不同用途的爆炸品要求与其相适应的感度。如火工品中的起爆药，在使用时一般是用比较简单的起爆形式（例如摩擦、撞击、电热丝等）来进行引爆。导火索对火焰作用很敏感。导爆索遇火焰和震动、摩擦、打击等均很敏感。而工业炸药则用雷管引爆，即用极少量的爆炸性物质的爆炸作用进行引爆；有的还需要加起爆药包来进行引爆。

爆炸品的化学组成和性质决定了它具有发生爆炸的可能性，但是如果没有必要的外界作用，爆炸是不会发生的。任何一种爆炸品的爆炸都需要外界供给它一定的能量。外界提供的能量称作起爆能。引起爆炸品爆炸所需的起爆能量越小，则该爆炸品的敏感度越高，危险性也越大。也就是说，起爆能与敏感度成反比，起爆能越小，敏感度越高。起爆能有多种能量形式。主要有：(1)热能(火焰、火花、明火、高温)；(2)电能(电火花、电热)；(3)机械能(摩擦、冲击、撞击)；(4)爆炸能(炸药、雷管)；(5)光能(激光及其他光线)。不同的爆炸品所需要的起爆能的大小是不同的，敏感度也不同。例如炸药对火焰的敏感度较小，但是如果用雷管引爆则立刻爆炸。即使是同一种炸药，所需要的起爆能大小也是变化的。如同样是炸药，在缓慢加压的情况下可以经受几千千克压力也不爆炸，但是在瞬间撞击下，即使冲击力很小，也会引起爆炸。因此，爆炸品在运输、装卸作业过程中不能撞击、摔碰、颠簸、震荡，要轻拿轻放，避免爆炸。

决定爆炸品敏感度的内在因素是它的化学组成和结构，影响敏感度的外来因素有温度、密度、结晶、杂质等。根据外界作用的不同，敏感度可分为撞击感度、摩擦感度、热感度等。

(1)撞击感度。其是指爆炸品在机械冲击的外力作用下对冲击能量的敏感程度。在运输、装卸过程中，物品可能会受到冲击、磕、碰、摔等，冲击感度高即对外界能量的敏感程度高，容易引起爆炸。如车辆在运输途中发生剧烈晃动和震动，车载爆炸品发生爆炸，说明此爆炸品撞击感度高。

爆炸品的纯净度对其撞击感度有很大影响。当爆炸品中混入坚硬物质如金属屑、碎玻璃、沙石时，其撞击感度增高，所以，在装卸、运输过程中不要混入坚硬物质，减少爆炸风险。当爆炸品中混入惰性物质时，例如石蜡、硬脂酸等，其撞击感度降低。有些较敏感的爆炸品，例如黑索金、泰安等，为确保运输安全可以加入一些石蜡使其钝化，增加安全系数。

(2)摩擦感度。其是指爆炸品受到短暂而强烈的摩擦作用后的起爆程度。极敏感的引爆药摩擦感度也高，运输中必须严格避免强烈摩擦的可能。

(3)热感度。其是指爆炸品因受热引起爆炸的难易程度。热感度的测定方法很多，一般用“爆发点”来表示。爆发点是指爆炸品在一定的延滞期内发生爆炸的最低温度。延滞期是指从开始对爆炸品加热到发生爆炸所需要的时间。由于加热速度不一样，同一爆炸品因延滞期不同爆发点也不同。延滞期越短，爆发点越高；延滞期越长，爆发点越低。例如：TNT的爆发点在不同的延滞期下，其爆发点差别很大。因此，虽未受高温，但受低热时间足够长也会诱发爆炸，所以在仓储、运输中一定要使爆炸品远离热源或采取严格的隔离措施。

2. 威力和猛度

爆炸品在爆炸时形成的高温高压气体产物，能对周围介质产生强烈的冲击和压缩作用，使与其接触或接近的物体产生运动、变形和破坏，这是爆炸产生的直接作用。此外，爆炸产物对周围介质的强烈冲击压缩，会在介质中产生冲击波，冲击波在介质中传播时能够在离爆点较远的距离上产生破坏作用，这是爆炸产生的间接作用。一般用威力和猛度来衡量爆炸品对周围环境的破坏程度。

(1)威力。其是指爆炸品爆炸时做功的能力，即爆炸品爆炸时对周围物体和环境的破坏能力。威力大小主要取决于爆热的大小、气体生成量的多少和爆温的高低。

(2)猛度。其又称猛性作用或粉碎作用，是指爆炸品爆炸后爆轰产物对周围物体破坏的猛烈程度。猛度的大小取决于爆轰压力的大小和压力作用的时间。

3. 安定性

安定性是指爆炸品在一定储存期间内不改变其物理性质、化学性质和爆炸性质的性质，分为物理安定性和化学安定性。

(1)物理安定性。物理安定性是指爆炸品的可塑性、吸湿性、机械强度、挥发性、结块老化、冻结和收缩变形等一系列物理性质不容易改变。如黑火药、硝铵炸药等易吸湿受潮，严重时丧失爆炸能力。

(2)化学安定性。化学安定性是指爆炸品不容易发生分解而变质。化学安定性取决于化学物质本身的化学性质和环境温度。化学安定性用“热分解速度”来表示，热分解速度越快，其化学安定性越低。如 TNT、黑火药、硝铵炸药等在正常储存条件下较稳定，不改变性能；而硝化甘油类化学稳定性很低，即使在常温下也会分解，长期存放会加速分解，甚至发生自燃或爆炸，温度、湿度和日光会使其分解速度加快，所以在仓储时需加强通风。

(二)燃烧性

许多爆炸品燃烧时会放出大量热量，使温度急剧升高，很容易使周围可燃物质燃烧，造成火灾。

(三)毒害性

有些爆炸品(如 TNT、特屈儿等)本身有一定的毒害性。许多爆炸品爆炸时通常产生大量的一氧化碳及氮氧化物等窒息性和有毒气体，有的甚至有剧毒，很容易造成窒息或中毒。

除了上述特性，有些爆炸品与某些化学药品如酸、碱、盐发生化学反应的生成物更容易爆炸的化学品，例如雷汞遇盐酸或硝酸能分解，遇硫酸会爆炸等。某些爆炸品受光照易于分解，其敏感度也升高，如叠氮银等。有些爆炸品与一些重金属(如铜、铁、银等)及其化合物的生成物，其敏感度更高。例如：苦味酸十分容易与金属形成危险的苦味酸盐从而引发更大的爆炸危险，因此苦味酸等不能用金属容器包装。所以，从业人员在进行运输、仓储、装卸等作业时一定要了解清楚每种爆炸品的详细特征，做好安全防护措施。

☞ 知识链接

燃烧是一种能发光、放热的剧烈的化学变化过程。物质的燃烧需要具备3个条件，即热量、可燃物和助燃物。燃烧形式一般可以分为4种，即表面燃烧、扩散燃烧、分解燃烧、蒸发燃烧。

(1)表面燃烧。指固体可燃物表面与空气相接触的部位被点燃，虽然不产生火焰，但是燃烧产生的热量能使内层继续燃烧，例如镁粉、铝粉等的燃烧。

(2)扩散燃烧。指可燃气体从喷口(管口或容器泄漏口)喷出，在喷口处与空气中的氧气扩散混合、燃烧的现象。氢、乙炔等可燃气体从管口等处流向空气时的燃烧，就是由于可燃气体分子和空气分子互相扩散、混合，当浓度达到可燃范围时，遇明火则燃烧，形成的火焰使燃烧继续下去。

(3)分解燃烧。指在燃烧过程中可燃物首先遇热分解，分解产物和氧反应产生燃烧。如纸、木材、煤等固体可燃物的燃烧，就是分解燃烧。在空气中加热木材时，木材首先失去水分而干燥，然后产生热分解，放出可燃气体，这种气体被点燃而燃烧产生火焰。火焰的温度不断地把木材再分解，从而使燃烧继续下去。

(4)蒸发燃烧。指易燃液体蒸发产生的蒸气，在空气中扩散后与空气混合，当其在空气中的浓度达到可燃范围时，一旦遇到明火就会燃烧并形成火焰，其火焰温度又进一步加热液体表面，促使其持续蒸发，使燃烧继续下去。例如酒精、乙醚等易燃液体的燃烧，就是蒸发燃烧。有些熔点较低的可燃固体，受热后熔融，也会像可燃液体一样蒸发成蒸气而燃烧，如奈、硫、沥青、石蜡和樟脑等。

四、常见的爆炸品

(一)起爆药

起爆药是四类爆炸性物质中最敏感的一种，受外界较小能量的作用就能发生爆炸反应，在很短的时间内其变化速度可增至最大，但是它的威力较小，在许多情况下不能单独使用，只是用来作为火帽、雷管装药的一个组分，以引燃火药或引爆猛炸药。常用的起爆药有雷汞、叠氮化铅等。

1. 雷汞

雷汞是一种呈白色或灰色的晶体，不溶于一般有机溶剂，吸湿性小。但含水量对其爆炸性质有影响，空气含水量达到10%时，可在空气中点燃而不爆炸，在空气含水量达到30%时则不能点燃。因此，装雷汞的器件要注意防潮。雷汞对冲击、摩擦、火焰及电火花都比较敏感。雷汞本身及其原料对人体有害，制造时污染环境，目前我国正积极淘汰此种起爆药剂。现在雷汞主要在混合药剂中作为敏感药剂用于组件中。

2. 叠氮化铅

简称氮化铅，不吸湿，也不溶于水。它与雷汞不同，在潮湿状态下甚至空气含水量30%时也不会失去爆炸能力。氮化铅由于机械感度小而起爆能力大，被广泛应用于雷管以及火帽中。

(二)猛炸药

猛炸药是相对稳定的物质，在一般情况下比较安全，能经受生产、仓储、运输过程中的一般外力作用。它需要较大的外界能量作用才能激起爆炸变化，一般用起爆药来起爆。猛炸药典型的爆炸变化形式是爆轰，会对周围物资产生强烈的破坏作用。

猛炸药根据其组成情况可以分为单质猛炸药和混合猛炸药两类。

1. 单质猛炸药

其由单一化学成分组成，常用的单质猛炸药有梯恩梯(TNT)、奥克托金、黑索今等。

(1)梯恩梯(TNT)

梯恩梯的英文缩写为TNT，俗称黄色炸药。TNT的学名是三硝基甲苯，为淡黄色针状结晶，纯净的TNT是一种无色(见光后变成淡黄色)的柱状或针状结晶物质，工业用TNT为鳞片状或块状固体。TNT难溶于水，可用于水下爆破，易溶于苯、甲苯、丙酮、硝酸中。TNT有非常大的爆炸威力，当温度达90 ℃左右时，能与铅、铁、铝等金属作用，其生成物受冲击、摩擦时很容易发生爆炸，爆炸后产生有毒气体。其性质稳定，不易爆炸，需要雷管进行引爆，民用多用于采矿、筑路、疏通河道等，在军事上广泛用于装填各种炮弹及爆破器材，也常与其他炸药混合制成多种混合炸药。

(2)硝化甘油

硝化甘油别名甘油三硝酸酯,是一种淡黄色的油状透明液体,几乎不溶于水,有毒。当硝化甘油完全冻结成安定型后,其敏感度降低;但若处于半冻结(或半熔化)状态时,则敏感度极高,因为此时已经冻结部分的针状结晶,会像带尖刺的杂质一样使其敏感度上升。硝化甘油很少单独用做炸药,都是在其中加入吸收剂,使之成为固态或胶质的混合炸药。但是这种混合炸药在遇热后,硝化甘油又常常会从吸收剂中渗出,渗透出的硝化甘油具有极高的冲击敏感度,所以硝化甘油混合炸药是一种对温度要求很严格的炸药。此类炸药在气温低于 10 ℃,以及耐冻的气温低于 -20 ℃时不予运输。

(3)黑索今

黑索今也称黑索金,是白色结晶,不溶于水,微溶于苯、丙酮、乙醚和乙醇等。化学性质比较稳定,遇明火、高温、震动、撞击、摩擦能引起燃烧爆炸,是一种爆炸力极强大的烈性炸药,比 TNT 猛烈 1.5 倍。常用的黑索今是经过石蜡钝化处理的,外观呈深红色。钝化黑索金广泛用于装填各种军用弹药,民用中则用于装填雷管、导爆索及制作起爆药等。

2. 混合猛炸药

其一般是由单质炸药和添加剂,或由氧化剂和可燃剂按适当比例混合加工制成的。

猛炸药的爆炸能量大、爆速高、爆破效应好,是爆破的主要能源。在军事上用以装填各种弹药,在作民用爆破时,通常称为工业炸药(或民用炸药),是以氧化剂和可燃剂为主体的爆炸性混合物。工业炸药以成本低廉、使用方便、制作简单和能量较高为特点,广泛应用于采矿、开山、交通、建筑、金属加工等各方面。其种类繁多,现在主要使用的工业炸药有硝铵炸药、铵油炸药和乳化炸药等三类。

☞ 知识链接

物质可以分为纯净物质和混合物两大部分。纯净物质是指其内部各处的性质完全一样的物质,即纯净物质是由同一种类的分子组成的。混合物则是由两种或两种以上纯净物质经过机械混合而组成的物质,在混合物中仍然保有原混合物各自的性质,即混合物是由不同种类分子混合组成的。如蔗糖和水都是纯净物质,两者混合后组成蔗糖水溶液为混合物,仍然保有蔗糖和水的性质。

纯净物质又分为单质和化合物两部分。单质是由同种元素的原子所组成的物质,如铜、铁等各种金属。化合物是由两种或两种以上元素的原子所组成的物质。单质不能够再分解,化合物比单质复杂,通过化学方法可以把化合物分解为更简单的物质。例如,氧气和氢气都是单质,用任何化学方法不能再将其分解,而水是化合物,因为利用化学(电解)方法可以将它分解为氧气和氢气。

化合物分为有机化合物和无机化合物。有机化合物指含碳化合物或碳氢化合物及其衍生物的总称。但含碳的化合物不一定是有机物,如 CO_2。有机化合物在早期是指由动植物有机体内取得的物质。地球上所有的生命体中都含有大量有机物。最简单的有机化合物是甲烷(CH_4)。无机化合物指不含碳氢的化合物,如盐酸、硫酸等。大多数有机化合物可溶于汽油、难溶于水,而大多数无机化合物则易溶于水。

(三)火药

火药是在适当的外界能量作用下,自身能进行迅速而有规律的燃烧,同时生成大量高温燃气的物质。火药在军事上主要用作枪弹、炮弹的发射药和火箭、导弹的推进剂及其他驱动装置的能源，是弹药的重要组成部分。火药典型的爆炸变化形式是燃烧，常用作枪炮弹的发射药，也广泛应用于火工品中，常用的火药有黑火药、无烟火药等。

（四）烟火剂

烟火剂是一类以氧化剂和可燃物为主体的混合物，是一种具有燃烧和爆炸性质的药物，其热感度和机械感度都很高。烟火剂的典型爆炸变化形式也是燃烧，可利用其燃烧反应所产生的特定的烟火效应，起照明、信号、光、烟幕及燃烧等作用。例如烟花爆竹产生的声、光、烟和各种运动效果便是靠烟火剂燃烧、爆炸和产生的气体来实现的。

☞ 知识链接

危险品中很多是可燃（或易燃）物，空气是良好的助燃物，在大多数情况下我们只有严格控制热量这一条件才能防止燃烧。在危险货物作业场所，能引起燃烧或爆炸的火源（或热源）主要有：

（1）明火。其是指敞开的火焰、火星和灼热的物体等，具有很高的温度和热量，是引起火灾的最主要火源，例如烧红的电热丝或铁块，焊接、切割时的火花、烟火星等。

（2）电器火花。其是指各种电气设备由于短路、超负荷、接触不良等引起的火花，例如电线陈旧老化、接触不良、闪电雷击等所产生的电火花。

（3）撞击火花。其是指物体相互碰撞或摩擦而产生的火花，例如穿带铁钉的鞋子与地板摩擦、装卸中使用锹或进行敲铲作业、装卸的金属工具与物品外包装容器相撞等所产生的火花。

（4）静电火花。两种不同的物质相互接触、摩擦，就可能产生静电并积聚起来，静电能量释放时便产生火花。例如固体物料被挤出、过滤时与管道壁、过滤器壁之间发生摩擦而产生火花，可燃液体蒸气和可燃气体由于固体或液体中夹带有杂质，当它们从缝隙或阀门高速喷出时静电积聚而产生火花。又如工作人员穿着和更换化纤服装而产生的火花等。

（5）化学热。其是指因物质发生化学反应所产生的热量，当热量达到一定温度，便引起物质的燃烧。例如金属钠与水反应引起燃烧、黄磷与空气发生氧化反应引起燃烧、氧化剂与易燃固体或易燃液体发生反应引起燃烧等。

（6）其他热源。聚焦、辐射等作用产生的热量也能引起燃烧。

任务二　掌握气体的主要特性

一、气体的定义

本类气体是指满足下列条件之一的物质：

（1）在 50 ℃时，蒸气压力大于 300 kPa 的物质；

（2）20 ℃时，在标准大气压力为 101.3 kPa 时，完全是气态的物质。

本类气体包括压缩气体、液化气体、溶解气体和冷冻液化气体、一种或多种气体与一种或多种其他类别物质的蒸气混合物、充有气体的物品和气雾剂。

☞ **知识链接**

1. 压缩气体：在 -50 ℃温度下加压包装供运输时完全呈现气态的气体，包括临界温度小于或等于 -50 ℃的所有气体。

2. 液化气体：在温度大于 -50 ℃下加压包装供运输时部分呈现液态的气体。

3. 溶解气体：加压包装供运输时溶解于某种溶剂中的气体。

4. 冷冻液化气体：由于自身的温度低在运输包装内部分呈现液态的气体。

二、气体的分项

《危险货物品名表》(GB 12268—2012)中把气体分为三项。

(一)第 2.1 项　易燃气体

易燃气体是指在温度 20 ℃、标准大气压 101.3 kPa 条件下，满足下列条件之一的气体：

(1)爆炸下限小于或等于 13%(体积)的气体；

(2)不论其燃烧下限如何，其爆炸极限(燃烧范围)大于或等于 12% 的气体。

此类气体极易燃烧，与空气混合能形成爆炸性混合物，在常温常压下遇明火、高温即会发生燃烧或爆炸。例如，甲烷的爆炸极限是 5.0% ~15%，即甲烷在空气中的浓度低于 5.0% 或高于 15% 都不能燃烧或爆炸。常见易燃气体有氢气、乙烯、乙烷、乙炔、甲烷、丙烷等烃类。由于任何可燃气体如果跟空气充分混合，遇火时都有可能发生爆炸，当可燃性气体发生泄漏时，应杜绝一切火源、火星，禁止产生电火花，以防发生爆炸。

☞ **知识链接**

可燃物质(可燃气体、蒸气和粉尘)与空气(或氧气)在一定的浓度范围内混合后，遇着火源才会引起燃烧爆炸，这个浓度范围称为爆炸极限，也称燃烧极限，用可燃物占全部混合物的百分比浓度来表示。例如一氧化碳与空气混合的爆炸极限为 12.5% ~74%。可燃性混合物能够发生爆炸的最低浓度称为爆炸下限，最高浓度称为爆炸上限，这两者有时亦称为着火下限和着火上限。爆炸上限和爆炸下限之差称为爆炸范围。在低于爆炸下限时不爆炸也不着火，是因为可燃物浓度不够，燃烧不能进行；在高于爆炸上限时不会爆炸，是因为可燃物浓度太高，则空气不足，供氧不足。因此，控制气体浓度相当重要。可以通过加入惰性气体或其他不易燃的气体来降低浓度。在排放气体前，可以以涤气器、吸附法来清除可爆的气体。爆炸下限越低、爆炸范围越大的气体或蒸气越危险。例如，氢气的爆炸极限较宽，爆炸下限较低，特别容易燃烧爆炸。常见气体的爆炸极限如表 1 -4 所示。

表 1 -4　常见气体的爆炸极限

名称	化学分子式	在空气中的爆炸极限	
		下限	上限
甲烷	CH_4	5.0	15
乙烷	C_2H_6	3.0	15.5

表 1-4(续)

名称	化学分子式	在空气中的爆炸极限	
		下限	上限
乙烯	C_2H_4	2.8	32
乙炔	C_2H_2	2.3	72.3
丙烯	C_3H_6	2.4	10.3
丙烷	C_3H_8	2.2	9.5
丁烷	C_4H_{10}	1.9	8.5
氢气	H_2	4.0	75.6
氨气	NH_3	15.5	30.2
一氧化碳	CO	12.5	74
硫化氢	H_2S	4.3	45

(二)第 2.2 项　非易燃无毒气体

本项包括窒息性气体(会稀释或取代通常在空气中的氧气的气体)、氧化性气体(通过提供氧气比空气更能引起或促进其他材料燃烧的气体)及不属于其他项别的气体,不包括在温度 20 ℃时的压力低于 200 kPa,并且未经液化或冷冻液化的气体。如压缩氧、压缩空气、压缩二氧化碳等。这项气体泄漏时,遇明火不燃。直接吸入体内无毒,无刺激和腐蚀性,但高浓度时吸入会引起缺氧而有窒息危险。有些气体(如氧气、压缩空气、一氧化二氮等气体)本身不会燃烧,但它们有强烈的氧化作用,可以帮助燃烧,称之为助燃气体(氧化性气体)。氧化性气体实质上是气体状的氧化剂,它比液态或固态的氧化剂具有更强烈的氧化作用,因此运输储存氧化性气体要参照第 5 类氧化性物质和有机过氧化物的各项要求和规定。

☞ 知识链接

1. 气体的液化

物质呈现气体、液体和固体三种状态。物质所处的状态与温度和压力有关。气体没有一定的形态和体积,可以压缩。处于压缩状态的气体叫作压缩气体。如果对气体进行压缩并降低温度,压缩气体就会转化为液体。气体转化为液体的过程叫作液化。常温常压下的气体,经加压降温成液态的叫作液化气体。

2. 气体的相对密度

当温度和压力相同时,两种气体的密度之比称为气体的相对密度。气体物质的相对密度是以空气为标准的:比空气轻的气体会上浮到封闭空间的顶部,比空气重的气体会沉积在低洼处。如果任其蓄积,就有潜在危险,遇火源会引起燃烧、爆炸,致人窒息和毒害等事故。因此,储存危险品的仓库必须安设良好的通风排气设施。在装卸作业时,应先开仓门通风后再作业。特别是对封闭式船舱、货车车厢和集装箱进行装卸时,要注意先通风后作业。

3. 气体的溶解性

某些液体对某种气体有特别大的溶解能力。例如,氨、氯可以大量溶解在水里,乙炔可以大量溶解在丙酮中。利用气体的这个性质可以提高储运某些不易液化或压缩的气体的安全性。例如,利用乙炔的溶解性,将乙炔钢瓶内填充多孔性物质(如活性炭或硅酸钙),再注入丙酮,然后把乙炔加压灌入,使之溶解在丙酮中。这种溶解在液体溶剂中的气体称为溶解气体。溶解气体的溶剂受热后,气体会大量逸出,引起容器爆炸。

(三)第 2.3 项　毒性气体

本项包括满足下列条件之一的气体:

(1)其毒性或腐蚀性对人类健康造成危害的气体;

(2)急性半数致死浓度 LC_{50}的值小于或等于 5 000 mL/m^3的毒性或腐蚀性气体。

这类气体毒性很强,少量吸入即能引起中毒,例如氯气、磷化氢、二氧化硫等。这项气体泄漏时,对人畜有强烈的毒害、窒息、灼伤、刺激作用,处理泄漏事故时必须戴防毒面具,关闭阀门,将气瓶潜入水中。发生火灾时要优先抢救,用大量水冷却。有毒气体的毒性指标应符合第 6 类毒性物资有关规定。

需要注意的是,具有两个项别以上危险性的气体和气体混合物,其危险性先后顺序为 2.3 项优先于其他项,2.1 项优先于 2.2 项。

☞ **案例**

山西省晋城市某化工厂以焦炭和硫黄为原料生产二硫化碳。2015 年 5 月 16 日,该公司一名当班员工发现二车间冷却水池内二硫化碳冷却管泄漏,向值班经理汇报后,该当班人员进行现场堵漏处置,值班经理负责监护。在处置过程中,该当班人员中毒晕倒,值班经理呼救并施救,在后续施救过程中多名人员中毒晕倒,最终造成 8 人死亡, 6 人受伤。

经初步分析,事故直接原因是在处置冷却池内泄漏管线时,在未辨识安全风险、未办理受限空间作业票、未佩戴防护用品的情况下,操作人员进入冷却池内实施维修,导致中毒晕倒(焦炭与硫黄反应生成二硫化碳气体,副产物硫化氢,两者在冷却池冷凝过程中同时存在),其他人员盲目施救,造成事故扩大。事故详细原因正在进一步调查中。

资料来源:中国化学品安全协会网 http://www.chemicalsafety.org.cn

三、本项气体的主要特性

(一)易燃易爆性

易燃、可燃气体(如甲烷、氢气等)比液体、固体更容易燃烧,且燃速快、火焰温度高、着火爆炸危险性大。易燃气体燃烧或爆炸的难易程度,除受着火源能量大小的影响外,主要取决于其化学组成。由简单成分组成的气体比复杂成分组成的气体易燃,燃烧速度更快、火焰温度更高、发生爆炸的危险性更大。

(二)扩散性

处于气体状态的任何物质都没有固定的形状和体积,能自发地充满任何容器。比空气轻的气体逸散在空气中可以无限制地扩散,与空气形成爆炸性混合物,并能够顺风飘荡,迅速蔓延和扩展;比空气重的气体泄漏出来时,往往飘浮于地表、沟渠、隧道等处,容易与空气在局部形成爆炸性混合气体,遇着火源就可能发生着火或爆炸。

(三)可压缩性和膨胀性

气体的体积会因温度的升降而胀缩,而且胀缩的幅度比液体要大得多。

(1)当温度不变时,气体的体积与压力成反比,即压力越大,体积越小。气体在一定压力下可以压缩,甚至可以压缩成液态。因此,气体通常都是经压缩后储在压力罐或钢瓶中,以便于运输。

(2)当压力不变时,气体的温度与体积成正比,即温度越高,体积越大。

(3)当体积不变时,气体的温度与压力成正比,即温度越高,压力越大。当装有压缩或液化气体的密封容器在储运过程中受到高温、暴晒等热源作用时,容器内的气体就会急剧膨胀,产生比原来更大的压力。当压力超过了容器的耐压强度时,就会引起容器的膨胀或爆炸,可能造成人身伤亡或财产损失。因此,在向容器内充装时要注意极限温度和压力,严格控制充装量,防止超装和超压。在运输、储存压缩气体和液化气体的过程中,一定要注意隔热、防晒和防火等措施。

(四)带电性

物体间摩擦都会产生静电。压力容器内的可燃压缩气体或液化气体,从容器管口或管道破损处高速喷出时也同样会产生静电。这是由于气体本身剧烈运动造成分子间的相互摩擦、气体中含有固体颗粒或液体杂质在压力下高速喷出时与喷嘴产生的摩擦等。

影响气体静电荷多少的主要因素有以下两个方面:第一是杂质,气体中所含的液体或固体杂质越多,产生的静电荷也越多;第二是流速,气体的流速越快,产生的静电荷也越多。例如,液化石油气喷出时,产生的静电电压可达 9 000 V,其放电火花易引起燃烧。

(五)有害性

除氧气和压缩空气外,大多数的压缩气体和液化气体具有一定的毒害性,如氨、磷化氢等。此外,除氧气和压缩空气外其他压缩气体和液化气体都具有窒息性。特别是一些不燃、无毒的气体(如氦、氖等惰性气体),虽然无毒、不燃,但也会造成窒息死亡,因此也必须盛装在密封压力容器中。还有一些含氢、硫等元素的气体具有腐蚀性。例如,氨、硫化氢等都能腐蚀设备,严重时可导致设备系统裂隙、漏气,引起燃烧或爆炸。因此,对盛装这类气体的容器要求具有抗腐蚀性,并要定期检验容器的耐压强度。

☞ 案例

2015 年 11 月 12 日,美国德克萨斯州休斯敦市城区东部某咖啡厂发生二氧化碳泄漏,造成了 1 名工人死亡。休斯敦市消防官员说,该厂咖啡豆脱咖啡因工段 1 名员工,被作业期间 1 个突然破裂的阀门泄漏的二氧化碳熏到,送到医院后抢救无效死亡。报道说,遇难者已在该厂工作 20 多年。

资料来源:国家安监总局化学品登记中心网站 http://www.nrcc.com.cn

四、常见气体

（一）甲烷

甲烷，俗称瓦斯，是一种无色、无味的可燃性气体，熔点 -182.5 ℃，沸点 -161.5 ℃，爆炸上限15.4%，爆炸下限5.0%，闪点 -188 ℃，极难溶于水。通常情况下，甲烷比较稳定，与高锰酸钾等强氧化剂不反应，与强酸、强碱也不反应。甲烷是天然气、沼气、油田气及煤矿坑道气的主要成分，是一种优质气体燃料，也是制造许多化工产品的重要原料。空气中的甲烷含量超过5% ~15%就十分易燃，遇热源和明火有燃烧爆炸的危险。当空气中甲烷含量达到25% ~30%时，会使人头昏、呼吸加速、运动失调。

☞ **案例**

【案例1】 2005年2月14日，辽宁省某煤矿发生一起特别重大瓦斯爆炸事故，造成214人死亡，30人受伤，直接经济损失4 968.9万元人民币。随后国务院成立了“2·14”事故调查领导小组，多次下井勘察，多方调查取证，对相关资料反复分析，认定了爆源，查明了事故原因，并认定是一起责任事故。事故直接原因是冲击地压造成3316工作面风道外段大量瓦斯异常涌出，3316风道里段掘进工作面局部停风造成瓦斯积聚，致使回风流中瓦斯浓度达到爆炸界限；工人违章带电检修架子道距专用回风上山8米处临时配电点的照明信号综合保护装置，产生电火花引起瓦斯爆炸。事故的间接原因主要是企业在生产、安全和机电管理等方面存在较多管理上的问题。

资料来源：国家安监总局化学品登记中心网站 http://www.nrcc.com.cn

【案例2】 据美联社记者报道，美国爱荷华州Lytton社区某蛋白质加工厂在2015年10月17日晚发生爆炸，造成3人受伤，其中1人有生命危险，1人重伤。据说，爆炸发生时工人们正在检修1个大型储罐。初步猜测储罐内残存的沼气（甲烷）遇到焊枪火苗引发了爆炸。

资料来源：中国化学品安全协会网 http://www.chemicalsafety.org.cn

（二）氩气

氩气是无色、无臭的惰性气体，熔点 -189.2 ℃，沸点 -185.7 ℃，微溶于水，不燃、无毒，缺氧时易导致窒息。氩气本身无毒，但在高浓度时有窒息作用。液氩可以冻伤皮肤，眼部接触可引起炎症。氩气主要用于灯泡充气及铝、镁及不锈钢等的电弧焊接。

☞ **案例**

乌鲁木齐市高新区某企业2名工人在乌鲁木齐国际机场飞机维修基地加气站旁一工程施工焊接过程中，发生氩气泄漏窒息。机场机务维护人员及医护人员在不明情况下进行施救，又造成多人昏迷。事故造成5人死亡、5人重伤。

资料来源：国家安监总局化学品登记中心网站 http://www.nrcc.com.cn

（三）液氯

氯气是黄绿色气体，比空气重，易液化，有刺激性气味，气体相对密度2.4，液体相对密度

1.47,溶于水和碱溶液,剧毒,与易燃气体混合易燃烧爆炸,遇潮湿有腐蚀性。氯可以和大多数元素或化合物起反应。氯气与水反应生成次氯酸和盐酸。盐酸对钢制容器具有很强的腐蚀性,会影响罐车的使用寿命。所以罐车在充装和使用过程中,要严格控制水含量。氯气跟氢氧化钠等碱类能较快地发生反应,因此可以用碱液吸收剩余的氯气。液氯一般汽化后使用,为强氧化剂,用于纺织、造纸工业的漂白,自来水的净化、消毒等。液氯本身不燃,当受到着火威胁时,应向钢瓶浇水冷却或移至安全处,发现漏气可用石灰水吸收或置放于水中。

☞ 案例

2012年7月2日,西安市某工业园区发生一起液氯泄漏事件,导致27人中毒。截至3日晚,除一名患者病情较重外,其余人病情较稳定。事故原因为一工人私自拆卸二十余天前收购的液氯金属罐口铜角阀,造成罐内残液挥发泄漏。中毒事件发生后,工人已经全部撤出了宿舍楼,事故厂区也已全面停产。

资料来源:国家安监总局化学品登记中心网站 http://www.nrcc.com.cn

(四)液化石油气

液化石油气是石油在提炼汽油、煤油、柴油、重油等油品过程中剩下的一种石油尾气,通过一定程序可对石油尾气加以回收利用,采取加压的措施使其变成液体,装在受压容器内。液化石油气是由多种低沸点气体组成的混合物,没有固定的组成。主要成分是丁烯、丙烯、丁烷和丙烷,极易燃,与空气混合能形成爆炸性混合物,一旦遇热源或明火会有燃烧或爆炸的危险。其蒸气比空气重,能在较低处扩散到相当远的地方,遇明火会引着回燃。

☞ 案例

2015年6月11日时26分,苏州某液化气公司综合办公楼发生液化石油气泄漏爆炸事故,造成11人死亡,9人受伤入院救治,其中1名伤员伤势严重,经抢救无效于6月20日死亡。当场造成该综合办公楼整体坍塌,直接经济损失1 833万元人民币。

资料来源:国家安监总局化学品登记中心网站 http://www.nrcc.com.cn

(五)丙烯

丙烯常温下为无色气体,沸点 -47 ℃,不溶于水,溶于有机溶剂,易燃烧爆炸,爆炸极限2% ~11%。其麻醉性强,易造成急性中毒,长期接触可引起头昏、乏力、全身不适等,对水体、土壤和大气可造成环境污染。

☞ 案例分析

西班牙液化丙烯罐车爆炸事故

1. 事故概况

1978年7月11日14点30分左右,在西班牙连接巴塞罗那市和帕伦西亚市的高速公路的旁道上行驶的液化丙烯罐车发生爆炸,使地中海沿岸侧的一个露营场遭到很大破坏。事故造成215人死亡,67人受伤,约100辆汽车和14栋建筑物被烧或遭到破坏。据目睹者说,“听到两次爆炸声,两者间隔数秒钟”。估计第一次可能是罐车本身的爆炸,第二次可能是丙烯蒸气在空气中的气体爆炸。

2. 事故原因分析

由于露营场刹那之间就死了这么多人，可以推断在短时间内有大量液化丙烯汽化着火而发生的伴随有大火球的爆炸事故。但是，如果我们假定液化丙烯是从罐中流出到地面之后才蒸发的，液化气因为消耗蒸发热而被冷却，其蒸发速度也要减慢。这一点不能说明上述那种迅速汽化现象。因此，实际上应该想到，行驶中的罐车由于其外壳发生龟裂、气体泄漏而发生了液化丙烯的蒸气爆炸。

至于发生龟裂的原因，充装了过多的液化气这一说法比较有说服力。西班牙政府规定，液化气的充装量应不超过储罐容积的85%，但是，普遍认为此次的充装量已经达到了100%。

当天早晨，罐车充装液化丙烯。在行驶的途中，受到7月太阳的直射，储罐温度升高，到14时30分左右，估计由于液体的热膨胀作用，而导致储罐外壳上产生了龟裂。这样一来，扩散于大气中的全部液化丙烯迅速沸腾汽化而分散成雾状，随着气体向空中扩散，并以原罐车位置为中心变成蒸气云扩展下去。

在露营场到处都有烧饭、吸烟等引起的明火，如果这些都是火源，而因此着火的话，就会立即产生巨大火球而发生混合气体爆炸。所以，第一次蒸气爆炸引起储罐破坏后，经过几秒钟又发生了第二次空气中混合气体的爆炸。

资料来源：中国化学品安全协会网站 http://www.chemicalsafety.org.cn

（六）二甲胺

二甲胺在室温下是气体。高浓度时具有氨的气味，稀薄状态时其味如烂鱼臭。熔点 -96 ℃，沸点7 ℃，闪点 -17.8 ℃，爆炸极限2.8%～14.4%，易溶于水、乙醇和乙醚，易燃烧，有弱碱性，主要用作制药物、染料、杀虫剂和橡胶硫化促进剂的原料。该品有一定的毒性，受热易挥发，对眼和呼吸道有强烈的刺激作用。直接接触能引起烧伤。

☞ 案例分析

印度博帕尔甲基异氰酸酯泄漏事故

1. 事故概况

1984年12月3日，印度博帕尔联合碳化物公司农药厂发生异氰酸甲酯毒气泄漏，造成6 495人中毒死亡、12.5万人中毒、5万人终身受害。让世界震惊，影响重大。

2. 事故原因分析

调查表明，直接原因有4个：(1)120～240加仑水进入异氰酸甲酯(MIC)贮罐引起放热反应，致使压力升高，防爆膜破裂；(2)由于腐蚀，储罐进料管上的阀门发生内部泄漏；(3)排气洗涤器和通水管没有及时投入运行；(4)冷冻系统呈闭止状态，不能满足低温储存条件，使MIC汽化后不能液化，无法控制急剧产生的大量MIC气体。

调查结果认为：这次灾难是由于存在严重的事故隐患、违章操作、设计欠缺、维修失灵和忽视培训而导致的。

资料来源：中国安全生产网网站 http://www.aqsc.cn

☞ 知识链接

甲基异氰酸酯又称为异氰酸甲酯，简称 MIC(methyl isocyanate)，属剧毒化学品，极不稳定，需要在低温下储存。沸点 39.1 ℃，蒸气密度 1.42，蒸气压 46.39 kPa，闪点小于 -15 ℃(闭杯)，爆炸极限 5.3% ~26%，自燃点 534 ℃。容易与包含有活泼氢原子的化合物，如胺、水、醇、酸发生反应。与水反应生成甲胺、二氧化碳，在过量水存在时，甲胺再与 MIC 反应生成 1,3 - 二甲基脲，在过量 MIC 时则形成 1,3,5 - 三甲基缩二脲。这两个反应都为放热反应。MIC 是生产氨基甲酸酯类杀虫剂的中间体。

(七)二氧化硫

二氧化硫为无色透明气体，有刺激性气味，溶于水、乙醚和乙醇，具有漂白性，工业上常用二氧化硫来漂白毛、丝、纸浆和草帽等。二氧化硫和某些含硫化合物的漂白作用被一些厂商非法用来加工食品，使食品增白等。食用这类食品，对人体的肝、肾脏等有严重损伤，并有致癌作用。二氧化硫还能够抑制细菌和霉菌的滋生，可以用作食物和干果的防腐剂。二氧化硫是有毒气体，对人体眼、鼻、喉等有严重刺激，接触浓度过高的二氧化硫会导致死亡。

☞ 案例

2012 年 07 月 12 日，江苏省镇江市某公司 30 万吨硫酸生产装置因工作人员操作不当，未及时更换尾气吸收设备中的碱液，造成二氧化硫少量泄漏，事故持续时间约 5 分钟。事故发生后，企业当即关停了硫酸生产系统。泄漏气体造成当地部分群众感到不适。截至 13 日上午 10 时，共留院观察 35 人、收住入院 40 人，总体情况较为稳定，无生命危险。

资料来源：搜狐新闻 http://news.sohu.com

(八)氨

又称氨气，是一种无色气体，有刺激性恶臭味。熔点为 -77.7 ℃，沸点为 -33.5 ℃，爆炸极限 16% ~25%，极易溶于水，水溶液又称氨水。通过降温加压可使氨变成液体，液态氨汽化时要吸收大量的热，使周围物质的温度急剧下降，因此氨常作为制冷剂。氨对人有毒害作用，对黏膜和皮肤有刺激及腐蚀作用。氨也是制造硝酸、化肥、炸药的重要原料。

☞ 案例分析

上海某公司"8·31"重大氨泄漏事故

1. 事故概述

2013 年 8 月 31 日 8 时左右，上海某公司员工陆续进入加工车间作业。至 10 时 40 分，约 24 人在单冻机生产线区域作业，38 人在水产加工整理车间作业。约 10 时 48 分起，单冻机生产线区域内的监控录像显示现场陆续发生约 7 次轻微震动，单次震动持续时间约 1 至 6 秒不等。10 时 50 分，正在进行融霜作业的单冻机回气集管北端管帽脱落，导致氨泄漏，造成 15 人死亡，7 人重伤，18 人轻伤。事故造成直接经济损失约 2 510 万元人民币。

2. 事故原因分析

(1)直接原因

由于热氨融霜违规操作和管帽连接焊缝存在严重焊接缺陷,导致焊接接头的低温低应力脆性断裂,致使回气集管管帽脱落,造成氨泄漏。

(2)间接原因

①违规设计、违规施工和违规生产,在主体建筑的南、西、北侧建设违法构筑物。

②主体建筑竣工验收后,擅自改变功能布局,将原单冻机生产线区域、预留的水产精深加工区域及部分水产加工整理车间改为冷库等。

③水融霜设备缺失,无法按规程进行水融霜作业。无单冻机热氨融霜的操作规程,违规进行热氨融霜。

④氨调节站布局不合理。操作人员在热氨融霜控制阀门时,无法同时对融霜的关键计量设备进行监测。

⑤安全生产责任制、安全生产规章制度及安全技术操作规程不健全,未按有关法规和国家标准对重大危险源进行辨识,未设置安全警示标志和配备必要的应急救援设备。

⑥公司管理人员及特种作业人员未取证上岗,未对员工进行有针对性的安全教育和培训。

⑦擅自安排临时用工,未对临时招用的工人进行安全教育,未告知作业场所存在的危险因素。

资料来源:中国安全生产网 http://www.aqsc.cn

(九)一氧化碳

一氧化碳是无色、无味、无刺激性的气体,熔点 -205.1 ℃,沸点 -191.5 ℃,自燃点 608.89 ℃。极难溶于水,与空气混合爆炸极限是 12.5% ~74.2%。一氧化碳可以作为气体燃料,对人的血液和神经系统有很强的毒性。

任务三 掌握易燃液体的分类和主要特性

一、易燃液体的分类及定义

本类包括易燃液体和液态退敏爆炸品。

(一)易燃液体

易燃液体是指易燃的液体、液体混合物或在溶液或悬浮液中有固体的液体,如汽油、煤油、乙醇、戊烯、乙醚、乙醛、苯等。其闭杯试验闪点不高于 60 ℃,或开杯试验闪点不高于 65.6 ℃。易燃液体还包括满足下列条件之一的液体:

(1)在温度等于或高于其闪点的条件下提交运输的液体;

(2)以液态在高温条件下运输或提交运输、并在温度等于或低于最高运输温度下放出易燃蒸气的物质。

易燃液体是在常温下极易着火燃烧的液态物质。易燃液体的燃烧是通过其挥发的蒸气与空气形成可燃混合物,达到一定的浓度后遇火源而实现的。

(二)液态退敏爆炸品

液态退敏爆炸品是指为抑制爆炸性物质的爆炸性能,将爆炸品溶解或在水中或其他液态物质后而形成的均匀液体混合物。

☞ 知识链接

1. 闪点

闪点是指在一稳定的空气环境中,可燃性液体或固体表面产生的蒸气在试验火焰作用下被闪燃时的最低温度。闪点是表示易燃液体燃爆危险性的一个重要指标。可燃液体闪点越低,燃爆危险性越大。闪点分为开杯闪点和闭杯闪点:开杯闪点是将易燃液体放在敞开的容器中加热所测定的闪点;闭杯闪点是将易燃液体放在一个特定的密闭容器中加热所测定的闪点。除特别说明外,一般说的闪点是指闭杯闪点。易燃液体按照闪点大小可分为三类。

(1)低闪点液体:指闭杯试验闪点小于 -18 ℃的液体。

(2)中闪点液体:指闭杯试验闪点大于等于 -18 ℃,小于 23 ℃的液体。

(3)高闪点液体:指闭杯试验闪点大于等于 23 ℃,小于等于 61 ℃的液体。

或根据其危险程度分为两类。

(1)一级易燃液体:指闪点(闭杯)低于 23 ℃的液体,如甲醇、乙醇、乙醚、汽油、二硫化碳等。

(2)二级易燃液体:指闪点(闭杯)为 23 ~ 60.5 ℃的液体,如煤油、松节油等。

2. 燃点

燃点又叫着火点,是指可燃性液体表面上的蒸气和空气的混合物与火接触而产生火焰能继续燃烧不少于 5 s 时的温度。可在测定闪点后继续在同一标准仪器中测定燃点。可燃性液体的闪点和燃点表明其发生爆炸或火灾的可能性的大小。

3. 沸点

液体沸腾时的温度被称为沸点。沸腾是在一定温度下液体内部和表面同时发生的剧烈汽化现象。液体的沸点与外部压强有关。当液体所受的压强增大时,它的沸点升高;压强减小时,沸点降低。液体的沸点越低,越是容易汽化。

4. 自燃点

自燃点是指在规定的条件下,可燃物质发生自燃的最低温度。压力越高,自燃点越低。混合气体中氧浓度越高,自燃点越低,自燃的危险性越大。自燃有两种情况:

(1)受热自燃。可燃物质在外部热源作用下温度升高,达到自燃点而自行燃烧。

(2)自热自燃。可燃物在无外部热源影响下,其内部发生物理、化学反应而产生热量,并经长时间积累达到该物质的自燃点而自行燃烧的现象。自热自燃是化工产品储存运输中较常见的现象,危害性极大。

5. 熔点

固体熔化时的温度被称为熔点。

二、易燃液体的特性

(一)易挥发性

液体物质都会蒸发,并在加热到沸点时迅速变成气体。蒸发可以在沸点或低于沸点的温度下进行。温度越高,蒸发越快。在相同条件下,不同液体的蒸发速度是不同的。液体在低于沸点温度下的蒸发现象被称为挥发。易燃液体大都是低沸点液体,容易挥发。例如,汽油、乙醚、丙酮等的挥发性都比较大,这类物质也被称为挥发性液体。随着温度的升高,液体的蒸发速度加快,当蒸气与空气达到一定浓度极限时遇火容易燃烧或爆炸。

(二)易流动扩散性

大部分液体的黏度较小,易流动。易燃液体主要是用容器盛装和管道输送,如果易燃液体从容器或管道中渗漏出来会很快向四周流淌,加快挥发速度,使空气中的蒸气浓度增高,有蔓延和扩大燃烧或爆炸的危险。因此,在储存工作中应备置事故槽等防止液体流散,液体着火时应设法堵截流散的液体,防止火势扩大蔓延。

(三)受热膨胀性

易燃液体受热后体积膨胀,液体表面蒸气压同时随之增加,部分液体挥发成蒸气。当蒸气压力超过了密闭容器所能承受的压力限度时,就会造成容器膨胀或爆裂,即“鼓桶”现象,甚至爆炸。因此,盛装易燃液体的容器要留有一定比例的空隙,避免在阳光下曝晒或受热,要储存于阴凉处或采取一定的降温方法。

(四)易燃易爆性

易燃液体挥发出来的蒸气与空气混合形成可燃性混合蒸气,浓度达到一定的范围,即达到爆炸浓度范围时,遇火源就会发生燃烧或爆炸。易燃液体的爆炸极限越宽,燃烧、爆炸的可能性越大,危险性也随之增大。易燃液体蒸气具有可燃性和易爆性,因此易燃液体应采用高强度的容器或在低温下储运。

(五)带电性

大部分易燃液体都是电解质,如醚类、酯类、酮类、汽油及石油产品等。在进行灌注、摇晃、喷流和输送的过程中因摩擦产生静电,当所带的静电荷聚积到一定程度时,就会放电发出火花。易燃液体的着火能量很小,往往容易被静电火花点燃。如果静电放电的火花能量达到或大于周围可燃物的最小着火能量,且空气中的可燃物浓度已达到燃烧爆炸的范围,就会引起燃烧或爆炸。因此,易燃液体在装卸、储运过程中必须配备导除静电的装置,设法导泄静电,防止静电聚集而放电。

(六)毒害性

大部分易燃液体本身或其蒸气具有毒害性,有的还有刺激性或腐蚀性,其毒性的大小与其化学结构和蒸发的快慢有关。易燃液体的蒸气通过人体的皮肤、呼吸道、消化道三个途径进入体内,造成人身中毒。中毒的程度与作用时间长短和蒸气浓度有关,如浓度小,作用时间短，则中毒较轻；蒸气浓度越大，毒性也越大。因此，在储运、装卸易燃液体和救火时，要采取相应的防毒措施。

☞ **知识链接**

可燃物质可以分成三种情况：(1)需要明火点燃的固体物品，称易燃固体；(2)不需要外来明火点燃而能自行燃烧的称为自燃物品；(3)受潮或遇水后分解放出易燃气体引起燃烧的称为遇湿易燃物品。

有些物质(如萘、樟脑等)可以从固态直接转化为气态，这种现象称为升华。如物品本身具有易燃性，升华成气体时着火的危险性更大。

三、常见易燃液体

(一)甲醇

甲醇是无色、有酒精气味、易挥发的液体，溶于水，易燃，爆炸极限为6.0%～36.5%，可混溶于醇类、乙醚等多数有机溶剂。其蒸气与空气形成爆炸性混合物，蒸气比空气重，能在较低处扩散到相当远的地方，遇明火会引燃回燃。甲醇有毒，其毒性对人体的神经系统和血液系统影响最大，它经消化道、呼吸道或皮肤摄入都会产生毒性反应。甲醇蒸气能损害人的呼吸道黏膜和视力，对中枢神经系统有麻醉作用。在有甲醇蒸气的现场工作须戴防毒面具。甲醇主要用于制造甲醛和农药等。

☞ **案例**

【案例1】 2013年2月25日，贵阳市某化工厂发生甲苯和甲醇泄漏燃烧，有5名化工厂职工受伤。事发地附近约2万余人被全部疏散。

资料来源：环球网 http://www.huanqiu.com

【案例2】 2015年1月24日，一辆由南通开往上海金山送货的装有30吨甲醇的槽罐车行驶至G15沈海高速近G60约一千米处时，疑避让路面障碍物，车辆失控侧翻，继而穿过高速中间隔离带，冲到相向车道横卧，甲醇泄漏，并发生自燃，整辆车被大火吞没，火势猛烈。此次事故造成1死1伤。

资料来源：网易新闻 http://news.163.com

(二)乙醇

乙醇俗称酒精，常温、常压下是一种易燃、易挥发的无色透明液体，它的水溶液具有酒香的气味，并略带刺激。当浓度很高时(95%以上或无水乙醇)，沸点低(78.3 ℃)，闪点低(12.8 ℃)，其蒸气能与空气形成爆炸性混合物。能与水以任意比互溶，可混溶于乙醚、甲醇、丙酮、甘油等，能溶解许多有机化合物和若干无机化合物，具有吸湿性。75%的乙醇水溶液具有强杀菌能力，是常用的消毒剂。

(三)汽油

汽油为无色或淡黄色透明液体，很难溶解于水，易燃，有特殊臭味，易挥发。相对密度0.67～0.74，沸点40～200 ℃，闪点－50 ℃，爆炸极限1.3%～6.0%，有低毒，长时间吸入蒸气能引起中毒，主要用作汽车点燃式内燃机的燃料。

（四）苯

苯是一种石油化工基本原料，在常温下为一种无色、透明、易挥发的液体，具有芳香气味。苯的沸点为80.1 ℃，熔点为5.5 ℃，闪点 -11 ℃，爆炸极限1.2% ~8%。苯比水密度低，密度为0.88 g/mL。苯难溶于水，易溶于有机溶剂，本身也可以作为有机溶剂。苯易燃，毒性较高，是一种致癌物质。苯可通过皮肤和呼吸道进入人体，抑制中枢神经系统，长期吸入能导致再生障碍性贫血。

（五）二硫化碳

二硫化碳是一种无色液体，熔点为 -140.9 ℃，沸点为46.5 ℃，闪点为 -30 ℃，爆炸极限1% ~60%，极度易燃，具刺激性。通常不纯的工业品因为混有其他硫化物而变为微黄色，并且有烂萝卜味。二硫化碳一般用于制造人造丝、农用杀虫剂等，对人的神经和血管有毒害作用。

☞ **案例**

2015年5月16日，山西省阳城县某化工有限公司发生一起二硫化碳泄漏事故，造成8人死亡，另有两名伤者正在医院接受治疗。事故现场已得到有效控制。

资料来源：中国安全生产网 http://www.aqsc.cn

任务四　掌握易燃固体、易于自燃的物质、遇水放出易燃气体的物质的主要特性

一、本类危险品的分项和定义

本类危险品分为三项：

（一）第4.1项　易燃固体、自反应物质和固态退敏爆炸品

1. 易燃固体

在常温下以固态形式存在，燃点较低，遇火受热、撞击、摩擦或接触氧化剂能引起燃烧的物质，称为易燃固体，例如红磷、镁粉、硫黄及硝化棉等。但是不包括已列入爆炸品的物质。尤其要注意的是，易燃固体还包括如棉花、亚麻、大麻、木棉、黄麻、剑麻等易燃的植物纤维类物质。

2. 自反应物质

自反应物质是指即使没有氧气（空气）存在，也容易发生激烈放热分解的热不稳定物质。

3. 固态退敏爆炸品

固态退敏爆炸品是指为抑制爆炸性物质的爆炸性能，用水或酒精湿润爆炸性物质，或者用其他物质稀释爆炸性物质后，而形成的均匀固态混合物。

☞ 案例分析

云南省某化工公司硫黄卸车作业过程中发生爆炸事故

1. 事故概况

2008 年 1 月 13 日 2 时 45 分，云南省昆明市某公司的 53 名工人在某化工公司储存硫黄的仓库内从事火车硫黄卸车作业，作业过程是从火车上卸下并拆开硫黄包装袋，然后将硫黄分别倒入平行于铁路、与地面平齐的 34 个料斗中，硫黄通过料斗落在地坑中输送机传送带上，传送带将硫黄送入硫黄库。3 时 40 分，地坑硫黄粉尘突然发生爆炸，爆炸冲击波将料斗、硫黄库的轻型屋顶、皮带输送机、斗式提升机等设施毁坏，造成 7 人死亡、7 人重伤、25 人轻伤。

2. 事故原因分析

(1)当天天气干燥，空气湿度低，装卸过程中容易产生硫黄粉尘。

(2)深夜静风时段，空气流动性差，造成局部空间内，即皮带运输机地坑内，硫黄粉尘积聚。工人在从事火车硫黄卸车作业时，没有针对硫黄粉尘采取相应的技术措施，硫黄粉尘浓度达到爆炸极限范围时，在现场产生的点火能量作用下，皮带运输机地坑内的硫黄粉尘引发爆炸。

(3)装卸工人虽然知道现场硫黄粉尘浓度过高，但并没有意识到干燥空气中的硫黄粉尘非常容易发生燃爆，有些工人临时找来口罩以防护粉尘，继续工作，直至事故发生。这说明没有对装卸工人进行系统的安全教育培训，工人缺乏安全意识，这也是导致事故发生的一个重要因素。

资料来源：中国化学品安全协会 http://www.chemicalsafety.org.cn

(二)第 4.2 项　易于自燃的物质

本项包括发火物质和自热物质两类。

1. 发火物质

发火物质是指即使只有少量物品与空气接触，在不到 5 分钟时间内便燃烧的物质，包括混合物和溶液(液体和固体)，如白磷、三氯化钛等。

2. 自热物质

自热物质是指发火物质以外的与空气接触无需能源供应就能自己发热的物质，如油纸、潮湿的棉花等。物质自热导致自燃的原因是物质与空气中氧的反应所产生的热量不能迅速充分地传导到周围环境中，当产热的速率超过散热的速率并且达到自燃温度时，物质就会自燃。

(三)第 4.3 项　遇水放出易燃气体的物质

此项指遇水或受潮时，发生剧烈化学反应，变成自燃物质或放出易燃气体和热量的物质。有些不需明火即能燃烧或爆炸。

遇水能够反应产生易燃气体的物质主要有：活泼金属及其合金类，如锂、钠、钾、钙等；金属氢化物，如氢化锂、氢化钠、氢化钙、氢化铝等；硼氢类，如乙硼烷、丁硼烷、硼氢化钾、硼氢化钠等；碳的金属化合物，如碳化钙、碳化铝、石灰氮等；其他还有一些金属的粉末，如铝粉、锌粉、铝镁粉等。

二、易燃固体的主要特性

1. 燃点低,在高热、明火、摩擦作用下易燃烧

易燃固体的着火点都比较低,在常温下只要很小的着火源与之作用即能引起燃烧,如镁粉、铝粉、硫黄等。有些易燃固体在储存、撞击等外力作用下也能引发燃烧,例如赤磷、闪光粉等受摩擦、震动、撞击等也能起火燃烧甚至爆炸。

2. 遇酸、氧化剂易燃易爆

大多数易燃固体与酸、氧化剂接触,尤其是与强氧化剂接触,能够立即引起着火或爆炸。例如萘与发烟硫酸接触反应非常剧烈,甚至会引起爆炸。红磷与氯酸钾,硫黄与过氧化钠或氯酸钾相遇,都会立即引起着火或爆炸。

3. 粉尘有爆炸性

易燃固体中的金属粉末如铝粉、镁粉等,燃烧时不仅温度很高,而且粉尘极易飞扬,与空气混合达到爆炸极限时,遇明火引起粉尘爆炸。

4. 毒害性

许多易燃固体有毒,或燃烧产物有毒,或有腐蚀性。

在储运过程中,易燃固体发生燃烧事故,都是由于接触明火、火花、强氧化剂、受热或受摩擦、撞击等引起。所以在储运中要注意轻拿轻放,避免上述外因的作用。

三、易于自燃的物质的主要特性

1. 不需受热和明火,会自行燃烧

自燃物品多具有空气氧化、分解的性质,且燃点较低。在未发生自燃前,一般都经过缓慢的氧化过程,同时产生大量热量,当产生的热量聚集起来,温度达到该物质的自燃点时,便会着火燃烧。隔绝这类物品与空气接触是储运安全的关键。

2. 接触氧化剂会立即发生爆炸

自燃物品的还原性很强,在常温下即能与空气中的氧发生反应。如果接触到氧化剂,会立即发生强烈的氧化还原反应,引起燃烧爆炸。

3. 受潮后,会增加自燃的危险性

易自燃物品中的油纸、油布等含油脂的纤维制品,在干燥时,由于物品的间隙大,易于散热,只要注意通风,自行缓慢氧化产生的热量不会聚积,通常不会自燃。但一旦受潮,产生的热量会积聚不散,很容易自燃。

四、遇水放出易燃气体的物质的主要特性

1. 遇水燃烧性

此类物品化学特性极其活泼,遇水(包括受湿、酸类和氧化剂)会引起剧烈化学反应,放出可燃性气体(氢气、乙炔、甲烷等)和热量。当这些可燃性气体和热量达到一定浓度或温度时,能立即引起自燃或在明火作用下引起燃烧和爆炸。如金属钠、氢化钠等遇水反应剧烈,放出氢气多,产生热量大,能直接使氢气燃爆。

遇湿易燃物品除遇湿(水)时会发生剧烈的化学反应外,当遇到酸类或氧化剂时,也能发生剧烈的化学反应,而且比遇湿(水)所发生的化学反应更剧烈,危险性也更大。

2. 爆炸性

遇水燃烧物质中的碳化钙(电石)等物品,会与空气中的水分发生反应,生成可燃性气体(乙炔)。放出的可燃性气体与空气混合达到一定量时,遇明火即有引起爆炸的危险。

3. 毒害性和腐蚀性

遇水燃烧物质均有较强的吸水性,与水反应后生成强碱和有毒气体,接触人体后,能使皮肤干裂、腐蚀并引起中毒。如电石放出的乙炔气、金属磷化物放出的磷化氢、硫化物放出的硫化氢气体都是毒性很大的。有许多物质本身就是有毒的,如钠汞齐、钾汞齐等都是毒害性很强的物质。碱金属及其氢化物类、碳化物类与水作用生成强碱,都具有很强的腐蚀性。

4. 自燃性

硼氢类物质和化学性质极活泼的金属及其氢化物(在空气中曝露时)均能发生自燃。

五、常见的易燃固体、易于自燃的物质、遇水放出易燃气体的物质

(一)常见的易燃固体

1. 硫黄

又称硫,黄色粉末或硬块,很容易研成粉末,不溶于水,易燃,燃烧时放出有毒和刺激性气体。硫黄往往是散装运输,由于性脆、颗粒小、易粉碎成粉末散在空气中,有发生粉尘爆炸的危险。长期吸入硫黄粉尘后,易产生疲劳、头痛、眩晕等身体不适症状。硫黄与氧化剂(如硝酸钾、氯酸钠)混合,能组成敏感度高的爆炸性混合物。我国民间生产的烟花、爆竹等,以硫黄、氯酸钾以及炭粉等为主要原料。

2. 赤磷

又名红磷。赤磷与黄磷是磷的同素异形体,但两者性质相差极大。紫红色无定形粉末,无毒无气味,燃烧时产生白烟,烟有毒,易燃,不溶于水也不溶于二硫化碳以及乙醇等有机溶剂。与氧化剂混合能形成爆炸性混合物。

(二)常见的易于自燃的物质

1. 黄磷

又称白磷,为白色或淡黄色的半透明蜡状固体,有特殊臭气,剧毒,性质极活泼,曝露在空气中即被氧化,自燃点低,只需1~2分钟即自燃,放出白色有毒烟雾。因此,黄磷必须储存于水中,切割也需在水中。若包装破损使水渗漏,导致黄磷露出水面,就会自燃。黄磷对皮肤有刺激性,可引起烧伤。

2. 油浸的麻、棉、纸等及其制品

纸、布、油脂都是可燃物,要充分干燥才能装箱储运,且要用花格透笼箱包装,并保持良好的通风散热条件。在装运储存过程中,要慎防这些物品淋雨受潮,只要注意通风,一般不会自燃。

(三)常见的遇水放出易燃气体的物质

1. 钠、钾等碱金属

钠、钾都是银白色柔软轻金属。这些金属不与煤油、石蜡反应,因此可把钠、钾等浸没

在这些矿物油中储存,使它们与空气中的氧和水蒸气隔离。值得注意的是,用于存放活泼金属的矿物油必须经过除水处理。这些物品的包装如果损漏,则非常危险。

2. 电石

学名碳化钙,为灰色的不规则的块状物。电石有强烈的吸湿性,能从空气中吸收水分而发生反应,放出乙炔(电石气),与水相遇反应更剧烈,放出大量热量,能很快达到乙炔的自燃点而起火燃烧,甚至爆炸。

任务五 掌握氧化性物质和有机过氧化物的主要特性

一、氧化性物质和有机过氧化物的分项和定义

本类危险品分为两项。

(一) 第 5.1 项:氧化性物质

氧化性物质是指本身不一定可燃,但通常因放出氧或起氧化反应可能引起或促使其他物质燃烧的物质。氧化性物质是具有强氧化性,易分解并放出氧和热量的物质。包括含过氧基的无机物,其本身不一定可燃,但能导致可燃物的燃烧。与松软的粉末状可燃物能组成爆炸性混合物,对热、震动或摩擦较敏感。

(二) 第 5.2 项:有机过氧化物

有机过氧化物是指分子组成中含有过氧基的有机物质。容易分解,有很强的氧化性,而且其本身就是可燃物,易于着火燃烧。分解时的生成物为易燃气体,容易引起爆炸,对热、震动或摩擦极为敏感。

有机过氧化物按其危险程度分为七种类型。

(1)A 型有机过氧化物。因具有敏感易爆性,能起爆或迅速爆燃,或在封闭状态下加热时呈现剧烈效应的有机过氧化物。

(2)B 型有机过氧化物。装在供运输的容器中既不起爆,也不会迅速爆燃,但在该容器中内部可能发生热爆炸的具有爆炸性质的有机过氧化物。此类型有机过氧化物运输时装入容器中的净重最高可达 25 kg。

(3)C 型有机过氧化物。装在供运输的容器(最多 50 kg)中不可能起爆或迅速燃烧或发生热爆炸具有爆炸性质的有机过氧化物。

(4)D 型有机过氧化物。指在封闭条件下进行加热试验时,呈现部分起爆,但不快速爆燃,也不呈现剧烈效应;或不爆轰,但可缓慢爆燃并不呈现剧烈效应;或不爆轰或爆燃,但呈现中等效应的有机过氧化物。每一包件的净重不得大于 50 kg。

(5)E 型有机过氧化物。指在封闭条件下进行加热试验时,不起爆、不爆燃,只呈现微弱效应的有机过氧化物。每一包件的净重不得大于 400 kg,容积不得大于 450 L。

(6)F 型有机过氧化物。指在封闭条件下进行加热试验时,既不引起空化状态的爆炸,也不爆燃,只呈现微弱效应或没有任何效应,而呈现微弱爆炸力或没有爆炸力的有机过氧化物。可用中型的散装容器、可移动罐柜或罐车运输。

(7)G型有机过氧化物。指在封闭条件下进行加热试验时,既不引起空化状态的爆炸,也不爆燃,且不呈现声效应及没有任何爆炸力,但其配置品是具有热稳定性包件(50 kg,自行加速分解温度大于60 ℃)的有机过氧化物。

二、氧化性物质和有机过氧化物的主要特性

(一)氧化性物质的主要特性

1. 强烈的氧化性

氧化剂多为碱金属、碱土金属的盐或过氧化基所组成的化合物。有极强的氧化性,本身不燃烧,但与可燃物作用能发生着火和爆炸。

2. 不稳定性,受热易分解

当摩擦、撞击或接触明火,局部温度升高就会分解放出氧,若接触易燃物、有机物,能引起着火和爆炸。

3. 化学敏感性

氧化剂与还原剂、有机物、易燃物品或酸等接触时,有的能立即发生不同程度的化学反应。如氯酸钾或氯酸钠与蔗糖或淀粉接触,高锰酸钾与甘油或松节油接触,三氧化铬与乙醇等混合,都能引起燃烧或爆炸。用扫帚清扫撒在地上的硝酸银就能引起局部燃烧爆炸。同属氧化剂类的物品,由于氧化性的强弱不同,相互混合后也能引起燃烧爆炸,如硝酸铵和亚硝酸钠,硝酸铵和氯酸盐等。有机过氧化物中的过氧化苯甲酰电子分解温度只有130 ℃,有时在拧瓶盖时如操作不当也可能引起爆炸。

4. 毒性和腐蚀性

氧化剂一般都具有不同程度的毒性,有的还具有腐蚀性,人吸入或接触可能发生中毒现象。如硝酸盐、氯酸盐都有不同程度的毒性,过氧化钠有腐蚀性等。

5. 吸水性

大多数盐类都具有不同程度的吸水性。如硝酸盐中的钠、钙、锌、铁和铜等,在潮湿环境里很容易从空气中吸收水分,甚至溶化、流失。有的还容易吸水变质,如过氧化钠、过氧化钾遇水则猛烈分解放氧,若遇有机物、易燃物即引起燃烧;如高锰酸锌吸水后的液体接触有机物(如棉布、纸等),能立即燃烧等。

(二)有机过氧化物的主要特性

1. 分解爆炸性

有机过氧化物都含有过氧基,而过氧基是极不稳定的结构,对热、震动、冲击或摩擦都极为敏感,所以当受到轻微的外力作用时即分解。分解后的产物,几乎都是气体或易挥发的物质,再加上易燃性和自身氧化性,分解时易发生爆炸。

2. 易燃性

有机过氧化物绝大多数是可燃物质,有的甚至是易燃物质。有机过氧化物分解产生的氧往往能引起自燃,燃烧时放出的热量又加速分解,循环往复并极难扑救。当其在封闭容器内受热时极易由迅速的爆燃转为爆轰。所以,扑救有机过氧化物火灾时要特别注意爆炸的危险性。

需要注意的是,属于氧化剂的物质很多,氧化能力有强有弱,有的性质很活泼,有不同

程度的危险性;有的性质比较稳定,不属于危险品。因此,不能笼统地把氧化剂都认为是危险品。被列入危险货物的氧化剂是一种化学性质比较活泼的物质,一般作为化学试剂及化工原料广泛应用。有机过氧化物是新型化学工业的重要原料,具有更大危险性。因此,为了保证安全运输、储存,我们必须详细了解并掌握其特性,避免在运输、装卸、储存过程中发生事故。

三、常见的氧化性物质和有机过氧化物

1. 硝酸钾

又称钾硝石、火硝。无色透明晶体或粉末,易溶于水,不溶于无水乙醇、乙醚,与易燃物质混合后,受热甚至轻微的摩擦冲击都会迅速燃烧或爆炸。黑火药就是根据这个原理配制的。

2. 氯酸钾

白色晶体或粉末,味咸,有毒,强氧化剂。常温下稳定,在400 ℃以上则分解并放出氧气,与还原剂、有机物(如糖、面粉)、易燃物(如硫、磷或金属粉末等)混合可形成爆炸性混合物,经摩擦、撞击或加热即爆炸。氯酸钾由于包装破损撒漏在地面后被践踏发生火灾的事故时有发生。

3. 过氧化氢

淡蓝色的黏稠液体,能与水、乙醇或乙醚以任何比例混合,是一种强氧化剂,遇有机物受热分解放出氧气和水。水溶液俗称双氧水,为无色无臭透明液体,可用作氧化剂、漂白剂、消毒剂、脱氯剂等,医学上常用双氧水来清洗创口和局部抗菌。

☞ 案例分析

某化工厂交接班疏漏引发爆炸事故

2006年4月22日上午,山东东营某化学公司双氧水车间两名操作员像往常一样,在完成交接班后一起至现场例行检查。当他们巡检完毕准备离开操作间时突然听到外面传来"刺刺"声,接着传来一声巨大的爆炸声,顿时车间内浓烟滚滚,情急之下,两名操作工从窗户跳下,经过雨棚落到地下。事发当时,有两名济南工艺设备安装公司的人员正在车间内拆除脚手架,他们在逃离现场的过程中,一人被大火烧死,一人被烧伤。该事故使整个车间所有设备厂房全部报废,直接经济损失302万元人民币以上。

(一)事故原因分析

1. 按照操作规程,车间氧化残液分离器在完成排液操作后,罐顶的放空阀必须打开。而事发时罐顶的放空阀是关闭的,造成残液罐内双氧水分解后产生的压力不能及时有效地泄压,容器在极度超压下发生爆炸。爆炸产生的碎片击中旁边的氢化液气分离器,氧化塔下进料管及储槽管线,使氢化液罐内的氢气和氢化液发生爆炸燃烧,继而形成车间的大面积火灾。

2. 调查组询问得知,交班操作员朱某交给接班操作员许某和张某之前,未按规定将氧化残液分离器罐顶的放空阀打开,而是准备交给接班后的人员处理,但又没有交代清楚。接过工作后,接班操作员许某和张某又想当然地认为朱某肯定已将氧化残液分离器罐顶的放空阀打开而没有进一步落实,最终导致了悲剧的发生。

(二)教训及预防措施

1. 教训

(1)车间对员工的"三违"现象监督不力,员工未严格执行操作规程,思想麻痹。

(2)车间对氧化残液分离器风险认识不足,危险性教育不够。

2. 预防措施

(1)与设计院沟通,在氧化残液分离器罐顶安装自动泄压装置,实现氧化残液分离器的自动泄压。

(2)严格规范员工的交接班工作,认真执行双方现场交接并签字确认,确保交接班工作不流于形式。

资料来源:中国化学品安全协会 http://www.chemicalsafety.org.cn

任务六　掌握毒性物质和感染性物质的主要特性

一、毒性物质和感染性物质的分项和定义

本类危险品分为两项。

(一)第 6.1 项　毒性物质

毒性物质是指经吞食、吸入或皮肤接触后可能造成死亡或严重受伤或损害健康的物质,包括四类毒性物质:(1)急性口服毒性;(2)急性皮肤接触毒性;(3)急性吸入粉尘和烟雾毒性;(4)急性吸入蒸气毒性。

(二)第 6.2 项　感染性物质

感染性物质是指已知或有理由认为含有病原体的物质,包括生物制品、诊断样品、基因突变的微生物、生物体和其他媒介,如病毒蛋白等。感染性物质分为 A 类和 B 类。

A 类:以某种形式运输的感染性物质,在与之发生接触(指感染性物质泄漏到保护性包装之外,造成与人或动物的实际接触)时,可造成健康的人或动物永久性伤残、生命危险或致残疾病。

B 类:A 类以外的感染性物质。

☞ **知识链接**

病原体(pathogens)

指可造成人或动物感染疾病的微生物(包括细菌、病毒、立克次氏体、寄生虫、真菌)或其他媒介(微生物重组体,包括杂交体或突变体)。

二、毒性物质和感染性物质的主要特性

1. 毒害性

毒害性主要表现为对人体及其他动物的伤害。引起人体及其他动物中毒的主要途径是呼吸道、消化道及皮肤三个方面。

2. 易燃性

毒害品大部分都具有火灾的危险性。无机毒害品中的金属氰化物和硒化物大都本身不燃，但都有遇水、遇湿易燃性（如氰化钠、氰化钾等），它们遇水、遇湿后放出极毒的氰化氢气体，是易燃气体。

三、常见的毒性物质和感染性物质

1. 杀螟威

又称毒虫威，指用来防治危害农林牧业生产的有害生物（如害虫、线虫、病原菌、杂草等）和调节植物生长的化学药品。杀螟威属有机磷农药，有固体和液体两种。白色晶体或粉末，与皮肤接触有毒，吞食有极高毒性。

2. 苯酚

苯酚有固态和溶液两种，纯品为白色结晶，遇光即变成淡红色，溶于水，有腐蚀性和毒性。苯酚是生产某些树脂、杀菌剂、防腐剂等的重要原料，也可用于外科器械消毒和排泄物的处理。

3. 碳酸钡

白色结晶或粉末，不溶于水，口服后与胃酸起反应，变为氯化钡而发生中毒。几乎不溶于水，不溶于酒精，遇酸分解，与硫酸作用生成白色硫酸钡沉淀，微有吸湿性。本品为无机有毒品，误食或吸入粉尘后对人体有毒害。

任务七　了解放射性物质的主要特性

一、放射性物质的定义

是指含有放射性核素且其放射性活度浓度和总活度都分别超过 GB 11806 规定限值的物质。放射性物质发射出人类肉眼看不见但却能严重损害人类生命和健康的 α、β、γ 射线和中子流等。这些射线能杀伤细胞，破坏人体组织，如长时间大剂量照射会引起伤残或死亡。

二、放射性物质的主要特性

放射性物质可以是金属，也可以是其他化合物，可以以固体、液体和气体三种物理状态存在。除了放射性特征外，还会有易燃、易爆、氧化性等特征。

（一）放射性

在自然界中有一些元素的原子核是不稳定的，能自发地改变核结构转变为另一种核，同时放射出带电的或不带电的粒子。这种原子核自发发生的核结构的改变，称为核衰变或放射性衰变。在核衰变的过程中，由原子核自发地、不断地向四周放射出人眼看不见的射线。这种放出射线的性能称为放射性。一般有以下四种射线：

1. α 射线

α 射线是带正电的粒子流。α 射线的主要特性是质量大、带电量大、能量较高，所以它对周围物质的电离能力很强，但是容易被物质吸收。α 射线射程较短，穿透能力很弱，用一张纸、一张薄铝片就足以吸收大部分射线。但是，由于它的电离本领很强，这类物质进入人体后，会引起较大的伤害。

2. β 射线

β 射线是高速电子流，可以是负电子或正电子。它从原子核里放射出来时，初速度达到 2×10^3 km/s。由于速度高、能量大，因而穿透能力也就大。但是由于它的质量轻、带电量小，所以 β 射线对周围介质的电离能力仅为 α 射线的 1%。

β 射线的穿透能力比 α 射线强，射程比 α 射线要远，所以在外照射的情况下危害性较 α 射线大。一般来说，用几米厚的空气层，几毫米厚的铝片、塑料板或多层纸片就可挡住 β 射线。

3. γ 射线

γ 射线是一种波长较短的电磁波，同可见光和 X 射线一样，属于不带电的高能量的光子流。它以光的速度，即 3×10^5 km/s 的速度在空间传播。当 γ 光子通过物质时，首先在物质内部产生快速运动的带电离子，并使物质电离。所以 γ 射线的电离作用一般来说是间接形成的。另外，由于 γ 射线不带电、能量大，它与物质作用时，其速度不变，只是光子的数目逐渐减少。

γ 射线的穿透能力极强，大约比 α 射线大 10 000 倍，比 β 射线大 50 ~ 100 倍。但是，它的电离能力较弱。

4. 中子流

中子流是不带电的中性粒子束。在自然界里，中子并不单独存在，只有在原子核分裂时才能从原子核里释放出来。中子流的穿透能力很强，容易被含有很多氢原子的物质和碳氢化合物所吸收，如水、石蜡、水泥，但它却能通过很重的物质，如铁、铅等。

（二）易燃性

放射性物质多数有易燃性，有些燃烧非常强烈，甚至引起爆炸，如独居石（含钍的矿石）遇明火能燃烧；硝酸铀、硝酸钍等遇高温分解，遇有机物、易燃物都能引起燃烧，且燃烧后均可形成放射性尘埃，危害人们的健康。

（三）毒性

不能用化学方法中和使其不放出射线，只能设法把放射性物质清除，或者用适当的材料予以吸收屏蔽。

三、放射性物质的种类

2010 年 1 月 1 日起施行的《放射性物品运输安全管理条例》第三条规定，根据放射性物品的特性及其对人体健康和环境的潜在危害程度，将放射性物品分为一类、二类和三类。

1. 一类放射性物品

其是指Ⅰ类放射源、高水平放射性废物、乏燃料等释放到环境后对人体健康和环境产生重大辐射影响的放射性物品。

2. 二类放射性物品

其是指Ⅱ类和Ⅲ类放射源、中等水平放射性废物等释放到环境后对人体健康和环境产生一般辐射影响的放射性物品。

3. 三类放射性物品

其是指Ⅳ类和Ⅴ类放射源、低水平放射性废物、放射性药品等释放到环境后对人体健康和环境产生较小辐射影响的放射性物品。

放射性物品的具体分类和名录，由国务院核安全监管部门会同国务院公安、卫生、海关、交通运输、铁路、民航、核工业行业主管部门制定。

☞ 案例

【案例1】

切尔诺贝利核泄漏事故

切尔诺贝利核电站是苏联时期在乌克兰境内修建的第一座核电站，曾被认为是世界上最安全、最可靠的核电站。1986年4月26日凌晨1点23分，核电站的第4号核反应堆发生了爆炸。后续的爆炸引发了大火并散发出大量高辐射物质到大气层中，涵盖了大面积区域。这次灾难所释放出的辐射线剂量是投在广岛的原子弹的400倍以上。事故导致31人当场死亡，上万人由于放射性物质远期影响而致命或重病。这是有史以来最严重的核事故。外泄的辐射尘随着大气飘散到苏联的西部地区、东欧地区、北欧的斯堪的纳维亚半岛。因事故而直接或间接死亡的人数难以估算，且事故后的长期影响到目前为止仍是个未知数。切尔诺贝利核事故被称作历史上最严重的核电事故。切尔诺贝利城因此被废弃。

【案例2】

日本福岛核电泄漏

2011年3月11日，日本发生里氏9.0级大地震并引起了海啸，使海水倒灌进核电站，摧毁了福岛核电站第一核电站的紧急发电机，使冷却系统无法工作，导致堆芯熔毁、氢气爆炸、核物质泄漏等灾难性后果。此次核泄漏被认为是自1986年乌克兰切尔诺贝利核泄漏以来最严重的核灾难。在核泄漏发生之后，日本当局划设了长12.5英里的禁区，禁区内16万名居民被迫搬离家园。

资料来源：安全管理网 http://www.safehoo.com

任务八　掌握腐蚀性物质的定义和主要特性

一、腐蚀性物质的定义和分类

1. 定义

腐蚀性物质是指由于发生化学反应而能够严重损伤与之接触的生物组织，或如果发生渗漏情况，会严重损坏其他货物及运输工具的物质。

该类物质化学性质比较活泼，能与很多种金属（如铁、钢、铝、锌、锡等金属）、有机物（如木、纸、纤维、皮肤、脂肪等）及动植物机体发生化学反应，使金属表面受到破坏，使有机物炭化甚至燃烧，引起生物体化学灼伤的固体或液体物质，如硝酸、硫酸、氢氧化钾、氰化钠等。

有不少腐蚀品还具有腐蚀玻璃、陶器及硅质材料，散发刺激眼睛黏膜或有害的气体，具有毒害、易燃等危险特性中的一种或多种。

2. 分类

腐蚀性物质按其性质分为酸性、碱性和其他腐蚀品三类。

（1）酸性腐蚀品：如硫酸、硝酸、盐酸、磷酸、乙酸等。

（2）碱性腐蚀品：如氨水、氢氧化钠、氧化钙等。

（3）其他腐蚀品：如汞、漂白水、甲醛溶液等。

二、腐蚀性物质的主要特性

（一）强烈的腐蚀性

这类物质能灼伤人体组织，对金属、动植物机体、纤维制品等具有强烈的腐蚀作用。

1. 对人体有腐蚀作用，造成化学灼伤

腐蚀品能对人体造成灼伤。与火烧伤、烫伤不同，化学灼伤在开始时往往不太痛，待发觉时，部分组织已经灼伤坏死，较难治愈。如硝酸、硫酸等对人的皮肤、眼睛等具有破坏作用。

2. 对金属有腐蚀作用

腐蚀性物质中的酸和碱都能引起金属不同程度的腐蚀。例如氢氧化钠与铅发生反应生成铅酸钠和氢气；硫酸与铁发生反应使铁质包装锈蚀等。

3. 对有机物质有腐蚀作用

对棉、麻、纸张、皮革等发生作用，使它们脱水碳化，从而失去使用价值。

4. 对建筑物有腐蚀作用

例如酸性腐蚀性物质能腐蚀库房的水泥地面。

（二）毒性

多数腐蚀性物质有不同程度的毒性，有的还是剧毒品。例如发烟硫酸易挥发出三氧化硫有毒气体，能使人体中毒。

（三）易燃性

有些有机腐蚀性物质本身易燃烧。例如甲酸、冰醋酸、苯甲酰氯、丙烯酸等接触火源时，会立即引起燃烧。

（四）氧化性

有些酸类具有很强的氧化性，有的自身分解，释放出氧气，如硝酸置于空气中，就会释放出氧气；有的在与其他物质作用时，可以将其氧化，如硫酸、高氯酸、溴素等，当这些物品接触木屑、食糖、纱布等可燃物时，会发生氧化反应，引起燃烧。

三、常见的腐蚀性物质

1. 氢氧化钠

俗称烧碱、火碱、苛性钠，无色透明的片状或颗粒物，是具有很强腐蚀性的强碱，极易溶于水,溶解时放出大量的热并形成碱性溶液。有潮解性,易吸取空气中的水蒸气和二氧化碳,发生变质,易溶于乙醇、甘油。氢氧化钠对玻璃制品有轻微的腐蚀性,会生成硅酸钠,使得玻璃仪器的活塞黏着于仪器上。所以,盛放氢氧化钠溶液时不能用玻璃瓶塞,否则可能会导致瓶盖无法打开。

2. 氧化钙

俗名生石灰,白色粉末,不纯者为灰白色,具有很强的吸湿性,是一种无机化合物,易从空气中吸收二氧化碳及水分。与水反应生成氢氧化钙并产生大量热,能灼伤皮肤,有腐蚀性。

3. 硫酸

无水硫酸为无色油状液体,能与水以任意比例混合,同时大量放热。高浓度的硫酸有强烈吸水性,有强腐蚀性,易灼伤皮肤、损坏衣物。浓硫酸有氧化性,可与有机化合物发生作用。稀硫酸无氧化性,与金属反应放出氢气。硫酸可用于制造肥料、药物、炸药、洗涤剂等。

4. 硝酸

纯硝酸为无色透明液体,浓硝酸为淡黄色液体,可与水以任何比例相混合。有刺激气味,是一种强氧化性、腐蚀性的强酸。硝酸易见光分解,应盛在棕色瓶中于阴暗处避光保存。可用于制造化肥、炸药、硝酸盐等,遇有机物、木屑等能引起燃烧。其蒸气刺激眼和上呼吸道,皮肤接触能引起灼伤,误触皮肤应立即用苏打水冲洗。

任务九　了解杂项危险物质和物品,包括危害环境物质

一、定义及分类

此类危险品是指具有其他类别未包括的危险的物质和物品,是对生态和环境有害的物质。包括危害环境物质、高温物质、经过基因修改的微生物和生物体等。例如石棉、锂电池组、救生设备等。

1. 危害环境的物质

凡是能对地球生物生存环境(如温度、大气成分、水质、土壤、声音强度等)造成危害的物质,都可以称作危害环境的物质。例如,二氧化碳被联合国环境规划署列为全球最有害的化学品之一。

2. 高温物质

高温物质是指在液态温度达到或超过 100 ℃,或固态温度达到或超过 240 ℃的条件下运输的物质。这些物质如果流入水体,会使水体温度升高从而影响水生生物的生存,使水质恶化,影响人类生产、生活用水。

3. 经过基因修改的微生物和生物体

经过基因修改的微生物和生物体指以非自然的方式将遗传物质改变了的微生物和生物,且不符合毒性物质和感染性物质定义。

二、常见杂项

石棉是一种常见的杂项危险物质。

石棉由纤维束组成，而纤维束又由很长很细的能相互分离的纤维组成。石棉很早就用于织布。石棉具有高度耐火性、电绝缘性和绝热性，是重要的防火、绝缘和保温材料。石棉纤维在大气和水中能悬浮数周、数月之久，持续地造成污染。人体长期吸入一定量的石棉纤维或元纤维能引起石棉肺、肺癌等。

模块三　危险品对人体的伤害

☞ 案例导入

1. 事故经过

2011 年 11 月 29 日 23:50，某石化公司下属检维修公司仪表维护班职工王某、魏某接到三联合车间直柴加氢装置脱硫汽提塔回流罐液位指示失灵的通知后，在三联合车间当班班长的陪同下一起到现场进行处理。29 日 0:10 左右，王某在处理回流罐液位浮筒底部排凝阀时，含有硫化氢的烟雾突然从排凝阀泄漏，没有任何防范的王某当即中毒晕倒。闻讯赶来的人员将王某转移到通风处，进行人工呼吸抢救。0:15，医护人员赶到并将其送往医院抢救，最终抢救无效，王某于 11 月 30 日 17:35 死亡。

2. 事故原因分析

(1) 直接原因

硫化氢中毒窒息死亡是发生这起事故的直接原因。

(2) 主要原因

①作业者违章作业，未按规定佩戴隔离式呼吸防护用具，未佩戴便携式硫化氢检测仪。作业单位未按中国石油化工集团公司《硫化氢防护管理规定》的有关条款要求落实安全措施。

②设计上存在缺陷。按照《硫化氢防护管理规定》，含硫化氢介质的采样和切水作业应为密闭方式，不允许直接排入大气。

(3) 次要原因

对危险作业未按规定办理作业票，没有进行危害识别和风险评价，没有明确监护人。随同作业人员没有认真履行监护责任是造成此起事故的次要原因。

资料来源：安全管理网 http://www.safehoo.com

任务一　了解危险品对人体的伤害

一、毒物的定义和分类

1. 毒物的定义

通常指以较小剂量在一定条件下作用于机体与细胞成分产生生物化学作用或生物物

理变化,破坏机体的正常功能,致暂时性或持久性病理损害,甚至危及生命的化学物质。

毒性物质包括:急性经口毒性 LD_{50} 小于等于 200 mg/kg 的固体和 LD_{50} 小于等于 500 mg/kg的液体;急性皮肤接触毒性 LD_{50} 小于等于 1 000 mg/kg 的物质;急性吸入毒性 LC_{50} 小于等于 10 mg/L(蒸气、粉尘或烟雾)的物质。毒性物质在吞食、吸入或与皮肤接触后,可损害人体健康,造成严重损伤甚至死亡。

2. 毒物的分类

(1)按毒物的作用的性质划分

刺激性(如氯气)、窒息性(如一氧化碳)、麻醉性(如乙醚)、腐蚀性(如浓硫酸)、致敏性(如苯二胺)、致癌性(如苯)、致突变性(如砷)等。

(2)按毒物的化学性质和其用途相结合划分

①金属和类金属:常见的有铅、磷、汞、锰、镍、砷及其化合物等。

②农药:例如杀虫剂、除草剂、杀菌剂、杀螨剂等。

③刺激性气体:是指对眼和呼吸道黏膜有刺激作用的气体。刺激性气体的种类甚多,常见的有氯、氨、二氧化硫、氮氧化物、氟化氢等。

④窒息性气体:是指能造成机体缺氧的有毒气体,如一氧化碳、甲烷、乙烷、乙烯、氮气、氰化氢、硫化氢等。

⑤有机化合物:大多数有机化合物属于有毒物质,种类繁多,如苯、甲苯、甲醇、二硫化碳、汽油、丙酮等。

⑥高分子化合物:一般无毒或毒性较小,但在加工程中能释放出游离单体对人体产生危害,如酚醛树脂遇苯酚和甲醛,会产生刺激作用。

二、人体中毒的途径

引起人体中毒的主要途径是呼吸道、消化道和皮肤三种。

1. 呼吸道

凡是以气体、蒸气、雾、烟、粉尘形式存在的毒物,均可经呼吸道侵入体内。通过呼吸道吸收最重要的影响因素是其在空气中的浓度,浓度越高,吸收越快,中毒愈深。特别是在火灾现场和抢救、转移毒害品的过程中,扑救人员接触毒物时间过长,很容易引起呼吸中毒。因此,扑救人员应佩戴必要的防毒器具。

2. 消化道

通过饮食或在操作中误使毒物进入人体消化器官,即进入胃、肠,引起人身中毒。

3. 皮肤

有些溶于水或脂肪的毒物接触皮肤后,浸入皮肤引起中毒。有些毒物如甲基氯、氯苯等对眼角膜等人体的黏膜有较大的危害。

三、毒物对人体的危害

有毒物质对人体的危害主要为引起中毒。中毒分为急性、亚急性和慢性。毒物一次短时间内大量进入人体后可引起急性中毒;小量毒物长期进入人体所引起的中毒称为慢性中毒;介于两者之间者,称之为亚急性中毒。接触毒物不同,中毒后出现的病状亦不一样。

1. 呼吸系统

呼吸道最易接触毒物，特别是刺激性毒物，一旦吸入，轻者引起呼吸道炎症，重者发生化学性肺炎或肺水肿。常见的引起呼吸系统损害的毒物有氯气、氨、二氧化硫以及某些酯类、酸类及磷化物等。

2. 消化系统

有毒物质对消化系统的损害很大。例如：汞可致汞毒性口腔炎；氟可导致“氟斑牙”；汞、砷等毒物，经口侵入可引起出血性胃肠炎；铅中毒，可有腹绞痛；黄磷、砷化合物、四氯化碳、苯胺等物质可致中毒性肝病。

3. 神经系统

有毒物质可损害中枢神经和周围神经，可引起神经衰弱综合征、周围神经病、中毒性脑病等。

4. 血液系统

有许多毒物能引起血液系统损害。例如铅、苯、砷等能引起贫血；苯、巯基乙酸等能引起粒细胞减少症；苯的氨基和硝基化合物（如苯胺、硝基苯）可引起高铁血红蛋白血症，患者突出的表现为皮肤、黏膜青紫；氧化砷可破坏红细胞，引起溶血；苯、砷化合物等可抑制造血机能，引起血液中红细胞、白细胞和血小板减少，发生再生障碍性贫血。

5. 泌尿系统

重金属对泌尿系统的损害比较大，如慢性铍中毒常伴有尿路结石，杀虫脒中毒可出现出血性膀胱炎等。

6. 循环系统

苯、有机磷农药以及某些刺激性气体和窒息性气体对心肌的损害比较大，表现为心慌、胸闷、心率加快等。长期接触一氧化碳可促进动脉粥样硬化等。

7. 化学灼伤

化学物质对皮肤、黏膜刺激、腐蚀及化学反应热引起的急性损害。例如酸、碱、酚类、黄磷等造成的灼伤。某些化学物质在致伤的同时可经皮肤、黏膜吸收引起中毒，如黄磷灼伤、酚灼伤等，甚至引起死亡。

任务二　掌握危险品个人防护措施

个人防护措施，就是指正确使用个体防护用品。个体防护用品是指在劳动生产过程中为使劳动者在生产作业过程中免遭或减轻事故和职业危害因素的伤害而提供的个人保护用品，直接对人体起到保护作用。与之相对的是工业防护用品，非直接对人体起到保护作用。

一、个体防护用品的种类

1. 防护服

防护服包括帽、衣、裤、围裙、套裙、鞋罩等，有防止或减轻热辐射、X 射线、微波辐射和化学污染机体的作用。其主要有以下四种。

（1）防热服

防热服应具有隔热、阻燃、牢固的性能，但又应透气、穿着舒适、便于穿脱，分为非调节和空气调节式两种。

(2)防化学污染物的服装

一般有两类:一类是用涂有对所防化学物不渗透或渗透率小的聚合物化纤和天然织物做成,并经某种助剂浸轧或防水涂层处理,以提高其抗透过能力,如喷洒农药人员防护服;另一类是以丙纶、涤纶等织物制作,用以防酸碱。对这些防护服,国家有一定的透气、透湿、防油拒水、防酸碱及防特定毒物透过的标准。

(3)微波屏蔽服

有两类:①金属丝布微波屏蔽服;②镀金属布微波屏蔽服。这种屏蔽服具有镀层不易脱落、比较柔软舒适、质量轻等特点 。

(4)防尘服

防尘服一般用较致密的棉布、麻布或帆布制作,需具有良好的透气性和防尘性,式样有连身式和分身式两种,袖口、裤口均须扎紧,用双层扣,即扣外再缝上盖布加扣,以防粉尘进入。

2. 防护手套

用于避免皮肤与化学品直接接触所造成的伤害。例如橡胶手套可防腐蚀性物质。

3. 防护鞋

4. 安全帽

5. 面罩和护目镜

用来防止腐蚀性液体、蒸气对面部和眼睛产生的伤害。

6. 防酸碱用品

包括防酸碱工作服、手套、靴、防酸面罩和面具。

7. 呼吸防护用具

二、一些自我防护常识

(1)皮肤受污染时,应脱去污染的衣服,用流动清水冲洗,冲洗要及时、彻底、反复多次;

(2)强酸灼伤皮肤不能用热水冲洗;

(3)吸湿性强、遇水释放较多热量的化学品沾染皮肤后应立刻用软纸、软布抹去;

(4)发生危险化学品事故后,应该向上风方向疏散;

(5)进行腐蚀品的装卸作业应该戴橡胶手套;

(6)在易燃易爆场所不能穿带钉鞋;

(7)易燃易爆场所不能穿化纤工作服,可以穿纯棉工作服和防静电工作服;

(8)如果有化学品进入眼睛,应立即用大量清水冲洗眼睛;

(9)在装卸易燃易爆品操作中,不能使用铁制工具。

❖ 练习与思考

一、不定项选择题

1. 浓硫酸属于(　　)危险化学品。

A. 爆炸品　　B. 易燃液体　　C. 腐蚀性物质　　D. 液化气体

2. 下列物质属于自燃物品的是(　　)。

A. 黄磷　　B. 盐酸　　C. 丙酮　　D. 硫酸

3. 工业上使用的氧化剂要与(　　)远远分离。

A. 惰性气体　　B. 还原性物质　　C. 腐蚀性液体　　D. 放射性物质

4. 搬运有毒化学品后,应该(　　)。

A. 休息　　B. 用流动的水洗手　　C. 换衣服　　D. 锻炼

5. 以下物品中露天存放最危险的是(　　)。

A 氯化钠　　B. 遇湿燃烧物质　　C. 明矾　　D. 煤炭

6. 下面的做法中错误的是(　　)。

A. 车辆熄火装卸危险化学品

B. 公安机关检查运输的危险化学品

C. 同车运输氧化剂和还原剂

7. (　　)可能发生爆炸。

A. 铝粉尘　　B. 亚麻粉尘　　C. 面粉　　D. 灰尘

8. (　　)有毒气体具有臭鸡蛋气味。

A. 硫化氢　　B. 二氧化硫　　C. 二氧化氮　　D. 二氧化碳

9. 含(　　)的水可以清洗掉水果蔬菜表面的农药。

A. 酸性洗涤剂　　B. 中性洗涤剂　　C. 碱性洗涤剂

10. 各种气瓶的存放,必须距离明火(　　)以上,避免阳光曝晒,搬运时不得碰撞。

A. 1 米　　B. 3 米　　C. 5 米　　D. 10 米

11. 毒害品主要是经过(　　)吸入蒸气或通过皮肤接触引起人体中毒。

A. 眼　　B. 鼻　　C. 呼吸道　　D. 消化道

12. 储存危险化学品的仓库的管理人员必须配备安全可靠的(　　)。

A. 劳动保护用品　　B. 安全监测仪器　　C. 手提消防器材　　D. 灭火器

13. 遇空气易着火的商品必须装于(　　)容器内,或用煤油浸润,或充入惰性气体。

A. 铅制　　B. 敞口　　C. 铁制　　D. 气密封口

14. 化工厂的防爆车间采取通风措施的目的是(　　)。

A. 消除氧化剂　　B. 消除还原剂　　C. 控制车间温度　　D. 控制可燃物

15. 常用危险化学品按其主要危险特性分为几大类,其中包括(　　)。

A. 爆炸品　　B. 压缩气体和液化气体

C. 易燃液体和易燃固体　　D. 腐蚀品

16. 遇水放出易燃气体的物质是指遇水或受潮时,发生剧烈化学反应,变成自燃物质或放出易燃气体和热量的物质。有些不需明火即能燃烧或爆炸。下列物质遇水燃烧的是(　　)。

A. 碳化钙　　B. 硝化棉　　C. 硫酸　　D. 钠

二、思考题

1. 什么是危险品,危险品的种类有哪些?

2. 各类危险品的主要特性是什么?

3. 爆炸形式有几种? 什么是化学爆炸?

4. 什么叫敏感度,了解敏感度对爆炸品的运输有什么意义?

5. 毒物进入人体的途径有哪些？

6. 什么是腐蚀性物质？在接触腐蚀性物质时如何做好个人防护？

7. 射线的种类主要有哪些，各有什么特点，怎样防护？

8. 引起燃烧或爆炸的火源（或热源）种类有哪些？

9. 易燃气体的主要特性是什么？

10. 易燃固体除火种、热源能引起燃烧外，对哪些作用也很敏感？

11. 遇湿易燃物品为什么不能露天存放？

12. 腐蚀品的腐蚀性表现在哪几个方面？

13. 名词解释：闪点、燃点、自燃点、爆炸极限。

三、案例分析

1. 某制氧分厂氩气精馏塔建成后，第一次进行调试生产时，具体负责调试工作的工艺工程师甲，发现空分塔与氩气精馏塔间的过桥外部积了一层霜冻。甲估计可能是过桥内某根氮气管发生故障，导致 –196 ℃的液态氮泄漏。为查清原因，甲到 2 号制氧操作岗位叫来岗位组长乙协助检查原因，并令乙进入过桥人孔内查看。乙在无任何安全防范措施的情况下，贸然钻入人孔后，立即失去知觉昏倒过去。甲见状即用手去拉乙，而乙昏倒后双脚钩住了过桥内的管道，甲无法将乙拉出，即呼喊“救命！”闻呼声许多人跑来相助。生产组组长丙立即冒险跳入人孔内去抢救，但头部一下到人孔口内，即身体瘫软失去知觉，幸亏过桥上人多，迅速将其拉出人孔口，经人工呼吸抢救后，丙脱离了危险。而乙因待在过桥内时间过长，窒息死亡。（资料来源：安全管理网 http://www.safehoo.com）

请回答：此案例给我们什么教训？

2. 2008 年 9 月 13 日 8 时左右，某市清源化工有限公司水处理剂车间二工段 7 号反应釜在检修过程中由于 1 人中毒，3 人盲目施救，造成 3 人死亡、1 人受伤。经初步调查了解，在检修前张某、王某用水对 7 号反应釜进行几次冲洗置换后，张某在未对釜中置换情况进行检测，且未佩戴防护用品的情况下擅自进入作业，中毒晕倒。带班班长李某和王某发现后，在仍未采取任何防护措施的情况下，先后进釜施救，生产科长魏某闻讯赶来，仅佩戴过滤式防毒口罩（非隔离式防护用品）进釜救人，3 人相继中毒。随后施救人员正确佩戴隔离式防护用品迅速将 4 人从釜中救出并紧急送往医院抢救，因伤势过重，张某、李某、王某 3 人抢救无效死亡，生产科长魏某受伤。（资料来源：中国安全生产网 http://www.aqsc.cn）

请回答：1. 事故教训是什么？

2. 如何防范类似事故的再次发生？

项目二　危险品运输相关法律法规及标准

❖ 学习目标

一、知识目标

1. 了解国际相关法规；
2. 了解《安全生产法》的基本内容；
3. 掌握《危险化学品安全管理条例》的主要内容；
4. 了解《危险化学品经营许可证管理办法》的基本内容；
5. 掌握《危险化学品目录(2015 版)》的主要内容。

二、能力目标

1. 能将相关法律法规和标准应用到案例分析中；
2. 懂得将法律法规和标准应用到企业实践中。

❖ 学习重点

1.《危险化学品安全管理条例》的主要内容；
2.《危险化学品目录(2015 版)》的主要内容。

模块一　危险品运输相关法律法规

☞ 资讯链接

危化品非法运输,一个移动的炸弹

2014 年 7 月底,公安部交管局部署“打四非、查四违”专项行动,重点打击非法改装伪装危化品的行为、危化品生产销售企业为非法运输车辆灌装危化品的行为、不具备运输许可的车辆非法运输危化品的行为以及不具备从业资格的人员非法驾驶和押运危化品运输车辆的行为。

据了解,专项行动一个多月来,各地共查获普通货车非法运输危化品 649 起,非法改装伪装 263 起,驾驶员、押运员未取得危化品运输从业资格 548 起,无押运员 1 402 起,不履行动态监控职责的企业 422 家。

1. 企业主体责任不落实,是危化品事故频发的关键所在

据了解,早在 2002 年,国务院就颁布实施了《危险化学品安全管理条例》,2011 年又作了修订,交通运输部于 2013 年通过了《道路危险货物运输管理规定》,其中对危化品的安全标准、运营资格、管理制度等都做出了详细规定。但是,有了制度并不意味着就有效果。对于危化品

事故频发的原因,有专家表示,相关部门的执行不力是主要原因,需要在危化品生产、储存、经营、运输企业、运输车辆、驾驶人资质等方面进行严格把关。企业主体责任的不落实,也是危化品事故频发的关键所在。2006年,国家出台强制标准,要求危化品运输车辆必须安装紧急切断阀,但多数企业未落实。今年3月1日,山西晋城段岩后隧道发生追尾相撞。由于车辆未安装紧急切断阀,加之危化品运输车辆驾驶员、押运员未按操作规程操作,导致前车甲醇泄漏并起火燃烧,在隧道内引发爆炸,造成40人死亡。然而,正是该车辆所属的同一家公司,在2012年8月26日同样因为未安装紧急切断阀,在追尾事故中发生危化品泄漏爆燃,酿成36人死亡的特大交通事故。即使付出血的代价,危化品的非法运输行为仍未引起足够重视并及时整改。

无独有偶。今年7月28日,在山西高速交警查获的一辆非法运输危化品罐车上,民警发现原本用以运输甲醇的罐体,却装载着具有腐蚀性的醋酸,并通过掩盖甲醇标识的方式逃避检查。当民警问到甲醇与醋酸的区别时,驾驶员更是一问三不知。

2. 治理危化品非法运输,仅靠公安交管部门路面检查远远不够

危化品非法运输,好比一颗移动炸弹,一旦"爆炸",后果不堪设想。"危化品检查与一般的道路安全检查相比,具有特殊性,这给一线执勤交警出了不少难题。"公安部交管局公路巡警处李处长说,比如,根据国家安监局公布的《危险化学品名录》,上面共罗列了七大类、上千种化学品,实现一一辨别需要掌握丰富的专业知识。同时,由于大量危化品有剧毒、易燃、易爆等特点,危化品在装卸方面也相对复杂,需要专门的设备和技术,特别对卸载场地也有严格要求,导致普通交警难以及时有效地进行路面处理。

"从源头产生的各种问题,最终都会集中反映到路面上。"李处长表示,要想根治危化品非法运输,仅仅依靠交管部门的路面检查远远不够,必须从源头灌装、车辆、驾驶员、押运员抓起,把问题解决在出发地、解决在源头、解决在上路之前。唯有如此,才能事半功倍,才能从根本上遏制危化品非法运输事故高发势头。

事实上,近年来在监管整治上,浙江已经出现了将监管前置的做法,通过在工业园区的出口设置安全检查处,有效地在运输的源头堵住问题车辆。在山西,针对危化品品种繁多、运输距离又长的特点,太原钢铁集团引入了防御性驾驶的理念,定期对司机开展教育和考核,提高从业人员的专业素质。

"总之,源头监管、行业监管、综合监管,是危化品运输治理的三个相辅相成的环节。唯有各尽其责,问题才能得到真正解决。"

资料来源:人民日报 2014.9.24　18版

任务一　熟知危险品运输相关法律

一、概述

危险品所具有的危险性致使在其生产、运输、储存、经营、装卸、搬运等过程中稍有不慎就会导致严重事故,给人们的生命和财产造成很大的伤害。

不同国际组织,如联合国危险品专家委员会、国际民航组织、国际海事组织等,制定了有关危险货物运输的相关国际公约和国际危险货物运输规则。同时,由于危险品从生产、储存到运输需要通过公路、水路、铁路及航空等不同运输方式实现,我国各政府部门(如交通、铁道、航空、海事等)根据各自行业的特殊情况制定了许多有关危险货物的法律法规。

目前我国危险货物运输法律法规体系已初步形成,如表2-1所示。

表2-1 危险品相关法律法规一栏表

适用范围		法律法规名称	开始施行时间
普遍适用	国际相关法律法规	《关于危险货物运输的建议书》、《关于危险货物运输的建议书——规章范本》	
		《国际海运危险货物规则》	
		《全球化学品统一分类标签制度》	
	国内法律法规	《中华人民共和国安全生产法》	2014年修正施行
		《中华人民共和国环境保护法》	2015年1月1日起施行
		《中华人民共和国特种设备安全法》	2013年6月人大审议通过
		《危险化学品安全管理条例》	2013年12月7日修正施行
		《危险化学品登记管理办法》	2012年8月1日起施行
		《危险化学品经营许可证管理办法》	2012年9月1日起施行
		《民用爆炸物品安全管理条例》	2014年7月修正施行
		《烟花爆竹安全管理条例》	2006年1月起施行
		《放射性物品运输安全管理条例》	2010年1月1日起施行
		《中华人民共和国固体废物污染环境防治法》	2005年4月1日起施行
道路运输		《中华人民共和国道路交通安全法》	2011年修正施行
		《中华人民共和国公路法》	2009年8月修正施行
		《中华人民共和国道路运输条例》	2012年修正施行
		《道路危险货物运输管理规定》	2013年7月1日起施行
		《汽车运输危险货物规则》	2005年3月1日起施行
		《道路运输危险货物车辆标志》	2005年8月1日起实施
		《汽车运输、装卸危险货物作业规程》	2005年3月1日起施行
		《放射性物品道路运输管理规定》	2011年1月1日起施行
水路运输		《中华人民共和国港口法》	2004年1月1日起施行
		《中华人民共和国海上交通安全法》	1984年1月1日起施行
		《中华人民共和国海商法》	1993年7月1日起施行
		《国内水路运输管理条例》	2013年1月1日起施行
		《内河交通安全管理条例》	2002年8月1日起施行
		《港口危险货物安全管理规定》	2013年2月1日起施行
		《国内水路运输管理规定》	2014年3月1日起施行
		《水路危险货物运输规则》	1996年12月1日起施行
		《港口危险货物重大危险源监督管理办法》	2013年4月试行
		《船舶装载危险货物监督管理规则》	2012年3月修正施行
		《集装箱装运包装危险货物监督管理规定》	1987年1月1日起施行

表 2-1(续)

适用范围	法律法规名称	开始施行时间
铁路运输	《中华人民共和国铁路法》	2009 年 8 月修正施行
	《铁路安全管理条例》	2014 年 1 月 1 日起施行
	《铁路货物运输合同实施细则》	2011 年 1 月修正施行
	《铁路危险货物运输安全监督管理规定》	2015 年 5 月 1 日起施行
	《铁路交通事故应急救援和调查处理条例》	2007 年 9 月 1 日起施行
航空运输	《中华人民共和国民用航空法》	1996 年 3 月 1 日起施行
	《中国民用航空货物国际运输规则》	2000 年 8 月 1 日起施行
	《中国民用航空危险品运输管理规定》	2014 年 3 月 1 日起施行

二、国际相关法规

(一)联合国《关于危险货物运输的建议书》《关于危险货物运输的建议书——规章范本》

联合国《关于危险货物运输的建议书》(以下简称《建议书》)是联合国经济及社会理事会危险货物运输专家委员会根据技术发展情况、新物质和新材料的出现、现代运输系统的要求,特别是确保人民、财产和环境安全的需要编写的。《建议书》的对象,是各国政府和负责管理危险货物运输的国际组织。这些建议不适用于须遵守专门的国际或国家规定的远洋或内陆散装货船或油轮的散装危险货物运输。《建议书》本身只是一些说明,大量的实质性内容放在附件《关于危险货物运输的建议书——规章范本》(以下简称《规章范本》)中,而且这种内容和格式已被其他相关的国际危险货物规则所接受。《规章范本》是以《建议书》的附件形式提出的,其目的是提出一套基本规定,使有关各种运输方式的国家和国际规章能够统一地发展。为对危险品作适当的分类,委员会还编写了《关于危险货物运输的建议书——试验和标准手册》,目的是介绍联合国对某些类别危险货物的分类方法,并阐述被认为最有助于主管当局获得所需资料以便对待运输的物质和物品做出适当分类的试验方法和程序。

(二)《国际海运危险货物规则》

《国际海运危险货物规则》简称《国际危规》(IMDG Code)是国际海事组织(IMO)海上安全委员会(MSC)于 1965 年 9 月 27 日由决议通过产生。每两年修订一次。2012 年 5 月,国际海事组织海上安全委员会第 90 次会议通过了《国际危规》第 36 套修正案。根据海上安全委员会第 328 号决议,《国际危规》第 36 套修正案已于 2013 年 7 月 1 日以默认方式被接受,于 2014 年 1 月 1 日起生效。《国际危规》当前的最新版即是第 36 版(简称第 36-12 版)。

《国际危规》是经修正的《1974 年国际海上人命安全公约》(SOLAS 公约)(以下简称《安全公约》)框架下的强制性规则。我国是《安全公约》的缔约国,在上述修正案通过后未提出任何反对意见,因此修正案对我国具有约束力。

《国际危规》作为全球海洋运输包装危险货物的强制性规则,其制定原则是除非符合规则的要求,否则禁止装运危险货物。其目的是保障船舶载运危险货物和人命财产安全、防止事故发生、防止海洋污染、使航行更安全、使海洋更清洁。它通过对危险货物的分类、包装、标记、标志、托运、积载和隔离等方面的控制来实现对包装危险货物的有效管理。《国际危规》涉及的货物繁多,仅危险货物一览表列明的条目就有 2 802 个,这些列明的条目还包含了大量的通用条目和未另列明的条目。因此,《国际危规》的每一次修订都会对许多货物运输要求产生影响,托运人、承运人、货主、主管机关以及相关环节的操作人员要及时了解并掌握每次修改的内容,以保证货物运输满足《国际危规》的要求。

(三)《全球化学品统一分类标签制度》

全球化学品统一分类标签制度(Globally Harmonized System of Classification and Labelling of Chemicals,简称 GHS)由国际劳工组织(ILO)、经济合作与发展组织(OECD)、联合国危险物品运输专家委员会(UNCETDG)共同于 1992 年制定,是指导各国控制化学品危害和保护人类与环境的规范性文件,是一项统一危险化学品分类和标签的国际制度。它定义化学品的物理、健康和环境危险,根据化学品的危险影响应用公认的危险标准对化学品进行分类,使用标签和安全数据单公示化学品危险信息。GHS 适用的化学品包括工业化学品、农用化学品以及日用化学品。

GHS 核心要素包括两个方面:第一,按照化学品物理危险、健康危害和环境危害对化学品进行统一标准的分类;第二,统一化学品危险公示要素,包括对标签和化学品安全技术说明书的要求。GHS 把化学品的危害分为三大类:(1)物理危害;(2)健康危害;(3)环境危害。物理危害细分为 16 小项,包括爆炸物、发火液体、易燃气体、发火固体等;健康危害细分为 10 小项,包括急性毒性、生殖毒性、皮肤腐蚀/刺激、致癌性、严重眼损伤/眼刺激、特定目标器官/系统毒性单次接触、呼吸或皮肤敏化作用、特定目标器官/系统毒性重复接触、生殖细胞致突变性、吸入危险等;环境危害仅分为 2 小项,包括危害水生环境和危害臭氧层。

GHS 对全球的贡献表现在两个方面:第一,通过基于统一分类标准的标签和安全数据单提供一致的、明确的危险信息,并在生产、运输、储存、经营、使用等过程中将该危险性通过标签和安全技术说明书的形式准确传达给作业场所的劳动者、消费者以及社会公众,让人们了解化学品的危险性和防范措施,以及如何在发生事故时进行安全处置,从而减少与化学品有害接触和化学品相关事故,更好地保护人们免于受到化学品伤害;第二,GHS 提供给所有国家统一的危险化学品分类和标签方法,帮助保证全世界化学品进出口的信息一致性。

三、国内相关法律

(一)《中华人民共和国安全生产法》相关规定

2014 年 8 月 31 日第十二届全国人民代表大会常务委员会通过关于修改《中华人民共和国安全生产法》的决定,自 2014 年 12 月 1 日起施行。

1. 适用范围及方针

(1)适用范围

在中华人民共和国领域内从事生产经营活动的单位(以下统称生产经营单位)的安全

生产及其监督管理,适用本法;有关法律、行政法规对消防安全和道路交通安全、铁路交通安全、水上交通安全、民用航空安全以及核与辐射安全、特种设备安全另有规定的,适用其规定。

(2)方针

安全生产工作应当以人为本,坚持安全发展,坚持安全第一、预防为主、综合治理的方针,强化和落实生产经营单位的主体责任,建立生产经营单位负责、职工参与、政府监管、行业自律和社会监督的机制。

2. 生产经营单位的义务

(1)生产经营单位必须遵守本法和其他有关安全生产的法律、法规,加强安全生产管理,建立、健全安全生产责任制和安全生产规章制度,改善安全生产条件,推进安全生产标准化建设,提高安全生产水平,确保安全生产。

安全生产责任制应当明确各岗位的责任人员、责任范围和考核标准等内容。

(2)生产经营单位应当建立、健全生产安全事故隐患排查治理制度,采取技术、管理措施,及时发现并消除事故隐患。事故隐患排查治理情况应当如实记录,并向从业人员通报。

(3)生产经营单位应当教育和督促从业人员严格执行本单位的安全生产规章制度和安全操作规程,并向从业人员如实告知作业场所和工作岗位存在的危险因素、防范措施以及事故应急措施。

3. 从业人员要求及培训

(1)生产经营单位的主要负责人和安全生产管理人员必须具备与本单位所从事的生产经营活动相应的安全生产知识和管理能力。

(2)危险物品的生产、经营、储存单位以及矿山、金属冶炼、建筑施工、道路运输单位的主要负责人和安全生产管理人员,应当由主管的负有安全生产监督管理职责的部门对其安全生产知识和管理能力考核合格。

(3)生产经营单位应当对从业人员进行安全生产教育和培训,保证从业人员具备必要的安全生产知识,熟悉有关的安全生产规章制度和安全操作规程,掌握本岗位的安全操作技能,了解事故应急处理措施,知悉自身在安全生产方面的权利和义务。未经安全生产教育和培训合格的从业人员,不得上岗作业。

(4)生产经营单位采用新工艺、新技术、新材料或者使用新设备,必须了解、掌握其安全技术特性,采取有效的安全防护措施,并对从业人员进行专门的安全生产教育和培训。

(5)生产经营单位的特种作业人员必须按照国家有关规定经专门的安全作业培训,取得相应资格,方可上岗作业。

(6)生产经营单位应当教育和督促从业人员严格执行本单位的安全生产规章制度和安全操作规程,并向从业人员如实告知作业场所和工作岗位存在的危险因素、防范措施以及事故应急措施。

4. 重大危险源管理

生产经营单位对重大危险源应当登记建档,进行定期检测、评估、监控,并制订应急预案,告知从业人员和相关人员在紧急情况下应当采取的应急措施。

生产经营单位应当按照国家有关规定将本单位重大危险源及有关安全措施、应急措施报有关地方人民政府安全生产监督管理部门和有关部门备案。

5. 事故应急预案及应急救援

(1)生产经营单位应当制订本单位生产安全事故应急救援预案,与所在地县级以上地方人民政府组织制订的生产安全事故应急救援预案相衔接,并定期组织演练。

(2)危险物品的生产、经营、储存单位以及矿山、金属冶炼、城市轨道交通运营、建筑施工单位应当建立应急救援组织;生产经营规模较小的,可以不建立应急救援组织,但应当指定兼职的应急救援人员。

物品的生产、经营、储存、运输单位以及矿山、金属冶炼、城市轨道交通运营、建筑施工单位应当配备必要的应急救援器材、设备和物资,并进行经常性维护、保养,保证正常运转。

(3)生产经营单位发生生产安全事故后,事故现场有关人员应当立即报告本单位负责人。单位负责人接到事故报告后,应当迅速采取有效措施,组织抢救,防止事故扩大,减少人员伤亡和财产损失,并按照国家有关规定立即如实报告当地负有安全生产监督管理职责的部门,不得隐瞒不报、谎报或者不报,不得故意破坏事故现场、毁灭有关证据。

(4)参与事故抢救的部门和单位应当服从统一指挥,加强协同联动,采取有效的应急救援措施,并根据事故救援的需要采取警戒、疏散等措施,防止事故扩大和次生灾害的发生,减少人员伤亡和财产损失。事故抢救过程中应当采取必要措施,避免或者减少对环境造成的危害。任何单位和个人都应当支持、配合事故抢救,并提供一切便利条件。

6. 劳动防护

(1)生产经营单位必须为从业人员提供符合国家标准或者行业标准的劳动防护用品,并监督、教育从业人员按照使用规则佩戴、使用。

(2)生产经营单位应当安排用于配备劳动防护用品、进行安全生产培训的经费。

(3)从业人员在作业过程中,应当严格遵守本单位的安全生产规章制度和操作规程,服从管理,正确佩戴和使用劳动防护用品。

(二)《中华人民共和国环境保护法》相关规定

2014 年 4 月 24 日第十二届全国人民代表大会常务委员会通过关于修改《中华人民共和国环境保护法》的决定,自 2015 年 1 月 1 日起施行。

1. 总则

(1)一切单位和个人都有保护环境的义务。

(2)环境保护坚持保护优先、预防为主、综合治理、公众参与、损害担责的原则。

(3)企业事业单位和其他生产经营者应当防止、减少环境污染和生态破坏,对所造成的损害依法承担责任。公民应当增强环境保护意识,采取低碳、节俭的生活方式,自觉履行环境保护义务。

2. 相关规定

(1)排放污染物的企业事业单位和其他生产经营者,应当采取措施,防治在生产建设或者其他活动中产生的废气、废水、废渣、医疗废物、粉尘、恶臭气体、放射性物质以及噪声、震动、光辐射、电磁辐射等对环境的污染和危害。排放污染物的企事业单位,应当建立环境保护责任制度,明确单位负责人和相关人员的责任。

重点排污单位应当按照国家有关规定和监测规范安装使用监测设备,保证监测设备正常运行,保存原始监测记录。

严禁通过暗管、渗井、渗坑、灌注或者篡改、伪造监测数据,或者不正常运行防治污染设施等逃避监管的方式违法排放污染物。

(2)国家依照法律规定实行排污许可管理制度。实行排污许可管理的企业事业单位和其他生产经营者应当按照排污许可证的要求排放污染物;未取得排污许可证的,不得排放污染物。

(3)企业事业单位应当按照国家有关规定制订突发环境事件应急预案,报环境保护主管部门和有关部门备案。在发生或者可能发生突发环境事件时,企业事业单位应当立即采取措施处理,及时通报可能受到危害的单位和居民,并向环境保护主管部门和有关部门报告。

(4)生产、储存、运输、销售、使用、处置化学物品和含有放射性物质的物品,应当遵守国家有关规定,防止污染环境。

(5)禁止将不符合农用标准和环境保护标准的固体废物、废水施入农田。施用农药、化肥等农业投入品及进行灌溉,应当采取措施,防止重金属和其他有毒有害物质污染环境。

任务二 清楚危险品运输相关行政法规

一、《危险化学品安全管理条例》

《危险化学品安全管理条例》于2002年1月26日中华人民共和国国务院令第344号公布,2011年2月16日国务院第144次常务会议修订通过,自2011年12月1日起施行。2013年12月4日国务院第32次常务会议修订通过了《国务院关于修改部分行政法规的决定》,对《危险化学品安全管理条例》第六条第五项及第五十三条第二款做了修改,自2013年12月7日起施行。

《危险化学品安全管理条例》的主要内容包括总则,危险品生产、储存安全,使用安全,经营安全,运输安全,危险化学品登记与事故应急救援,法律责任,以及附则,共102条规定。

(一)适用范围

危险化学品生产、储存、使用、经营和运输的安全管理,适用本条例。废弃危险化学品的处置,依照有关环境保护的法律、行政法规和国家有关规定执行。

(二)危险化学品定义

本条例所称危险化学品,是指具有毒害、腐蚀、爆炸、燃烧、助燃等性质,对人体、设施、环境具有危害的剧毒化学品和其他化学品。

(三)责任主体规定

危险化学品安全管理,应当坚持安全第一、预防为主、综合治理的方针,强化和落实企业的主体责任。生产、储存、使用、经营、运输危险化学品的单位(以下统称危险化学品单位)的主要负责人对本单位的危险化学品安全管理工作全面负责。

(四)危险化学品生产、使用及经营

(1)危险化学品生产企业进行生产前,应当依照《安全生产许可证条例》的规定,取得危

险化学品安全生产许可证。

(2)危险化学品生产企业应当提供与其生产的危险化学品相符的化学品安全技术说明书,并在危险化学品包装(包括外包装件)上粘贴或者拴挂与包装内危险化学品相符的化学品安全标签。化学品安全技术说明书和化学品安全标签所载明的内容应当符合国家标准的要求。危险化学品生产企业发现其生产的危险化学品有新的危险特性的,应当立即公告,并及时修订其化学品安全技术说明书和化学品安全标签。

(3)使用危险化学品从事生产并且使用量达到规定数量的化工企业(属于危险化学品生产企业的除外),应当依照本条例的规定取得危险化学品安全使用许可证。

(4)国家对危险化学品经营(包括仓储经营,下同)实行许可制度。未经许可,任何单位和个人不得经营危险化学品。依法设立的危险化学品生产企业在其厂区范围内销售本企业生产的危险化学品,不需要取得危险化学品经营许可。依照《中华人民共和国港口法》的规定取得港口经营许可证的港口经营人,在港区内从事危险化学品仓储经营,不需要取得危险化学品经营许可。

(五)危险化学品的包装

(1)危险化学品的包装应当符合法律、行政法规、规章的规定以及国家标准、行业标准的要求。危险化学品包装物、容器的材质以及危险化学品包装的形式、规格、方法和单件质量(重量),应当与所包装的危险化学品的性质和用途相适应。

(2)对重复使用的危险化学品包装物、容器,使用单位在重复使用前应当进行检查;发现存在安全隐患的,应当维修或者更换。使用单位应当对检查情况作出记录,记录的保存期限不得少于2年。

(六)危险化学品储存

(1)危险化学品应当储存在专用仓库、专用场地或者专用储存室(以下统称专用仓库)内,并由专人负责管理;剧毒化学品以及储存数量构成重大危险源的其他危险化学品,应当在专用仓库内单独存放,并实行双人收发、双人保管制度。危险化学品的储存方式、方法以及储存数量应当符合国家标准或者国家有关规定。

(2)储存危险化学品的单位应当建立危险化学品出入库核查、登记制度。对剧毒化学品以及储存数量构成重大危险源的其他危险化学品,储存单位应当将其储存数量、储存地点以及管理人员的情况,报所在地县级人民政府安全生产监督管理部门(在港区内储存的,报港口行政管理部门)和公安机关备案。

(3)危险化学品专用仓库应当符合国家标准、行业标准的要求,并设置明显的标志。储存剧毒化学品、易制爆危险化学品的专用仓库,应当按照国家有关规定设置相应的技术防范设施。储存危险化学品的单位应当对其危险化学品专用仓库的安全设施、设备定期进行检测、检验。

(七)安全设施、设备设置要求

(1)生产、储存危险化学品的单位,应当根据其生产、储存的危险化学品的种类和危险特性,在作业场所设置相应的监测、监控、通风、防晒、调温、防火、灭火、防爆、泄压、防毒、中和、防潮、防雷、防静电、防腐、防泄漏以及防护围堤或者隔离操作等安全设施、设备,并按照国家标准、行业标准或者国家有关规定对安全设施、设备进行经常性维护、保养,保证安全设施、设备的正常使用。

(2)生产、储存危险化学品的单位,应当在其作业场所和安全设施、设备上设置明显的安全警示标志。

(八)安全评价

(1)生产、储存危险化学品的企业,应当委托具备国家规定的资质条件的机构,对本企业的安全生产条件每3年进行一次安全评价,提出安全评价报告。安全评价报告的内容应当包括对安全生产条件存在的问题进行整改的方案。

(2)生产、储存危险化学品的企业,应当将安全评价报告以及整改方案的落实情况报所在地县级人民政府安全生产监督管理部门备案。在港区内储存危险化学品的企业,应当将安全评价报告以及整改方案的落实情况报港口行政管理部门备案。

(九)从业人员培训

危险化学品单位应当具备法律、行政法规规定和国家标准、行业标准要求的安全条件,建立、健全安全管理规章制度和岗位安全责任制度,对从业人员进行安全教育、法制教育和岗位技术培训。从业人员应当接受教育和培训,考核合格后上岗作业;对有资格要求的岗位,应当配备依法取得相应资格的人员。

二、《危险化学品登记管理办法》

《危险化学品登记管理办法》于2012年5月21日国家安全生产监督管理总局局长办公会议审议通过,自2012年8月1日起施行。原国家经济贸易委员会2002年10月8日公布的《危险化学品登记管理办法》同时废止。本办法共7章、34条,包括总则,登记机构,登记的时间、内容和程序,登记企业的职责,监督管理,法律责任,以及附则。

(一)制定此办法的目的和适用范围

(1)为了加强对危险化学品的安全管理,规范危险化学品登记工作,为危险化学品事故预防和应急救援提供技术、信息支持,根据《危险化学品安全管理条例》,制定本办法。

(2)本办法适用于危险化学品生产企业、进口企业(以下统称登记企业)生产或者进口《危险化学品目录》所列危险化学品的登记和管理工作。

(二)国家实行危险化学品登记制度

危险化学品登记实行企业申请、两级审核、统一发证、分级管理的原则。

(三)规定了登记的时间、内容和程序

(1)新建的生产企业应当在竣工验收前办理危险化学品登记。进口企业应当在首次进口前办理危险化学品登记。

(2)同一企业生产、进口同一品种危险化学品的,按照生产企业进行一次登记,但应当提交进口危险化学品的有关信息。

进口企业进口不同制造商的同一品种危险化学品的,按照首次进口制造商的危险化学

品进行一次登记，但应当提交其他制造商的危险化学品的有关信息。

生产企业、进口企业多次进口同一制造商的同一品种危险化学品的，只进行一次登记。

（3）危险化学品登记应当包括下列内容。

①分类和标签信息，包括危险化学品的危险性类别、象形图、警示词、危险性说明、防范说明等。

②物理、化学性质，包括危险化学品的外观与性状、溶解性、熔点、沸点等物理性质，闪点、爆炸极限、自燃温度、分解温度等化学性质。

③主要用途，包括企业推荐的产品合法用途、禁止或者限制的用途等。

④危险特性，包括危险化学品的物理危险性、环境危害性和毒理特性。

⑤储存、使用、运输的安全要求，其中，储存的安全要求包括对建筑条件、库房条件、安全条件、环境卫生条件、温度和湿度条件的要求，使用的安全要求包括使用时的操作条件、作业人员防护措施、使用现场危害控制措施等，运输的安全要求包括对运输或者输送方式的要求、危害信息向有关运输人员的传递手段、装卸及运输过程中的安全措施等。

⑥出现危险情况的应急处置措施，包括危险化学品在生产、使用、储存、运输过程中发生火灾、爆炸、泄漏、中毒、窒息、灼伤等化学品事故时的应急处理方法、应急咨询服务电话等。

三、《危险化学品经营许可证管理办法》

《危险化学品经营许可证管理办法》是国家安全生产监督管理总局于2012年7月17日国家安全监管总局令第55号公布，自2012年9月1日起施行。根据2015年5月27日国家安全监管总局令第79号修正。本办法共6章、40条，包括总则、申请经营许可证的条件、经营许可证的申请与颁发、经营许可证的监督管理、法律责任和附则。

（一）制定此办法的目的和适用范围

（1）为了严格危险化学品经营安全条件，规范危险化学品经营活动，保障人民群众生命、财产安全，根据《中华人民共和国安全生产法》和《危险化学品安全管理条例》，制定本办法。

（2）在中华人民共和国境内从事列入《危险化学品目录》的危险化学品的经营（包括仓储经营）活动，适用本办法。

民用爆炸物品、放射性物品、核能物质和城镇燃气的经营活动，不适用本办法。

（二）国家对危险化学品经营实行许可制度

经营危险化学品的企业，应当依照本办法取得危险化学品经营许可证（以下简称经营许可证）。未取得经营许可证，任何单位和个人不得经营危险化学品。

下列企业必须取得危险化学品经营许可证：

（1）经营剧毒化学品的企业；

（2）经营易制爆危险化学品的企业；

（3）经营汽油加油站的企业；

（4）专门从事危险化学品仓储经营的企业；

（5）从事危险化学品经营活动的中央企业所属省级、设区的市级公司（分公司）。

(6)带有储存设施经营除剧毒化学品、易制爆危险化学品以外的其他危险化学品的企业。

从事下列危险化学品经营活动,不需要取得经营许可证:

(1)依法取得危险化学品安全生产许可证的危险化学品生产企业在其厂区范围内销售本企业生产的危险化学品的;

(2)依法取得港口经营许可证的港口经营人在港区内从事危险化学品仓储经营的。

(三)规定了申请经营许可证的条件

(1)从事危险化学品经营的单位(以下统称申请人)应当依法登记注册为企业,并具备下列基本条件。(略)

其中一条是:有健全的安全生产规章制度和岗位操作规程。

这里规定的安全生产规章制度,是指全员安全生产责任制度、危险化学品购销管理制度、危险化学品安全管理制度(包括防火、防爆、防中毒、防泄漏管理等内容)、安全投入保障制度、安全生产奖惩制度、安全生产教育培训制度、隐患排查治理制度、安全风险管理制度、应急管理制度、事故管理制度、职业卫生管理制度等。

(2)申请人经营剧毒化学品的,除符合本办法第六条规定的条件外,还应当建立剧毒化学品双人验收、双人保管、双人发货、双把锁、双本账等管理制度。

(3)申请人带有储存设施经营危险化学品的,除符合本办法第六条规定的条件外,还应当具备下列条件。(略)

(四)法律责任

带有储存设施的企业违反《危险化学品安全管理条例》规定,有下列情形之一的,责令改正,处5万元以上10万元以下的罚款;拒不改正的,责令停产停业整顿;经停产停业整顿仍不具备法律、法规、规章、国家标准和行业标准规定的安全生产条件的,吊销其经营许可证:

(1)对重复使用的危险化学品包装物、容器,在重复使用前不进行检查的;

(2)未根据其储存的危险化学品的种类和危险特性,在作业场所设置相关安全设施、设备,或者未按照国家标准、行业标准或者国家有关规定对安全设施、设备进行经常性维护、保养的;

(3)未将危险化学品储存在专用仓库内,或者未将剧毒化学品以及储存数量构成重大危险源的其他危险化学品在专用仓库内单独存放的;

(4)未对其安全生产条件定期进行安全评价的;

(5)危险化学品的储存方式、方法或者储存数量不符合国家标准或者国家有关规定的;

(6)危险化学品专用仓库不符合国家标准、行业标准要求的;

(7)未对危险化学品专用仓库的安全设施、设备定期进行检测、检验的。

☞资讯链接

2015年第一批国家级生产经营单位安全生产不良记录"黑名单"信息(摘录)

失信主体	事故简要情况或违法违规行为简况	处罚结果	处罚依据	执法单位
山东某化学有限公司	8月31日,位于东营市的某化学有限公司新建年产2万吨改性型胶黏新材料联产项目二胺车间混二硝基苯装置在投料试车过程中发生重大爆炸事故,造成13人死亡,25人受伤,直接经济损失4 326万元	1.该公司董事长兼总经理×××终身不得担任化工和危险化学品行业生产经营单位的主要负责人,并处以上一年收入60%的罚款; 2.对涉事公司处200万人民币罚款		山东省东营市安全监管局
内蒙古鄂尔多斯市某化工有限责任公司	1.企业与居民村舍一墙之隔,距离高压线较近,未在当地规划的专门用于危化品储存区域内; 2.企业储存危化品建筑为民房改建,未实现不同性质危化品隔开储存,储存条件、安全设施等均不符合《危险化学品经营企业开业条件和技术要求》(GB 18265—2000); 3.现场用容器对硫氢化钠等危化品进行稀释、分装,涉嫌非法生产; 4.从业人员为无专业知识的农民工,安全意识差	吊销危险化学品经营许可证	1.《危险化学品经营企业开业条件和技术要求》(GB 18265—2000); 2.《危险化学品安全管理条例》	内蒙古自治区鄂尔多斯市安全监管局
广东省高要市某材料有限公司	该公司未取得安全生产许可证,从事危险化学品生产活动	1.立即停止生产行为; 2.罚款10万元人民币	依据《安全生产许可证条例》第十九条的规定	广东省肇庆市安全监管局

资料来源:国家安全生产监督管理总局 http://www.chinasafety.gov.cn/newpage/Contents/Channel_4976/2015/1224/262518/content_262518.htm

四、《放射性物品运输安全管理条例》

《放射性物品运输安全管理条例》于2009年9月7日国务院第80次常务会议通过,自2010年1月1日起施行。本条例包括总则、放射性物品运输容器的设计、放射性物品运输容器的制造与使用、放射性物品的运输、监督检查、法律责任及附则，共68条款。

(一)制定此办法的目的和适用范围

(1)为了加强对放射性物品运输的安全管理，保障人体健康，保护环境，促进核能、核技术的开发与和平利用，根据《中华人民共和国放射性污染防治法》，制定本条例。

(2)放射性物品的运输和放射性物品运输容器的设计、制造等活动，适用本条例。

(二)放射性物品的定义与分类

本条例所称放射性物品，是指含有放射性核素，并且其活度和比活度均高于国家规定的豁免值的物品。

根据放射性物品的特性及其对人体健康和环境的潜在危害程度，将放射性物品分为一类、二类和三类。

(三)托运人的责任与义务

(1)托运放射性物品的，托运人应当持有生产、销售、使用或者处置放射性物品的有效证明，使用与所托运的放射性物品类别相适应的运输容器进行包装，配备必要的辐射监测设备、防护用品和防盗、防破坏设备，并编制运输说明书、核与辐射事故应急响应指南、装卸作业方法、安全防护指南。运输说明书应当包括放射性物品的品名、数量、物理化学形态、危害风险等内容。

(2)托运一类放射性物品的，托运人应当委托有资质的辐射监测机构对其表面污染和辐射水平实施监测，辐射监测机构应当出具辐射监测报告。

托运二类、三类放射性物品的，托运人应当对其表面污染和辐射水平实施监测，并编制辐射监测报告。

监测结果不符合国家放射性物品运输安全标准的，不得托运。

(3)托运人应当向承运人提交运输说明书、辐射监测报告、核与辐射事故应急响应指南、装卸作业方法、安全防护指南，承运人应当查验、收存。托运人提交文件不齐全的，承运人不得承运。

(4)托运一类放射性物品的，托运人应当编制放射性物品运输的核与辐射安全分析报告书，报国务院核安全监管部门审查批准。

放射性物品运输的核与辐射安全分析报告书应当包括放射性物品的品名、数量、运输容器型号、运输方式、辐射防护措施、应急措施等内容。

(5)一类放射性物品启运前，托运人应当将放射性物品运输的核与辐射安全分析报告批准书、辐射监测报告，报启运地的省、自治区、直辖市人民政府环境保护主管部门备案。

(6)通过道路运输核反应堆乏燃料的，托运人应当报国务院公安部门批准。通过道路运输其他放射性物品的，托运人应当报启运地县级以上人民政府公安机关批准。

(7)放射性物品运输中发生核与辐射事故的，托运人应当按照核与辐射事故应急响应指南的要求，做好事故应急工作，并立即报告事故发生地的县级以上人民政府环境保护主管部门。

(8)托运人应当按照国家放射性物品运输安全标准和国家有关规定，在放射性物品运输容器和运输工具上设置警示标志。

(9)托运人应当对直接从事放射性物品运输的工作人员进行运输安全和应急响应知识的培训,并进行考核;考核不合格的,不得从事相关工作。

(10)托运人应当按照国家职业病防治的有关规定,对直接从事放射性物品运输的工作人员进行个人剂量监测,建立个人剂量档案和职业健康监护档案。

(四)承运人的责任与义务

(1)承运放射性物品应当取得国家规定的运输资质。承运人的资质管理,依照有关法律、行政法规和国务院交通运输、铁路、民航、邮政主管部门的规定执行。

(2)承运人应当对直接从事放射性物品运输的工作人员进行运输安全和应急响应知识的培训,并进行考核;考核不合格的,不得从事相关工作。

(3)承运人应当按照国家放射性物品运输安全标准和国家有关规定,在放射性物品运输容器和运输工具上设置警示标志。

(4)承运人应当按照国家职业病防治的有关规定,对直接从事放射性物品运输的工作人员进行个人剂量监测,建立个人剂量档案和职业健康监护档案。

(5)通过道路运输放射性物品的,应当经公安机关批准,按照指定的时间、路线、速度行驶,并悬挂警示标志,配备押运人员,使放射性物品处于押运人员的监管之下。

(6)放射性物品运输中发生核与辐射事故的,承运人应当按照核与辐射事故应急响应指南的要求,做好事故应急工作,并立即报告事故发生地的县级以上人民政府环境保护主管部门。

模块二　危险品运输相关标准

☞ 资讯链接

辽阳地区某出口纸箱定点厂为一木炭厂生产了12 000个纸箱,报检前双方均认为炭粉只是一般商品,结果该批纸箱没有按危险品包装要求组织生产,不能用于出口包装。而木炭厂对危险品包装、储运、积载、通关等的知识缺乏了解,影响了发货,造成很大损失。

资料来源:辽阳出入境检验检疫局 http://ly.lnciq.gov.cn/fwck/200903/t20090331_23647.htm

任务　熟知危险品运输相关国家标准

运输危险货物是一项技术性很强的工作。近年来颁布了不少有关危险货物的技术标准。国家标准和行业标准分为强制性标准和推荐性标准两种。保障人体健康,人身、财产安全的标准,以及法律、行政法规规定强制执行的标准是强制性标准,其他标准是推荐性标准。对于强制性标准,必须执行;对于推荐性标准,国家鼓励企业自愿采用。涉及危险货物的相关技术标准,大都是强制性的,在实际应用中必须认真执行。

一、《危险货物分类和品名编号》(GB 6944—2012)

该标准由中华人民共和国国家质量监督检验检疫总局和中国国家标准化管理委员会共同发布,把危险货物分为9类,并对各类进行了详细的定义,在此基础上进行品名编号,对编号的组成和使用作了规定。

二、《危险货物品名表》(GB 12268—2012)

该标准由中华人民共和国国家质量监督检验检疫总局和中国国家标准化管理委员会共同发布,包括危险货物的分类和一般规定,危险货物品名表的结构,危险货物的联合国编号、名称和说明、英文名称、类别或项别、次要危险性、包装类别及特殊规定等内容。

本标准与联合国的《关于危险货物运输的建议书规章范本》(第16次修订版)第3部分"危险货物一览表,特殊规定和例外"的技术内容一致。

三、《危险货物运输包装类别划分原则》(GB 15098—2008)

本标准规定了划分各类危险货物运输包装类别的方法。本标准适用于危险货物生产、储存、运输和检验部门对危险货物运输包装进行性能试验时确定包装类别的依据。本标准不适用于:(1)盛装压缩气体和液化气体的压力容器;(2)盛装感染性物品的运输包装;(3)盛装放射性物质的运输包装;(4)盛装杂项危险物质和物品的运输包装;(5)净质量大于400 kg的包装;(6)容积大于450 L的包装。

危险货物按其危险程度划分为三个包装类别。

Ⅰ类包装:货物具有大的危险性,包装强度要求高。

Ⅱ类包装:货物具有中等危险性,包装强度要求较高。

Ⅲ类包装:货物具有小的危险性,包装强度要求一般。

按GB 6944中危险货物的不同类项及有关的定量值,确定其包装类别。但各类中性质特殊的货物其包装类可另行规定。

四、《道路运输危险货物车辆标志》(GB 13392—2005)

此标准于2005年8月1日起正式实施,规定了道路运输危险货物车辆标志的分类、规格尺寸、技术要求、试验方法、检验规则、包装、标志、装卸、运输和储存,以及安装悬挂和维护要求。本标准适用于道路运输危险货物车辆标志的生产、使用和管理。

五、《危险货物运输包装通用技术条件》(GB 12463—2009)

本标准规定了危险货物运输包装的分类、基本要求、性能试验和检验方法、技术要求、类型和标记代号。本标准适用于盛装危险货物的运输包装。本标准不适用于:(1)盛装放射性物质的运输包装;(2)盛装压缩气体和液化气体的压力容器的运输包装;(3)净质量超过400 kg的运输包装;(4)容积超过450 L的运输包装。

六、《危险化学品目录(2015版)》

按照《危险化学品安全管理条例》(国务院令第591号)有关规定,安全监管总局会同工业和信息化部、公安部、环境保护部、交通运输部、农业部、国家卫生计生委、质检总局、铁路局、民航局制定了《危险化学品目录(2015版)》,于2015年2月27日公布。同时宣布《危险化学品目录(2015版)》于2015年5月1日起实施,《危险化学品名录(2002版)》(原国家安全生产监督管理局公告2003年第1号)、《剧毒化学品目录(2002年版)》同时予以废止。该目录收录了3800余种危险化学品。

(一)危险化学品的定义

危险化学品是指具有毒害、腐蚀、爆炸、燃烧、助燃等性质,对人体、设施、环境具有危害的剧毒化学品和其他化学品。

(二)剧毒化学品的定义和判定界限

1. 定义

剧毒化学品是指具有剧烈急性毒性危害的化学品,包括人工合成的化学品及其混合物和天然毒素,还包括具有急性毒性易造成公共安全危害的化学品。

2. 剧烈急性毒性判定界限

急性毒性类别Ⅰ,即满足下列条件之一:大鼠实验,经口 $LD_{50} \leqslant 5$ mg/kg,经皮 $LD_{50} \leqslant 50$ mg/kg,吸入(4 h)$LD_{50} \leqslant 100$ mL/m^3(气体)或0.5 mg/L(蒸气)或0.05 mg/L(尘、雾)。经皮 LD_{50} 的实验数据,也可使用兔实验数据。

(三)《危险化学品目录》各栏目的含义

(1)“序号”是指《危险化学品目录》中化学品的顺序号。

(2)“品名”是指根据《化学命名原则》(1980)确定的名称。

(3)“别名”是指除“品名”以外的其他名称,包括通用名、俗名等。

(4)“CAS号”是指美国化学文摘社对化学品的唯一登记号。

(5)“备注”是对剧毒化学品的特别注明。

(四)《危险化学品目录(2015版)实施指南(试行)》

为有效实施《危险化学品目录(2015版)》(国家安全监管总局等10部门公告2015年第5号),国家安全监管总局组织编制了《危险化学品目录(2015版)实施指南(试行)》,2015年8月19日公布。具体内容如下:

(1)《危险化学品目录(2015版)》(以下简称《目录》)所列化学品是指达到国家、行业、地方和企业的产品标准的危险化学品(国家明令禁止生产、经营、使用的化学品除外)。

(2)工业产品的CAS号与《目录》所列危险化学品CAS号相同时(不论其中文名称是否一致),即可认为是同一危险化学品。

(3)企业将《目录》中同一品名的危险化学品在改变物质状态后进行销售的,应取得危险化学品经营许可证。

(4)对生产、经营柴油的企业(每批次柴油的闭杯闪点均大于60 ℃的除外)按危险化学品企业进行管理。

(5)主要成分均为列入《目录》的危险化学品,并且主要成分质量比或体积比之和不小于70%的混合物(经鉴定不属于危险化学品确定原则的除外),可视其为危险化学品并按危险化学品进行管理,安全监管部门在办理相关安全行政许可时,应注明混合物的商品名称及其主要成分含量。

(6)对于主要成分均为列入《目录》的危险化学品,并且主要成分质量比或体积比之和小于70%的混合物或危险特性尚未确定的化学品,生产或进口企业应根据《化学品物理危险性鉴定与分类管理办法》(国家安全监管总局令第60号)及其他相关规定进行鉴定分类,经过鉴定分类属于危险化学品确定原则的,应根据《危险化学品登记管理办法》(国家安全监管总局令第53号)进行危险化学品登记,但不需要办理相关安全行政许可手续。

(7)化学品只要满足《目录》中序号第2828项闪点判定标准即属于第2828项危险化学品。为方便查阅,危险化学品分类信息表中列举部分品名。其列举的涂料、油漆产品以成膜物为基础确定。例如,条目"酚醛树脂漆(涂料)",是指以酚醛树脂、改性酚醛树脂等为成膜物的各种油漆涂料。各油漆涂料对应的成膜物详见国家标准《涂料产品分类和命名》(GB/T 2705—2003)。胶黏剂以黏料为基础确定。例如,条目"酚醛树脂类胶黏剂",是指以酚醛树脂、间苯二酚甲醛树脂等为黏料的各种胶黏剂。各胶黏剂对应的黏料详见国家标准《胶黏剂分类》(GB/T 13553—1996)。

(8)危险化学品分类信息表是各级安全监管部门判定危险化学品危险特性的重要依据。各级安全监管部门可根据《指南》中列出的各种危险化学品分类信息,有针对性地指导企业按照其所涉及的危险化学品危险特性采取有效防范措施,加强安全生产工作。

(9)危险化学品生产和进口企业要依据危险化学品分类信息表列出的各种危险化学品分类信息,按照《化学品分类和标签规范》系列标准(GB 30000.2—2013 ~ GB 30000.29—2013)及《化学品安全标签编写规定》(GB 15258—2009)等国家标准规范要求,科学准确地确定本企业化学品的危险性说明、警示词、象形图和防范说明,编制或更新化学品安全技术说明书、安全标签等危险化学品登记信息,做好化学品危害告知和信息传递工作。

(10)危险化学品在运输时,应当符合交通运输、铁路、民航等部门的相关规定。

(11)按照《危险化学品安全管理条例》第三条的有关规定,随着新化学品的不断出现、化学品危险性鉴别分类工作的深入开展,以及人们对化学品物理等危险性认识的提高,国家安全监管总局等10部门将适时对《目录》进行调整,国家安全监管总局也将会适时对危险化学品分类信息表进行补充和完善。

七、《危险货物包装标志》(GB 190—2009)

2010年5月1日实施的《危险货物包装标志》规定了危险货物包装图示标志的分类图形、尺寸、颜色及使用方法等。本标准适用于危险货物的运输包装。

☞ 知识链接

CAS 号

CAS 号，即 CAS（Chemical Abstracts Service，物质数字识别号码），又称为 CAS 登记号（CAS Registry Number 或称 CAS Number，CAS Rn）或 CAS 登记号码，由一组数字组成，是某种物质的唯一的数字识别号码。CAS 编号最早出现于美国化学摘要服务社（Chemical Abstracts Service，CAS 即为该服务社的缩写）出版的《化学摘要》，该社负责为每一种出现在文献中的物质分配一个 CAS 编号，CAS 编号唯一对应一种物质，相当于每一种物质都拥有了自己的"学号"，只要知道这个物质的 CAS 编号，就可以很快、很轻松地查询最全面的资料。

☞ 资料链接

GB 30000《化学品分类和标签规范》系列国家标准对应英文翻译

易燃气体 Flammable gases
爆炸物 Explosives
氧化性气体 Oxidizing gases
气溶胶 Aerosols
易燃液体 Flammable liquids
加压气体 Gases under pressure
自反应物质和混合物 Self-reactive substances and mixtures
易燃固体 Flammable solids
自燃液体 Pyrophoric liquids
氧化性液体 Oxidizing liquids
遇水放出易燃气体的物质和混合物 Substances and mixtures which, in contact with water, emit flammable gases
自热物质和混合物 Self-heating substances and mixtures
自燃固体 Pyrophoric solids
有机过氧化物 Organic peroxides
氧化性固体 Oxidizing solids
严重眼损伤/眼刺激 Serious eye damage/eye irritation
皮肤腐蚀/刺激 Skin corrosion/irritation
急性毒性 Acute toxicity
金属腐蚀物 Corrosive to metals
特异性靶器官毒性　反复接触 Specific target organ toxicity—Repeat exposure
特异性靶器官毒性　一次接触 Specific target organ toxicity—Single exposure
生殖毒性 Reproductive toxicity
致癌性 Carcinogenicity
生殖细胞致突变性 Germ cell mutagenicity
呼吸道或皮肤致敏 Respiratory or skin sensitization

对水生环境的危害 Hazardous to the aquatic environment

对臭氧层的危害 Hazardous to the ozone layer

吸入危害 Aspiration hazard

资料来源:中国国家标准化管理委员会网站 http://www.sac.gov.cn

❖ 练习与思考

一、不定项选择题

1. 危险化学品单位从事生产、经营、储存、运输、使用危险化学品或者处置废弃危险化学品活动的人员,必须接受有关法律、法规、规章和安全知识、专业技术、职业卫生防护救援知识的培训,并经(　　),方可上岗作业。

A. 培训　　B. 教育　　C. 评议　　D. 考核合格

2. 国家对危险化学品实行经营(　　)制度。

A. 许可证　　B. 核准　　C. 审批　　D. 专营

3. 生产、经营、储存、运输、使用危险化学品和处置废弃危险化学品的单位,其(　　)必须保证本单位危险化学品的安全管理符合有关法律、法规、规章的规定和国家标准,并对本单位危险化学品的安全负责。

A. 主要负责人　　B. 技术人员　　C. 从业人员　　D. 安全管理人员

4.《危险化学品安全管理条例》所指的危险化学品按理化性质及危害划分为(　　)大类。

A. 6　　B. 7　　C. 8　　D. 9

5.《危险化学品安全管理条例》不适用于(　　)。

A. 剧毒化学品　　B. 放射性物品及核能物质

C. 民用爆炸品　　D. 城镇燃气

6. 需要进行危险化学品登记的单位为(　　)。

A. 生产危险化学品的单位

B. 经营危险化学品的单位

C. 使用其他危险化学品数量构成重大危险源的单位

D. 使用剧毒化学品的单位

7. 危险化学品经营企业,必须具备的条件为(　　)。

A. 经营场所和储存设施符合国家标准

B. 主管人员和业务人员经过专业培训,并取得上岗资格

C. 有健全的安全管理制度

D. 符合法律、法规规定和国家标准要求的其他条件

8. 国家对危险化学品的生产和储存实行(　　),并对危险化学品生产、储存实行审批制度;未经审批,任何单位和个人都不得生产、储存危险化学品。

A. 自由经营　　B. 合理布局　　C. 严格控制　　D. 统一规划

二、思考题

1. 请列举有关危险品的国际公约,并简述其内容。
2. 请列举我国国内有关危险品的法律法规,并简述其内容。
3. 请列举我国国内有关危险品的国家标准,并简述其内容。

项目三　危险品包装与标志

❖ 学习目标

一、知识目标

1. 掌握危险品包装的定义和基本要求；
2. 熟知危险品包装的作用；
3. 了解危险品包装的分类；
4. 熟悉危险品运输包装分类；
5. 掌握危险品运输包装标志图形的含义；
6. 掌握危险品标签的作用；
7. 了解危险品运输包装英文标识。

二、能力目标

1. 能辨别不同的危险品标志；
2. 能根据不同的标签进行正确的操作。

❖ 学习重点

1. 危险品包装的基本要求及特殊要求；
2. 危险品运输包装标志图形的含义。

模块一　危险品运输包装

☞ 案例导入

2014 年 4 月 17 日，江苏滨海县沿海化工园区某化工企业申请盐城检验检疫局对其出口的戊唑醇原药进行包装使用鉴定。该类产品危险品类别为九类，联合国编号为 3077，该批货物采用 25 kg 塑料编织袋包装，共计 2×10^4 kg、800 只，运输方式为海运。经联系，该局机电化矿科检验人员于 4 月 18 日对上述货物实施使用鉴定。经对企业提交的报检资料进行一一核查，发现某检验检疫局出具的“出境货物包装性能检验结果单”中容器名称和标记是矛盾的，随后检验人员赴企业仓库现场查看，企业实际用的是防水塑料编织袋，而袋中显示的包装容器标记却是塑料薄膜袋 5H4，与实际包装不符，不符合国家标准及国际海运危险品规则的要求。这是一起涉及危险品包装生产企业、危险品包装使用企业、出具危包性能检验结果单的检验检疫局三方差错责任的典型案例。经查，导致问题出现的原因有以下

几点:

1. 企业原因

一是包装生产企业由于其质量技术人员的疏忽或者对塑料编织袋的标记要求与塑料薄膜袋的标记要求相混淆,提供了错误的印刷版本交印刷部门印刷;二是包装使用企业没有认真对所采购的包装显示的标记进行审核,或者对该类包装的标记要求不清楚,完全相信包装供应商和供应商所在检验检疫部门出具的性能检验结果单。

2. 检验检疫部门原因

作为受理该塑料编织袋包装性能检验的生产供应商所在地的检验检疫部门,竟然对企业所提供的该包装的错误标记未能识别,造成其出具了包装物与其标记不符的包装性能检验结果单,这是非常遗憾的。所产生的负面影响主要有两方面:一是引起企业对检验检疫部门公信力的质疑;二是由于此原因造成该包装使用企业产品不能及时出运,造成其对客户的违约,对企业产生了事先无法预料的损失。

资料来源:中国质量新闻网 http://www. cqn. com. cn/news/zggmsb/diliu/936737. html

任务　危险品包装认知

一、包装的基础知识

(一)包装的定义

产品想要完好地从生产领域进入到流通领域,需要有相应的包装。包装是商品不可缺少的组成部分,是商品的外衣。包装是为在流通过程中保护产品、方便储运、促进销售,按一定技术方法而采用的容器、材料及辅助物等的总体名称。也指为了达到上述目的而采用容器、材料和辅助物等的过程中施加一定技术方法等的操作活动。因此,包装有两重含义:一是指盛装商品的容器,通常称为包装物,如箱、桶、袋等;二是指包装商品的操作过程和方法,如装箱、灌桶、打包等。

(二)包装的功能

包装是商品的一个重要的组成部分,具有重要的功能,主要包括以下三种:

1. 保护功能

保护功能是包装最基本的功能,即在搬运、储存和运输期间保护商品免受损坏。商品从生产领域转入流通领域的过程中,由于装卸、搬运、储存,可能造成商品的破损、变形等物理变化,同时在流动过程中,由于外界温度、湿度、光线等条件的变化,可能使商品产生霉烂、变质等化学变化。因此,为了免受日晒、雨淋、灰尘污染等自然因素的侵袭以及防止挥发、渗漏、熔化、污染、碰撞、挤压、散失以及盗窃等损失,要求根据商品的特性和运输条件,选择适当的包装材料、包装容器和包装方法,采用一定的包装技术处理,对商品进行包装,以防商品受损,达到保护商品的作用。

2. 方便功能

合理的包装能为生产、流通、消费等环节提供诸多方便,方便厂家及物流部门装卸搬运、存储保管，方便消费者的携带、取用、保管和收藏。合适的包装还便于回收复用、环境保护等。

3. 促进销售

包装是诱导消费者购买的最好媒介，是无声的推销员。优秀的包装设计，其精巧的图案、醒目的商标、得体的文字、明快的色彩可以直接激发消费者的购买欲望，使其产生购买行为。包装的外部形态还起到宣传、介绍、推销商品的作用。

（三）包装的分类

1. 按包装所在流通环节分类

（1）运输包装

运输包装又称外包装、大包装，是指货物在运输装卸和储存过程中，为避免损伤、保护货物、减少运费所需要的包装。运输包装能防震、防湿、防盗、防漏等，具有保护货物品质安全和数量完整的性能。因此，运输包装一般都比较坚固、结实。运输包装可分为单件运输包装和集合运输包装两类。

（2）销售包装

销售包装又称内包装，是货物进入零售和消费环节同消费者直接见面，消费者消费购买商品时的包装。因此，这类包装要美观大方，应该注明厂名、商标、品名、规格、容量、用途和用法，方便消费者识别、选购、携带和使用。图案、文字、色调和装潢要能吸引消费者，激励消费者的购买欲。目前，销售包装趋向小型化、透明化、艺术化和实用化。

2. 按包装的使用范围分类

（1）专业包装

针对被包装物品的特点专门设计、专门制造，只适用于某一专门物品的包装。

（2）通用包装

指适宜盛装多种物品的包装，如木箱、麻袋、玻璃瓶之类。

3. 按照流通中的作用分类

（1）内包装指和物品一起配装才能保证物品出厂的小型包装容器，如火柴盒等，是随同物品一起售给消费者的。

（2）中包装指在物品的内包装之外，再加一层或两层包装物的包装，如二十盒火柴集成的方形纸盒等都属于中包装。它们很多是随同物品一起售给消费者的。

（3）外包装是比内包装、中包装在体积上大很多的包装容器。由于在流通过程中主要用来保护物品安全，方便装卸、运输、储存和计量，所以外包装又称运输包装或储运包装。如成箱的爆炸品、爆炸品专用箱等。

4. 按包装形态层次分类

（1）个包装

它是直接盛装和保护商品的最基本包装形式。个包装的标志和图案、文字起到指导消费、便于流通的作用。

（2）内包装

它是个包装的组合形式，在流通过程中起到保护产品、简化计量和方便销售的作用。

（3）外包装

它是商品的外层包装，起到保护商品、简化物流环节等作用。

5. 按制作方式分类

(1)单一包装

指没有内外包装之分,只用一种材质制作的独立包装。这种包装主要是专业包装,如汽油桶等。

(2)组合包装

指由一个以上内包装合装在一个外包装内而组成一个整体的包装。如乙醇玻璃瓶用木箱为外包装组合的包装。

(3)复合包装

指由一个外包装和一个内容器组成一个整体的包装。这种包装经过组装,即保持为独立的完整包装。如内包装为塑料容器,外包装为钢桶而组成一个整体的包装即属复合包装。

6. 按包装容器分类

(1)按照包装容器的变形能力分为软包装和硬包装。

(2)按照包装容器的形状分为包装袋、包装箱、包装盒、包装瓶、包装罐等。

(3)按照包装容器的结构形式分为固定式包装、折叠式包装、拆解式包装。

(4)按照包装容器使用的次数分为一次性使用包装、多次使用包装、固定周转使用包装。

(四)包装的标记

包装标记是根据物品的自身的特性,用文字、图形、表格等按有关规定标明的记号,通常要标明物品的名称、数量、质量、规格、出厂时间等,进口商品还要标明进口单位、商品类别、贸易国及进口港等。包装标记分为以下几类:

1. 基本标记

用来说明物的实体的基本情况,例如名称、数量、质量、规格、型号、计量单位、出厂日期、地址等。对于时效性较强的物品还要写明成分、保质期等。

2. 运输标记

又称唛头,主要标明起运地、到达地、收货单位等。对于进口商品,由外经贸部门统一编制向国外订货的代号,主要作用是加强保密性,有利于物流物品的安全;减少签订合同和运输过程中的翻译工作;减少错发错运等事故。

3. 牌号标记

牌号标记一般只标明物品的名称,不提供有关物品的其他信息。应印制在包装的显著位置。

4. 等级标记

用来说明物品质量等级的记号,常用“优质产品”“一等品”“获×××奖产品”等字样。

(五)包装的标志

包装标志是用文字和图像说明包装物品的特性、活动的安全及理货分货和提醒注意事项。它分为以下几种:

1. 识别标志

又称收发标志,包括分类标志、供货号、体积、运输号、件数、收发货地点及单位等。

2. 指示标志

也称图示标志、安全标志，是根据物品的特性提出的在运输、仓储、装卸、保管过程中的注意事项。例如怕湿、向上、小心轻放、由此吊起等。此类标志的图形符号按照国家标准《包装储运图示标志》(GB T191—2008)的规定执行。

3. 警告性标志

也称危险品标志，是用文字和图形的标志引起人们特别警惕。例如危险品标志必须标明危险品的类别及等级，此类型标志的图形、颜色等按照国家标准《危险货物包装标志》(GB 190—2009)执行。

二、危险品包装的定义和作用

危险品包装是指以保障运输、储存安全为主要目的，根据危险品的性质、特点，按国家有关法规、标准，专门设计制造的包装物、容器。装有危险品的包装称为包装件。危险品的包装是保证安全储运的基础，不仅能保护产品质量不发生变化、数量完整，而且也是防止在储存和运输过程中发生着火、爆炸、中毒、腐蚀和放射性污染等灾害性事故的重要措施之一。在众多危险品储存和运输中发生的事故中，由于包装方面的原因造成的事故占有较大的比重。因此，在危险品的安全监督工作中，必须高度重视包装的安全管理。危险品包装的作用主要有以下几个方面：

(1)防止货物因接触雨雪、潮湿空气、阳光、杂质而变质或发生剧烈的化学反应而造成事故；

(2)减少物品在储存和运输过程中所受的摩擦、撞击和挤压，使其在包装的保护下处于完整和相对稳定的状态；

(3)防止撒漏、挥发以及性质相互抵触的物品直接接触而发生事故；

(4)便于装卸、搬运和储存保管，从而保证安全储存与运输。

☞ **案例**

【案例1】 1997年1月，巴基斯坦发生了一起严重的氯气泄漏事故。一卡车在运输瓶装氯气时，由于车辆颠簸，致使液氯钢瓶剧烈撞击，引起瓶体破裂，导致大量氯气泄漏，造成多人死亡和多人中毒事故。后经检验，钢瓶材质严重不符合要求，从而为运输安全埋下了事故隐患。

【案例2】 1997年3月18日凌晨，广西一辆满载10吨200桶氰化钠剧毒品的大卡车在梧州市翻入桂江，由于包装严密、打捞及时，包装无一破损，避免了一场严重的泄漏污染事故。

以上资料来源：艾特贸易网 http://www.aitmy.com

三、危险品运输包装的基本要求

危险品对包装、积载、隔离、装卸、管理、运输条件和消防急救措施等都有着特殊而严格的要求。它的安全运输与人们的生命财产安全有着密切关系。包装直接影响危险品的安全运输。由于危险品性质比较危险，容易发生比较大的危害性事故，所以其包装强度要高一些。同一种危险品，单件包装质量(重量)越大，包装强度也应越高。同一类包装运距越

长、倒载次数越多,包装强度应越高。危险品包装应满足以下基本要求:

(1)运输包装应结构合理,具有足够强度,防护性能好。包装的材质、形式、规格、方法和内装货物质量(重量),应与所装危险品的性质和用途相适应,并便于装卸、运输和储存。

(2)运输包装应质量良好,其构造和封闭形式应能承受正常运输条件下的各种作业风险,不应因温度、湿度或压力的变化而发生任何渗(撒)漏,包装表面应清洁,不允许黏附有害的危险物质。

(3)运输包装与内装物直接接触部分,必要时应有内涂层或进行防护处理,包装材质不得与内装物发生化学反应而形成危险产物或导致削弱包装强度。

(4)内容器应予固定。如属易碎性的应使用与内装物性质相适应的衬垫材料或吸附材料衬垫妥实。

(5)盛装液体的容器,应能经受在正常运输条件下产生的内部压力。灌装时必须留有足够的膨胀余量(预留容积),除另有规定外,应保证在温度 55 ℃时,内装液体不致完全充满容器。

(6)包装封口应根据内装物性质采用严密封口、液密封口或气密封口。

(7)盛装需浸湿或加有稳定剂的物质时,其容器封闭形式应能有效地保证内装液体(水、溶剂和稳定剂)的百分比在储运期间保持在规定的范围以内。

(8)有降压装置的包装,其排气孔的设计和安装应能防止内装物泄漏和外界杂质进入,排出的气体量不得造成危险和污染环境。

(9)复合包装的内容器和外包装应紧密贴合,外包装不得有擦伤内容器的凸出物。

(10)无论是新型包装、重复使用的包装、还是修理过的包装均应符合《危险货物运输包装通用技术条件》(GB 12463—2009)第 8 章“危险货物运输包装性能试验”的要求。

(11)盛装爆炸品包装的附加要求。

①盛装液体爆炸品容器的封闭形式,应具有防止渗漏的双重保护。

②除内包装能充分防止爆炸品与金属物接触外,铁钉和其他没有防护涂料的金属部件不得穿透外包装。

③双重卷边接合的钢桶、金属桶或以金属做衬里的包装箱,应能防止爆炸物进入隙缝。钢桶或铝桶的封闭装置必须有合适的垫圈。

④包装内的爆炸物质和物品,包括内容器,必须衬垫妥实,在运输中不得发生危险性移动。

⑤盛装有对外部电磁辐射敏感的电引发装置的爆炸物品,包装应具备防止所装物品受外部电磁辐射源影响的功能。

四、危险品包装的特殊要求

1. 爆炸品包装

(1)爆炸品的包装除特殊情况外,应满足包装类Ⅱ的要求。

(2)内包装必须严密,爆炸性物质不得撒漏;严禁金属材料与爆炸性物质接触;内包装要定位妥实,不得松动;爆炸品的配装要符合规定要求。

(3)装有液态爆炸品的包装应确保有双重防渗漏保护。

(4)装有可溶于水的物质的包装须采取防水措施。装有退敏或减敏物质的包装须密封以防止运输过程中浓度的改变。

(5) 禁止使用易于产生并积累足够静电的塑料包装，以防放电时导致包装内的爆炸物质或物品引爆、着火或发生反应。

2. 压缩气体和液化气体的包装

(1)各种耐压容器的规格、质量应符合国家《气瓶安全监察规程》、国务院《锅炉压力容器安全监察条例》的规定。

(2)压力容器的结构和密封性需能够在正常运输条件下防止由于震动及温度、湿度或压力的变化而引起的任何内装物的渗漏。

(3)压力容器中直接与危险品接触的部分，不得受到危险品的影响或损坏，而且不得产生危险反应。

(4)可再次充灌的压力容器不得充灌与先前所载物不同的气体或气体混合物，除非进行了换装气体的作业。

(5)先前装载了第8类腐蚀品或以腐蚀性为副危险性的其他危险品的压力容器，不得用于装载第2类气体，除非按规定进行了检验和试验。

(6)充灌前，充灌人须检查压力容器，以保证该压力容器确系用于装运此种气体并且满足规则的要求。充灌后，切断阀门须关闭，并在航程中保持关闭状态。

3. 易燃液体的包装

盛装低沸点液体的容器，其强度应有足够的安全系数，封口达到气密封口，闭口钢桶大包装具有外凸环筋和底部双重卷边。

4. 易燃固体、自燃物品和遇湿易燃物品的包装

所装货物为易燃固体时，包装应密封，防火、防热、防止货物与空气接触氧化分解；所装货物为自燃物品时，需要用水浸润的物质(如黄磷)要将物品全部浸没，隔绝空气，能缓慢氧化的浸油、油制品包装应保证通风散热；所装货物为遇湿易燃物品时，性质活泼的碱金属钾、钠等应浸没于矿物或密封于石蜡中，其他遇水、潮湿空气能引起反应的物品(如电石)应充入惰性气体或设置通气、吸潮装置。

5. 氧化剂的包装

氧化剂的内、外包装要严密、防潮、防止撒漏或渗漏，严禁与有机物、可燃物接触。

6. 腐蚀品的包装

应选择耐腐蚀的容器盛装，按货物的物理特性，对能挥发蒸气的物品、液体、固体应分别采用气密、液密、严密封口。外包装必须坚固，不脱底。高温灌装的腐蚀品，应防止坛身冷却裂缝，单件质量(重量)不宜过重。

7. 剧毒品包装

必须符合划分有关技术条件的规定，必须出具厂家认定的包装检测机构提出的检测合格证明。剧毒品包装严禁重复使用。

8. 一些特殊危险品的专用包装

有一些危险品由于某种特殊性质而需采用专门包装。例如双氧水专用包装、二硫化碳专用包装、黄磷专用包装、碱金属专用包装、碳酸钙专用包装、磷化铝熏蒸剂专用包装等。

☞ 案例

1979年8月18日，上海港十区危险品仓库出库碳酸钙，该批碳酸钙从国外进口时桶内未充氮，货主就带专用工具到港区对电石桶打洞放气。刚作业到第三桶，就发生爆炸，桶盖

飞高6米把库顶打了一个洞,所幸没有造成人身伤害。

资料来源:本书编委会编,《道路危险货物运输从业人员培训教材》,人民交通出版社

9. 包装的外表应有规定的各种包装标志

为保证危险品运输安全,使从事危险品运输、装卸、储存的有关人员在进行作业时提高警惕,以防发生危险,并在发生事故时能及时采取正确的施救措施,危险品运输包装必须具备国家规定的危险品包装标志。危险品的运输包装上都要有正确、明显、牢固、清晰的标志。一种危险品同时具两种以上性质的,应分别具有表明该货物主副特性的主副标志。一个集合包件内具有几种不同性质的货物,所有这些货物的危险性质标志都应在集合包件的表面显示出来。为了说明货物在装卸、保管、运输、开启时应注意事项(如易碎、怕湿、向上等),必须同时粘贴包装储运图示标志。

☞ 知识链接

包装封口可分为三种:

(1)气密封口——容器经过封口后,封口处不外泄气体的封闭形式。

(2)液密封口——容器经过封口后,封口处不渗漏液体的封闭形式。

(3)严密封口——容器经过封口后,封口处不外漏液体的封闭形式。

五、危险品运输包装的分类

危险品品种很多,性能、外形、结构等各方面都各有差别,在流通中的实际需要也不同,所以对包装的要求也不同,因而对包装的分类方法也不同。

(一)按《危险货物运输包装通用技术条件》(GB 12463—2009)中盛装危险品的危险程度分

(1)Ⅰ级包装。适用于内装具有较大危险性的危险品的包装。

(2)Ⅱ级包装。适用于内装具有中等危险性的危险品的包装。

(3)Ⅲ级包装。适用于内装具有较小危险性的危险品的包装。

(二)按《危险货物运输包装通用技术条件》(GB 12463—2009)中包装容器类型分

1. 桶类

指直立圆形的容器。桶按其材质还分为:

(1)钢桶。最大容积为250 L,最大净质量为400 kg。

(2)铝桶。制桶材料应选用纯度至少为99%的铝,或具有抗腐蚀和合适机械强度的铝合金。最大容积为250 L,最大净质量为400 kg。

(3) 钢罐。最大容积为60 L,最大净质量为120 kg。

(4)胶合板桶。胶合板所用材料应质量良好,板层之间应用抗水黏合剂按交叉纹理粘接,经干燥处理,不得有降低其预定效能的缺陷。最大容积为250 L,最大净质量为400 kg。

(5) 木琵琶桶。所用木材应质量良好,无节子、裂缝、腐朽、边材或其他可能降低木桶预定用途效能的缺陷。最大容积为 250 L,最大净质量为 400 kg。

(6) 硬质纤维板桶。所用材料应选用具有良好抗水能力的优质硬质纤维板,桶端可使用其他等效材料。最大容积为 250 L,最大净质量为 400 kg。

(7) 硬纸板桶。桶身应用多层牛皮纸黏合压制成的硬纸板制成。桶身外表面应涂有抗水能力良好的防护层。最大容积为 250 L,最大净质量为 400 kg。

(8) 塑料桶、塑料罐。所用材料能承受正常运输条件下的磨损、撞击、温度、光照及老化作用的影响。最大容积:塑料桶为 250 L;塑料罐为 60 L。最大净质量:塑料桶为 250 kg;塑料罐为 120 kg。

2. 箱类

指矩形体的容器。箱按包装材质还可分为:

(1) 木箱。箱体应有与容积和用途相适应的加强条档和加强带。箱顶和箱底可由抗水的再生木板、硬质纤维板、塑料板或其他合适的材料制成。最大净质量为 400 kg。

(2) 胶合板箱。胶合板所用材料应质量良好,板层之间应用抗水黏合剂按交叉纹理粘接,经干燥处理,不得有降低其预定效能的缺陷。最大净质量为 400 kg。

(3) 再生木板箱。箱体应用抗水的再生木板、硬质纤维板或其他合适类型的板材制成。最大净质量为 400 kg。

(4) 硬纸板箱、钙塑板箱、瓦楞纸板箱。钙塑是在聚乙烯和聚丙烯中填充无机钙盐而制成的一种材料,它可制成各种容器。在强度达到时,钙塑箱也可代替木箱作外包装。瓦楞纸箱强度的幅度很大。在强度达到要求的条件下,瓦楞纸箱可以代替全木箱作外包装使用。硬纸板箱或钙塑板箱应有一定抗水能力。硬纸板箱、瓦楞纸箱、钙塑板箱应具有一定的弯曲性能。钙塑板箱外部表层应具有防滑性能。最大净质量为 60 kg。

(5) 金属箱。箱体一般应采用焊接或铆接。最大净质量为 400 kg。

3. 袋类

用软材料制(织)成的有口容器,袋按材质还分为两种。

(1) 塑料编织袋。防撒漏型袋应用纸或塑料薄膜粘在袋的内表面上。防水型袋应用塑料薄膜或其他等效材料黏附在袋的内表面上。最大净质量为 50 kg。

(2) 纸袋。袋的材料应用质量良好的多层牛皮纸或与牛皮纸等效的纸制成,并具有足够的强度和韧性。袋的接缝和封口应牢固、密闭性能好,并能在正常运输条件下保持其效能。防撒漏型袋应有一层防潮层。最大净质量为 50 kg。

4. 坛类

应有足够厚度,容器壁厚均匀,无气泡或砂眼。陶、瓷容器外部表面不得有明显的剥落和影响其效能的缺陷。最大容积为 32 L,最大净质量为 50 kg。

5. 筐、篓类

应采用优质材料编制而成,形状周正,有防护盖,并具有一定刚度。最大净质量为 50 kg。

(三) 按危险品的物种分类

危险品自身的物理或化学性质决定了包装的特殊要求。各类危险品,有的可采用通用的危险品包装,有的只能采用分类物品的专用包装。所以,按危险品的物种分类,其包装可分为：

1. 通用包装

通用包装适用于易燃液体、易燃固体、自燃物品和遇湿易燃物品、氧化剂和有机过氧化物、毒害品和感染性物品等货物。

2. 专用包装

如装压缩气体和液化气体的钢瓶，称为压力容器包装。装爆炸品、腐蚀性物品、放射性物品等都需要专用包装。

六、危险品运输包装的代号

（一）运输包装类别的标记代号

包装类别的标记代号用下列小写英文字母表示：

x——符合Ⅰ、Ⅱ、Ⅲ级包装要求；

y——符合Ⅱ、Ⅲ级包装要求；

z——符合Ⅲ级包装要求。

（二）运输包装容器的标记代号

包装容器的标记代号用下列阿拉伯数字表示：

1——桶；

2——木琵琶桶；

3——罐；

4——箱、盒；

5——袋、软管；

6——复合包装；

7——压力容器；

8——筐、篓；

9——瓶、坛。

（三）包装容器的材质标记代号

包装容器的材质标记代号用下列大写英文字母表示：

A——钢；

B——铝；

C——天然木；

D——胶合板；

F——再生木板（锯末板）；

G——硬质纤维板、硬纸板、瓦楞纸板、钙塑板；

H——塑料材料；

L——编织材料；

M——多层纸；

N——金属（钢、铝除外）；

P——玻璃、陶瓷；

K——柳条、荆条、藤条及竹篾。

七、包装件组合类型标记代号的表示方法

（一）单一包装

单一包装型号由一个阿拉伯数字和一个英文字母组成，英文字母表示包装容器的材质，其左边平行的阿拉伯数字代表包装容器的类型，英文字母右下方的阿拉伯数字代表同一类型包装容器不同开口的型号。

例：1A——表示钢桶；

$1A_1$——表示闭口钢桶；

$1A_2$——表示中开口钢桶；

$1A_3$——表示全开口的钢桶。

其他包装容器开口型号的表示方法，如表 3－1 所示。

表 3－1 常见包装组合代号

序号	包装名称	代号	序号	包装名称	代号
1	闭口钢桶	$1A_1$	16	瓦楞纸箱	$4G_1$
2	中开口钢桶	$1A_2$	17	硬纸板箱	$4G_2$
3	全开口钢桶	$1A_3$	18	钙塑板箱	$4G_3$
4	闭口金属桶	$1N_1$	19	普通型编织袋	$5L_1$
5	全开口金属罐	$3N_3$	20	复合型塑料编织袋	$6HL_5$
6	闭口铝桶	$1B_1$	21	普通型塑料编织袋	$5H_1$
7	中开口铝罐	$3B_2$	22	防撒漏型塑料编织袋	$5H_2$
8	闭口塑料桶	$1H_1$	23	防水型塑料编织袋	$5H_3$
9	全开口塑料桶	$1H_3$	24	塑料袋	$5H_4$
10	闭口塑料罐	$3H_1$	25	普通型纸袋	$5M_1$
11	全开口塑料罐	$3H_3$	26	防水型纸袋	$5M_3$
12	满板木箱	$4C_1$	27	玻璃瓶	$9P_1$
13	满底板花格木箱	$4C_2$	28	陶瓷坛	$9P_2$
14	半花格型木箱	$4C_3$	29	安瓿瓶	$9P_3$
15	花格型木箱	$4C_4$			

（二）复合包装

复合包装型号由一个表示复合包装的阿拉伯数字“6”和一组表示包装材质和包装形式的字符组成。这组字符为两个大写英文字母和一个阿拉伯数字。第一个英文字母表示内包装的材质，第二个英文字母表示外包装的材质，右边的阿拉伯数字表示包装形式。

例：6HA1 是钢塑复合桶的代号，表示内包装为塑料容器，外包装为钢桶的复合包装。

（三）其他标记代号

S——表示拟装固体的包装标记；
L——表示拟装液体的包装标记；
R——表示修复后的包装标记；
(GB)——表示符合国家标准要求；
(U N)——表示符合联合国规定的要求

以钢桶标记代号及修复后标记代号为例。

例 3－1 新桶标记代号，如图 3－1 所示。

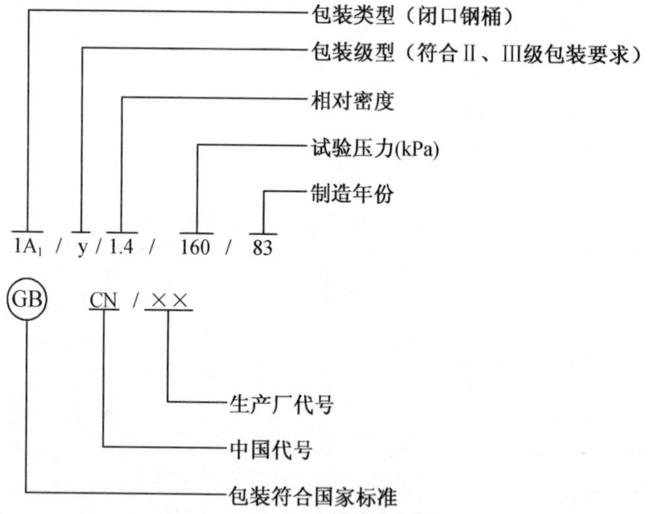

图 3－1 新桶标记代号

例 3－2 修复后的钢桶标记代号，如图 3－2 所示。

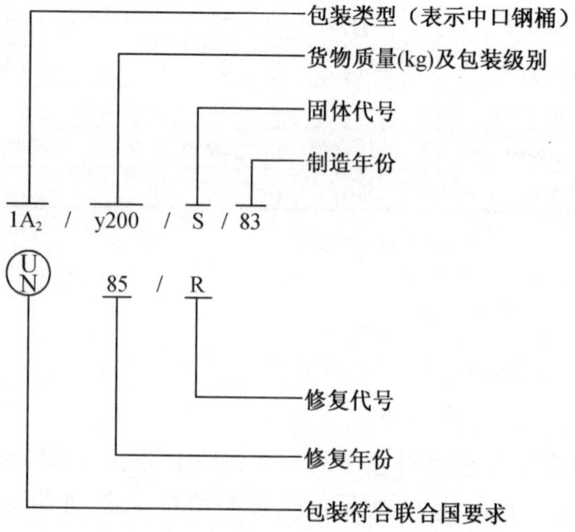

图 3－2 修复后的钢桶标记代号

☞ 资讯链接

航空托运引“乌龙” 危险品包装要慎用

2014年2月13日新华网报道,近日,武汉天河机场发生多起因使用危险品包装引起的“乌龙”事件。南航湖北分公司提醒,乘客在托运不是危险品的物品时,应尽量使用普通包装。

日前,武汉飞往广州的南航航班上,已坐好等待起飞的吴女士,被广播呼叫要求其行李重新安检。到现场后她才明白,原来她用了精美的烟花爆竹包装箱来装衣物,而包装上有第一类爆炸品标签,行李因此被怀疑装有爆炸品而无法登机。经过开包检查,确认没有危险品后,吴女士换用普通纸箱进行重新包装,行李才被装上飞机。

吴女士的遭遇并非个例,“伪装成危险品”的普通行李近期在武汉天河机场被发现过多次。许多旅客在对行李进行包装时,使用了曾经包装过危险品的包装箱,并且没有把上面的危险品标签除去,导致普通行李在机下被拒装。

对此,南航提醒旅客,在对不是危险品的物品进行航空托运时,应尽量用普通包装。如使用危险品包装件包装普通物品时,应对包装件进行清洁消毒,确保没有危险品残留物,并且去除外包装件上的危险品标识。

资料来源:新华网 http://www.xinhuanet.com

模块二 危险品运输标志

☞ 资讯链接

检验检疫部门提醒:危险品运输包装需加规范标识

2015年6月5日从南海出入境检验检疫局获悉,近日,该局在对一批进口货物进行查验时,发现该批货物中一款危险品运输包装不符合相关要求,工作人员按规定对其作出处理。南海检验检疫局官窑办事处工作人员在对该批货物进行查验时,发现货物中有一款品名为“定型剂”的货物,其外包装上印有易燃液体(英文)标识,根据企业人员提供的鉴定报告,显示该“定型剂”主要成分为乙醇,为乙醇溶液,属危险品。而该货物的运输包装既无联合国危险品通用标识,也无符合规范的警示标志,不符合《危险货物运输建议书》以及国家关于危险品入境的相关管理要求。检验检疫工作人员对其进行了严肃批评,要求企业暂停使用该种货物,并进行进一步整改。为此,检验检疫部门提醒相关进口企业,在进口申报时首先要确定货物是否为危险品,如为危险品应加上危险品通用标识及警示标志,并按照规定实施安全运输。

资料来源:中国质量新闻网 http://www.cqn.com.cn

任务　危险品运输包装标志认知

一、运输包装标志的定义及作用

运输包装标志是指在运输包装外部制作的特定记号或说明。危险品运输包装标志被用来表示危险品的物理、化学性质，以及危险程度。它可提醒人们在运输、储存、保管、搬运等活动中注意，便于安全操作。运输包装标志是在收货、装卸、搬运、储存保管、送达直至交付的运输全过程中区别与辨认货物的重要基础；运输包装标志是包装货物正确交接、安全运输、完整交付的基本保证。货物的品类繁杂、包装各异、到达地点不一、货主众多，要做到准确无误、安全迅速地将货物运到指定地点，与收货人完成交接任务。货物运输包装标志对每个环节都起着决定性作用，危险品运输包装标志直接表明了该危险品货物的主要特性和发货人的要求与意图。正确使用运输包装标志，可以保护货物运输与各个环节的作业安全，防止发生货物损坏、出现差错以及危险性事故。

根据国家标准 GB/T 191—2008 规定，在危险品的外包装件上要拴挂、印刷或标打以下不同的标志，如爆炸品、遇水燃烧品、有毒品、剧毒品、腐蚀性物品、放射性物品等。有特殊要求的危险品包装件按国家有关规定办理，如气体钢瓶按《气瓶安全监察规程》办理、放射性物质包装按《放射性物质安全运输规程》(GB 11806)办理。

危险品包装上应牢固、清晰地标明危险品包装标志和包装储运图示标志。

二、运输包装标志的种类

运输包装标志可以分为三类，即识别标志、包装储运图示标志和危险品包装标志。

(一)识别标志

识别标志是识别不同运输批次之间的标志，主要有：

1. 主要标志

作为发货人向收货人表示该批货物的特定记号标志。所用的特定记号，以公司或商号的代号表示。有的则直接写明托运人和收货人的单位、姓名与地址的全称。

2. 批数、件数号码标志

它表示同一批货物的总件数及本件的顺序编号，其用途是便于清点货物。

3. 目的地标志

亦称到达地或卸货地标志。目的地标志用来表示货物运往到达地的地名。国内即为到达站站名，国外为到达国名、地名。

4. 输出地标志

亦称生产地或发货地标志。它是用来表示货物生产地或发货地的地名。国内即为始发站站名，国外为原产国名、产地地名或发货站的国名、地名、站名。要特别提醒的是，目的地和输出地标志不能使用简称、代号或缩写文字，必须以文字直接写出全名称。如果是国际运输，则必须用中、外两种文字同时对照标明。

5. 货物的品名、质量和体积标志

它表明货物包装内的实际货物，每一单件包装的实际尺寸（长×宽×高）和质量（总重、净重、自重）。体积与质量（重量）标志供承运部门计算运费，选择装卸运输方式和货物在运输工具内的堆码方法时参考。危险品品名应包括该货物的含量、所处的抑制条件，如含水百分比、加钝感剂×××等。

6. 运输号码标志

即货物运单号码。它是该批货物进站、核对、清点、装运及到站卸取货的依据。

7. 附加标志

亦称副标志。它是在主要标志上附加某种记号，用以区分同一批货物中的几个小批或不同的品质等级的辅助标志。

☞ 资讯链接

危险品包装标签虽小，作用不小

央广网厦门2015年1月19日消息，近日，厦门检验检疫局工作人员在对一批危险品包装进行使用鉴定时发现，其外包装加贴的危险公示标签存在两个问题：一是危险说明信息不完整，与安全数据单不一致；二是其所使用象形图是《联合国规章范本》（TDG）规定的图案，与《全球化学品统一分类标签制度》（GHS）规定的图案不一致，这违背了全球统一危险公示制度的要求。由此，检验检疫工作人员判定该危险品包装安全标识一次检验不合格。后经企业实施整改，重新设计危险公示标签加贴于出口货物外包装，由厦门检验检疫局二次检验确认符合GHS要求后，予以放行。

为此，厦门检验检疫局提醒出口危包生产企业，危险品包装加贴的公示标签是操作人员接触、运输、存储危险品的“操作说明”，其规范与否将直接影响到接触、运输、存储过程的安全。而且，近年来GHS标签逐渐成为一种贸易壁垒，各国对GHS标签的规范度要求越来越高。请相关企业增强危险品包装规范意识，加强公示标签相关技术规范的学习，保障相关人员安全，避免因标签不合格而遭遇整改、通报或退货。

资料来源：央广网 http://news.cnr.cn

（二）包装储运图示标志

在危险品的储存、运输、装卸、搬运过程中，对怕湿、怕震、怕热及有其他特殊要求的危险品，应在货物外包装上标打包装储运图示标志，使危险品在物流过程中引起从业人员的注意，便于安全操作。要注意以下几点：

（1）包装储运图示标志的颜色一般为黑色，如果包装的颜色使得黑色标志显得不清晰，则应在印刷面上选用适当的对比色，黑色标志最好以白色作为底色。一般应避免采用红色、橙色或黄色。

（2）标志可以直接印刷、粘贴、拴挂、钉附及喷涂等方法标打。

（3）一个包装件上使用相同标志的数目，应根据包装件的尺寸和形状决定。

（4）标志应标注在显著位置上。

我国国家标准《包装储运图示标志》（GB/T 191—2008）规定，包装储运图示标志由图形符号、名称及外框组成，共17种，如表3-2所示。

表 3－2　包装储运图示标志

序号	标志名称	标志	含义
1	易碎物品		表明运输包装件内装有易碎物品，搬运时应小心轻放
2	禁用手钩	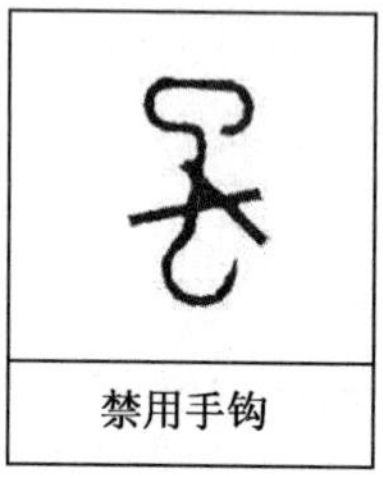	表明搬运运输包装件时禁止用手钩
3	向上	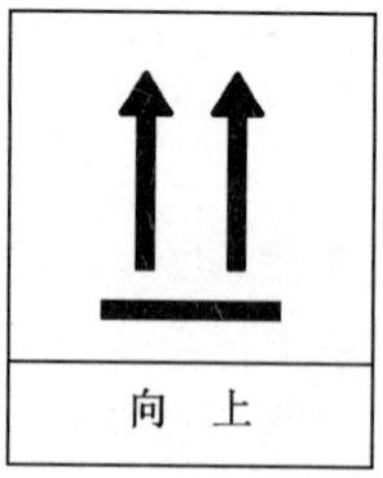	表明该运输包装件在堆码运输时应竖直向上
4	怕晒		表明该运输包装件不能直接照晒
5	怕辐射		表明该物品一旦受辐射会变质或损坏

表 3 – 2(续)

序号	标志名称	标志	含义
6	怕雨		表明该运输包装件怕雨淋
7	此面禁用手推车		表明搬运货物时此面禁止放在手推车上
8	重心	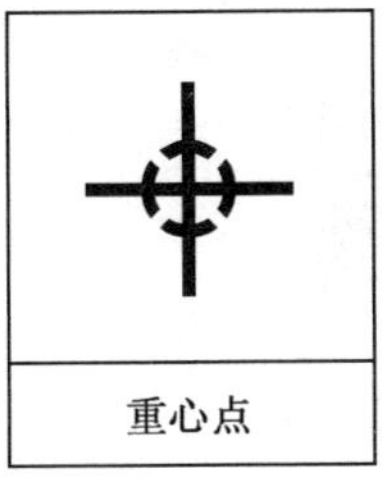	表明该运输包装件的重心位置，便于起吊
9	禁用叉车	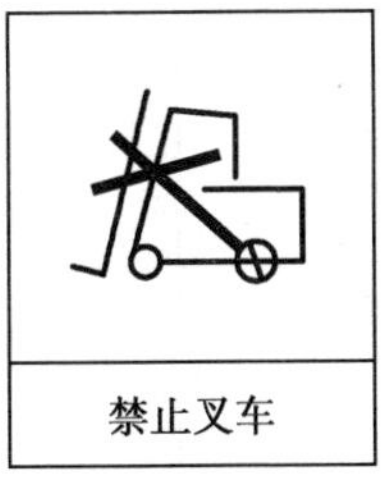	表明不能用升降叉车搬运
10	由此夹起	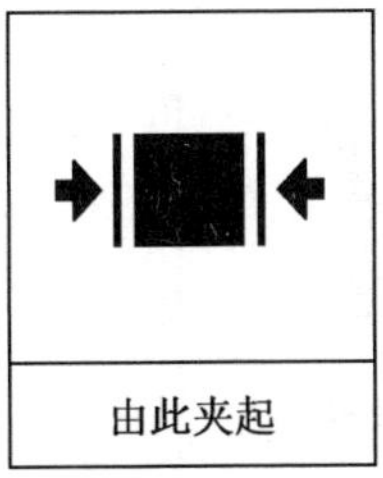	表明搬运货物时可用夹持的面

表 3-2(续)

序号	标志名称	标志	含义
11	此处不能卡夹		表明搬运货物时不能用夹持的面
12	堆码层数极限	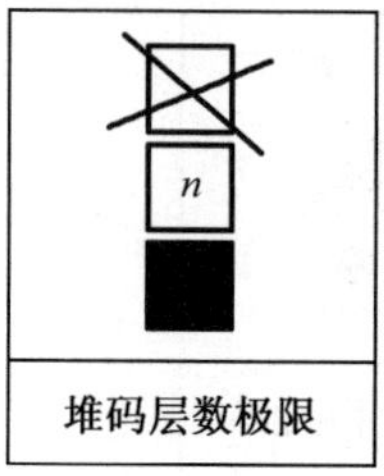	表明可堆放相同包装件的最大层数,*n* 表示从底层到顶层的总层数
13	禁止堆码	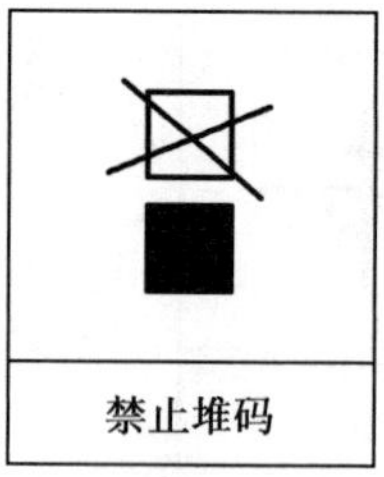	表明该包装件只能单层堆放
14	由此吊起	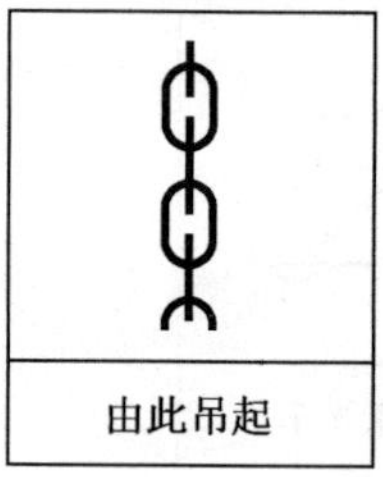	表明吊起货物时挂绳索的位置
15	温度极限	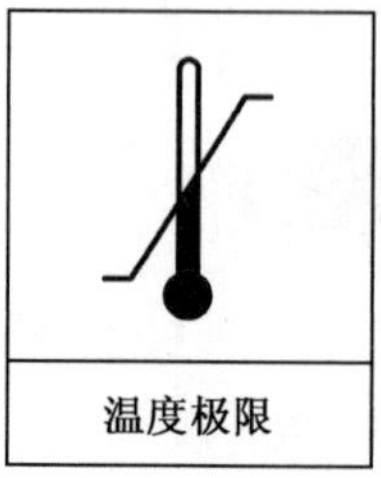	表明该运输包装件应该保持的温度范围

表 3-2(续)

序号	标志名称	标志	含义
16	堆码质量极限		表明该运输包装件所能承受的最大质量极限

(三)危险品包装标志

根据国家标准《危险货物包装标志》(GB 190—2009)的规定,危险品运输标志分为标记和标签。标记有 4 个,标签有 26 个,其图形分别标示了 9 类危险品的主要特征。

三、标志的使用方法

1. 标志的标打,可采用粘贴、钉附及喷涂等方法。标志应清晰,并保证在货物储运期内不脱落。标志应由生产单位在货物出厂前标打,出厂后如改换,包装单位标打。

2. 标志的位置规定如下。

(1)箱状包装:位于包装端面或侧面的明显处。

(2)袋、捆包装:位于包装明显处。

(3)桶形包装:位于桶身或桶盖。

(4)集装箱、成组货物:粘贴四个侧面。

3. 每种危险品包装件应按其类别贴相应的标志,但如果某种物质或物品还有属于其他类别的危险性质,包装上除了粘贴该类标志作为主标志以外,还应粘贴表明其他危险性的标志作为副标志,副标志图形的下角不应标有危险品类项号。

4. 货物的运输包装上,禁止有广告性、宣传性的文字或图案,以免与包装标志混杂,影响标志的正常使用。包装在重复使用时,应把原有的包装标志痕迹清除干净,以免与新标志混淆不清,造成事故。同时,不准在包装外表乱写乱涂任何与标志无关的文字图案。

5. 储运的各种危险品性质的区分及其应标打的标志,应按国家运输主管部门规定的危险品安全运输管理的具体办法执行,出口货物的标志应按我国执行的有关国际公约(规则)。

四、危险品包装的英文标识

随着我国进出口贸易的不断扩大,国际贸易运输量也在不断增加,其中危险品运输量增加很快。因此,在进出口危险品的外包装上,不仅要求我们能识别危险品的分类及危害性,还要求我们能识别货票、包装以及装箱单上的简单英文标识,以满足运输危险品业务的需要,这也是从事运输危险品业务人员必须“应知”“应会”的重要内容之一。表 3-3 是对常见的英文标识的汇总。

表 3－3　危险品运输包装英文标识主要用语

序号	英文标识	中文意思
1	CODE NUMBER	危规编号
2	SERIAL NUMBER	编号
3	SIZE	尺寸
4	GROSS WEIGHT(简写 G)	毛重
5	NET WEIGHT(简写 N)	净重
6	TARE WEIGHT(简写 T)	皮重
7	KG	千克
8	LBS	磅
9	PROPERTY	性质
10	SPECIFIC GRAVITY	相对密度
11	MAIN COMPOSITIONS	主要成分
12	STATE	状态
13	COLOR	颜色
14	COMB USTION POINT	燃点
15	FLASH POINT	闪点
16	MELTING POINT	熔点
17	BOLLING POINT	沸点
18	EXPLOSIVE LIMIT	爆炸极限
19	UPPER LIMIT OF POISIONING	最大中毒浓度
20	DEPTH	厚(或深度)
21	HEIGHT	高
22	WIDTH	宽
23	DIMENSION	尺寸
24	FORMULA	分子式
25	SMELL	气味
26	GAS	气体
27	COMPRESSED GAS	压缩气体
28	LUMP	固体
29	CRYSTAL	晶体
30	LIQUID	液体货物
31	OXIDANT MATERIAL	氧化剂
32	POWDER	粉末
33	POISON	毒害性物质
34	HAZARDOUS CHEMICALS	化学危险品

表 3-3(续)

序号	英文标识	中文意思
35	THIS DANGEROUS GOODS SHOUL BEIN CLASS ________	属于第________类危险品
36	RADIOACTIVES	放射性物品
37	ENFLANMMABLE	易燃物品
38	PERISHABLE	易腐物品
39	CKORROSIVES	腐蚀性物品
40	EXPLOSIVES	爆炸性物品
41	HAZARDOUS ARTICLE	危险物品
42	TO BE PROTECTED FROM COLD	怕冷物品
43	TO BE PROTECTED FROM HEAT	怕热货物
44	KEEP DR	怕潮湿货物
45	GLASS	玻璃货物
46	FRAGILE	易碎裂的
47	OBSERVATIONS	运输注意事项
48	OPEN HERE	此处打开
49	OPEN IN DARK ROOM	暗室开启
50	PACKAGING GROUP	运输包装等级
51	PACKING METHOD	包装方法
52	FIRE FIGHTING	消防方法
53	FIRST AID	急救措施
54	METHOD FOR LEAKAGE	散漏处理方法
55	POINT OF STRENGTH	着力点
56	LIFT HERE	由此吊起
57	CENTER OF BALANCE	重心
58	THIS SIDE UP	此端向上
59	TOP	上部(或向上)
60	SLING HERE	挂绳位置
61	REMOVE TOP FIRST CUT CTRAPS	先开顶部
62	BOTTOM	下部(或底部)
63	STOW COOL	放于凉处
64	HAND WITH CARE	轻拿轻放
65	STOW LEVEL	必须平放
66	UNSCREW THIS BUNG SLOWLY	缓慢地旋开盖子
67	USE EXPLOSIVE PROOF LAMP	使用防爆灯具
68	USE NO HOOKS	禁用手钩

表 3-3(续)

序号	英文标识	中文意思
69	NO ROLLING	不准滚翻
70	NO SHOOT	严禁抛掷
71	NO SMOKING	禁止吸烟
72	NO TRUNING OVER	切勿倾倒
73	NOT TO BE LOADED FLAT	切勿平放
74	NO DROPPING	切勿坠落
75	NO FLAME	禁止明火
76	NO FULLING	不准拖拉
77	KEEP IN DARK PLACE	放在暗处
78	KEEP IN DRY PLACE	干处保管
79	KEEP UPRIGHT	切勿倒置
80	AVOIDE COMPACT	防止冲击碰撞
81	AVOIDE FRICTION	防止摩擦
82	BE WARE OF FUME	严防漏气
83	DO NOT CRUST	切勿挤压
84	DO NOT DROP	切勿坠落
85	DO NOT STAKE ON TOP	勿放顶上
86	DO NOT STOWIN DAMP PLACE	勿放湿处
87	KEEP AWAY FROM FOOD PRODUCTS	切勿接近食品
88	NO INCOMPATIBLE GOODS SHOULD BE STOWED IN THE SAME COMPARTMENT	不得与性质相抵触货物混装
89	REMOVE BUNG IN OPEN AIR	在通风处打开盖子
90	KEEP AWAY FROM FIRE,HEAT AND OPEN FLAME LIGHTS	离开火、热和有火焰的灯
91	LEAKING PACKAGES MUST BE REMOVED A SAFE PLACE	破漏包装必须移至安全地点
92	REMOVE LEAKING PACKAGES, WASH ACID OFF WITH WATER	移开破漏包装并用水冲洗酸性物
93	WEAR MASK,RUBBER GLOVES,PROTECTIVE CLOTHS AND RUBBER BOOTS	戴口罩、橡胶手套、防护服和橡胶套鞋
94	SAFE DISTANCE NOT LESS THAN ________ METRE IF OUTER PACKAGE DAMAGED	外包装破损时,安全距离不少于________米(用于放射性货物对人体辐射)
95	IF LEAKING,DO NOT BREATHE FUME, TOUCH CONTENTS	如包装破漏,勿吸入其气体,勿接触内容物

表 3-3(续)

序号	英文标识	中文意思
96	DO NOT UNSCREW ENTIRELY UNTIL ALL INTERIOR PRESSURE HAS ESCAPEDTHROUGH THE LOOSENED THREADS	内部气体压力没有经过螺纹隙缝全部消失前,勿将桶盖完全掀开
97	MADE IN THE PEOPLE'S REPUBLIC OF CHINA	中华人民共和国制造
98	MADE IN SHANGHAI CHINA	中国上海制造
99	MADE IN UNITED STATES OF AMERICA	美国制造
100	MADE IN TOKYO JAPAN	日本东京制造

❖ 练习及思考

一、不定项选择题

1. 下列需要采取严密包装的货物是(　　)。

A. 油浸的纸、棉、绸、麻等及其制品　　B. 液氧　　C. 双氧水

2. 根据包装性能的要求,严密封口可分为气密封口、牢固封口和(　　)三种。

A. 不透气封口　　B. 液密封口　　C. 固态封口

3. 压缩气体和液化气体危险品的专用包装,其最显著的特点是能承受一定程度的内压力,所以称为(　　)。

A. 玻璃瓶　　B. 安瓿瓶　　C. 压力容器包装

4. 一般(　　)适用于装腐蚀性液体。

A. 胶合板桶　　B. 铝桶　　C. 铁桶

5. 危险化学品标志的使用原则是,当一种危险化学品具有一种以上的危险性时,应用(　　)表示主要危险性类别,并用副标志来表示次要危险性类别。

A. 标志　　B. 主标志　　C. 指示灯

6. 危险化学品标志的使用原则是,当一种危险化学品具有一种以上的危险性时,应用主标志表示主要危险性类别,并用副标志来表示(　　)危险性类别。

A. 重要　　B. 全部　　C. 次要

7. 危险品包装的主要作用是(　　)。

A. 使商品美观大方　　B. 防止货物泄漏　　C. 便于销售

8. 运输包装标志是在收货、装卸、搬运、储存保管、送达直至交付的运输全过程中(　　)的重要基础。

A. 区别与辨认货物　　B. 辨认货物　　C. 交付货物

9. (　　)是化学品标签中的警示词。

A. 火灾、爆炸、自燃　　B. 毒性、还原性、氧化性　　C. 危险、警告、注意

10. 空气中二氧化碳含量只要达到(　　),就会使人窒息死亡。

A. 3%　　B. 5%　　C. 10%　　D. 15%

11. 危险品包装类(　　)具有高度危险性。

A. Ⅰ　B. Ⅱ　C. Ⅲ

12. 钢桶装载液体危险品,对于采用Ⅰ类包装的,其最大容积为(　　)。

A. 100 L　B. 250 L　C. 450 L　D. 500 L

13. 我国国家标准《危险货物包装标志》规定主标志 17 个,使用方法与联合国危险品专家推荐委员会的规定相似。三叶形表示(　　)。

A. 放射性　B. 爆炸　C. 传染　D. 毒性

14. 应在危险化学品包装上拴挂或加贴与包装内危险化学品完全一致的(　　)。

A. 化学安全标签　B. 安全技术说明书　C. 使用说明　D. 简要

15. 重复使用的危险化学品包装容器在使用前应进行检查,并做出记录,其记录至少应保留(　　)。

A. 1 年　B. 2 年　C. 3 年　D. 5 年

二、判断题

1. 一种危险品同时具有两种以上危险性质的,包装上可以只有表明该货物主特性的主标志。(　　)

2. 一个包装件内装有几种不同性质的危险品时,这些危险品的包装标志都应在包装件的外表面上标识。(　　)

3. 爆炸品的运输包装必须进行专用包装。(　　)

4. 某种腐蚀品只能用某种材料包装,若某件包装用于一种腐蚀品后,如能重复使用,也只能用于该腐蚀品而不能移作他用。(　　)

5.《包装储运图示标志》(GB 191)中,图示标志名称为“禁用叉车”,表明不能用升降叉车搬运的包装件。(　　)

6. 应当对危险化学品的包装物、容器的产品质量进行定期或者不定期的检查。(　　)

7. 运输易于自燃物质时,要注意避免这类物品与空气接触。(　　)

8. 具有氧化性的货物,可以使用有机材料作为衬垫。(　　)

三、连线题(将两个相关的物质组为一体,以线连接)

1. 左侧物品应属右侧哪类危险品?

电石	毒害品
氰化钾	易燃液体
硝酸铵	遇湿易燃物品
乙醇	氧化剂

2. 右侧品名应归属左侧哪类中?

活泼金属	氮
非金属性强的元素	溴
非金属性弱的元素	钾

3. 左侧物品包装中,有哪种抑制剂可以安全运输?

碳化钙	水

金属钠	煤油
黄磷	氮气

4. 右侧危险品,对应左侧哪种品名?

雷管	有毒气体
过氧化二苯甲酰	放射性物品
钴	有机过氧化物
氯	爆炸品

四、思考题

1. 危险品包装对运输仓储有什么用处?
2. 危险品包装的基本要求和特殊要求是什么?
3. 危险品包装标志的种类有哪些?
4. 国际运输的包装合格标志中的"x""y""z"各代表什么?
5. 桶类包装有几种?
6. 箱类包装有哪些?
7. 袋类包装有哪些?
8. 危险品包装标志标记代号的含义分别代表什么?
9. 危险品包装储运图示标志的含义是什么?
10. 如何正确使用危险品标志?
11. 基本的危险品运输包装英文标识有哪些,对应的中文标识是什么?

五、案例分析

1. 纯净的双氧水(过氧化氢 H_2O_2)为无色浆状液体。20 ℃时密度为 1.438,熔点 -89 ℃,沸点 151.4 ℃,能与水以任何比例混合。高浓度的 H_2O_2 溶液中,应加入稳定剂,而且双氧水的包装上要有出气小孔。请分析为什么要这样做?

2. 液氮的临界温度是 -147.1 ℃。装液氮的安瓿瓶不耐高压,也不能保持瓶内的 -147.1 ℃以下的低温,所以不时有液氮气化,如不让其排出,有爆炸危险。请结合氮气的物化性质,阐述液氮应采用什么样的安瓿瓶包装?

3. 1988 年 4 月 28 日,上海铁路局嘉善车站货场港务码头发生一起碳酸钙桶爆炸事故。据查,这天上午,浙江省嘉善县汽车装卸区 9 名装卸工来站装卸由北京发来嘉善的碳酸钙 208 桶,计 60 吨。在装卸时,他们竟将碳酸钙桶掀倒,用扒杆吊吊入船舱,当一桶电石桶掀倒着地后,突然发生爆炸,桶底飞出 20 米以外,正巧砸在一名船员小腿上,致使骨折。

请分析可能造成此事故的原因及应吸取的教训。

项目四　道路危险品运输

❖ 学习目标

一、知识目标

1. 了解我国道路危险品运输管理状况；
2. 掌握道路危险品运输托运人的责任；
3. 掌握道路危险品运输承运人的责任；
4. 熟知道路危险品运输业务流程；
5. 熟知道路危险品运输相关文件；
6. 了解道路危险品运输车辆车型要求；
7. 熟悉道路危险品运输驾驶人员基本条件和岗位职责；
8. 熟知道路危险品运输押运人员基本条件和岗位职责；
9. 熟知道路危险品运输装卸人员基本条件和岗位职责；
10. 熟知道路包装危险品运输、装卸要求和事故应急措施；
11. 熟知道路散装危险品运输、装卸要求；
12. 清楚危险品集装箱运输、装卸要求；
13. 清楚常见大宗危险品运输、装卸要求；
14. 了解危险品运输事故应急预案；
15. 了解制订事故应急预案的原则；
16. 了解制订事故应急预案的基本要求和基本内容。

二、能力目标

1. 能够对道路危险品典型事故发生的过程进行事故原因分析；
2. 能对道路典型案例进行经验和教训总结。

❖ 学习重点

1. 道路危险品运输托运人和承运人的责任；
2. 驾驶人员、押运人员及装卸人员基本条件和岗位职责；
3. 道路危险品运输安全及事故应急措施。

模块一 道路危险品运输认知

☞ **案例导入**

2014年05月19日凌晨3时许，浙江省桐庐县320国道富春江镇俞赵村发生一起化学品运输车辆侧翻事故，造成大约25.8吨四氯乙烷泄漏，8吨左右四氯乙烷流入距富春江2千米左右的溪沟。为确保富阳市用水安全，富阳市从早上10时左右起暂停从富春江取水，并停止一切渔事活动，自来水从12时起暂停供应。杭州市接到报告后，立即启动应急预案，成立应急指挥部，协调现场应急处置。组织人员把黄沙和活性炭装袋，投入周围的溪沟内，用来阻挡水流、净化水质。下午15时恢复正常取水、供水。

资料来源：浙江新闻 http://zjnews.zjol.com.cn/system/2014/05/19/020031362.shtml

任务 了解我国道路危险品运输状况

一、道路危险品运输的定义

根据《道路危险货物运输管理规定》(交通运输部令2013年第2号)(以下简称《危规》)的第三条，道路危险品运输，是指使用载货汽车通过道路运输危险品的作业全过程。此处所称载货汽车，是指满足特定技术条件和要求、从事道路危险品运输的载货汽车。下面的相关定义和阐述以《危规》为准。

1. 道路危险品的确定

危险品是指具有爆炸、易燃、毒害、感染、腐蚀等危险特性，在生产、经营、运输、储存、使用和处置中，容易造成人身伤亡、财产损毁或者环境污染而需要特别防护的物质和物品。

危险品以列入国家标准《危险货物品名表》(GB 12268—2012)的为准，未列入《危险品品名表》的，以有关法律、行政法规的规定或者国务院有关部门公布的结果为准。

由此可见，道路运输范围内的危险品以列入国家标准《危险货物品名表》(GB 12268—2012)的为准。但是要注意，《危规》不包括《危险货物品名表》中的第7类——放射性物质。国务院在2009年9月出台了《放射性物品运输安全管理条例》(国务院令第562号，2010年1月1日起施行)，交通运输部在2010年10月相应出台了《放射性物品道路运输管理规定》(交通运输部令2010年第6号，2011年1月1日起施行)。所以，放射性物质不在《危规》范畴内。

2. 道路危险品的分类及包装

危险品的分类、分项、品名和品名编号应当按照国家标准《危险货物分类和品名编号》(GB 6944)、《危险品货物名表》(GB 12268)执行。危险品的危险程度依据国家标准《危险货物运输包装通用技术条件》(GB 12463)，分为Ⅰ，Ⅱ，Ⅲ三个等级。

☞ **知识链接**

道路与公路的区别

《中华人民共和国道路交通安全法》规定:“道路,是指公路、城市道路和虽在单位管辖范围但允许社会机动车通行的地方,包括广场、公共停车场等用于公众通行的场所。”

《中华人民共和国公路法》规定:“本法所称公路,包括公路桥梁、公路隧道和公路渡口,公路按其在公路路网中的地位分为国道、省道、县道和乡道,并按技术等级分为高速公路、一级公路、二级公路、三级公路和四级公路。”

《中华人民共和国公路管理条例》规定:“公路是指经公路主管部门验收认定的城间、城乡间、乡间能行驶汽车的公共道路。公路包括公路的路基、路面、桥梁、涵洞、隧道。”

《中华人民共和国公路管理条例实施细则》规定:“本《细则》所称‘公路’是指在中华人民共和国境内,按照国家规定的公路工程技术标准修建,并经公路主管部门验收认定的城间、城乡间、乡间可供汽车行驶的公共道路。”

综上所述,道路与公路是包含与被包含的关系,可以理解为公路是道路的有机组成部分。

二、道路危险品运输管理

目前我国危险品大部分经由道路运输。随着国民经济和化工产业的飞速发展,道路危险品运输需求和运输量在逐年增长。据报道,目前我国已成为仅次于美国的世界危险化学品生产和应用大国。据不完全统计,我国每年通过道路运输的危险化学品已经超过3亿吨,占每年货运总量的30%以上,且呈上升趋势,其中易燃易爆油品大约1亿吨以上。虽然我国道路危险品运输在规模、专业技术、管理等方面发展很快,但是道路危险品运输安全形势越来越严峻,诸多问题亟待解决。事故数量和危害程度的不断上升,给人们的人身和财产安全及环境带来不可忽视的威胁。

中国物流与采购联合会危险化学品物流分会于2015年公布的调研报告显示,第一,目前,我国现有道路危险品运输企业1万多家,运输车辆超过30万辆,行业内小型物流企业居多。由于受到资金水平的限制,小型物流企业往往缺乏足够的专业性,在驾驶员及押运员培训、运输装备配备等方面存在不足。由于缺乏危险品安全知识培训,很多驾驶员、押运员不了解危险化学品的特性和事故处理方法,致使发生事故时无法采取正确措施,错失抢险时机。第二,中小型危险化学品物流企业占市场份额一半以上,还有很多个体危化品运输车辆仅仅登记在某个企业下,缺乏相应的管理,这种小、散、乱的现状导致行业里经常出现恶性竞争的状况。一些小企业不管运输安全性,通过对罐体进行改装、超载等非法手段以增加运输量,谋取利润。由此可见,随着道路危险品运输量的不断增大,调整行业结构迫在眉睫,加强道路危险品运输管理刻不容缓。

(一)企业层面

1. 建立专职安全管理人员制度

危险化学品道路运输企业应当配备专职安全管理人员。企业要科学、准确地确定专职安全管理人员的职责,解决专职安全管理人员的准入与退出、继续教育、监督管理等问题。

2. 建有健全的安全生产管理制度

主要包括以下一些制度:

(1)企业主要负责人、安全管理部门负责人、专职安全管理人员安全生产责任制度;

(2)从业人员安全生产责任制度;

(3)安全生产监督检查制度;

(4)安全生产教育培训制度;

(5)从业人员、专用车辆、设备及停车场地安全管理制度;

(6)应急救援预案制度;

(7)安全生产作业规程;

(8)安全生产考核与奖惩制度;

(9)安全事故报告、统计与处理制度。

3. 加强员工培训

道路危险品运输企业或者单位应当通过岗前培训、例会、定期学习等方式,对从业人员进行经常性的安全生产、职业道德、业务知识和操作规程的教育培训。

4. 建立突发事件应急预案制度

道路危险品运输企业或者单位应当加强安全生产管理,制订突发事件应急预案,配备应急救援人员和必要的应急救援器材、设备,并定期组织应急救援演练,严格落实各项安全制度。

5. 建立事故报告制度和举报制度

道路危险品运输管理机构必须公布两个电话:事故报告电话和举报电话。在危险品运输过程中发生燃烧、爆炸、污染、中毒或者被盗、丢失、流散、泄漏等事故,驾驶人员、押运人员应当立即根据应急预案和道路运输危险品安全卡的要求采取应急处置措施,并向事故发生地公安部门、交通运输主管部门和本运输企业或者单位报告。运输企业或者单位接到事故报告后,应当按照本单位危险品应急预案组织救援,并向事故发生地安全生产监督管理部门和环境保护、卫生主管部门报告。

任何单位和个人对违反相关规定的行为,有权向道路危险品运输管理机构举报。道路危险品运输管理机构在接到举报后应及时依法处理;对不属于本部门职责的,应当及时移送有关部门处理。

☞ **案例**

2002 年 4 月 11 日 23 时 20 分,河北省满城县一个体运输户(普货资质)一辆大货车装载约 8 吨蚊香、罐装气雾杀虫剂(易燃、有毒、有压力),车辆核载 6 吨。由南向北行驶到 107 国道 1501 km + 450 m(湖南省汨罗市境内)与同向行驶的河南省驻马店市客运公司的一辆双层卧铺大客车相撞,同时侧翻入 5.6 米深的水塘中,爆炸起火,造成 29 人死亡,27 人受伤,其中重伤 5 人,两辆车报废的特大道路交通事故。事故在路况好、视线好、无障碍的情况下,因货车在超越客车时两车相剐,致使两车翻入公路东侧水塘中,两车相叠,货车装载的 8 吨若干瓶气雾灭蚊剂爆炸燃烧。在事故调查时,货车驾驶人员只简单说:“不知道‘杀虫气雾剂’是危货。”

此事故说明,今后在驾驶员培训、交规考试、经营许可时,不仅要对道路危险品运输的驾驶员,更要对普货驾驶员进行涉及危险品运输的法律、安全方面的教育。

资料来源中国化学品安全协会 http://www.chemicalsafety.org.cn

（二）国家层面

1. 建立安全评估制度

为认真贯彻执行《安全生产法》，落实“安全第一，预防为主”的方针，加强和规范安全生产监督管理工作，国家安监总局于2003年4月4日公布，在道路交通、水上交通、民用爆破、军工、建筑和旅游等行业开展安全生产状况评估工作。评估的内容包括16个方面：

（1）生产经营单位主要负责人安全生产责任制建立和落实情况；

（2）安全生产规章制度和操作规程的制定情况；

（3）安全生产投入情况；

（4）事故隐患整改情况；

（5）生产安全事故应急救援预案制订和演练情况；

（6）安全生产管理机构设置或者配备专职安全生产管理人员情况；

（7）生产经营单位主要负责人掌握安全生产知识情况和管理能力；

（8）生产经营单位从业人员安全生产教育和培训情况；

（9）生产经营单位新建、改建、扩建工程项目安全设施情况；

（10）设置安全警示标志情况；

（11）特种作业人员资质情况；

（12）生产经营单位安全设备运转、维护、保养、检测情况；

（13）生产经营单位重大危险源登记建档情况；

（14）生产经营单位从业人员劳动防护用品佩戴使用情况；

（15）生产经营单位参加工伤社会保险情况；

（16）其他。

道路危险品运输企业或者单位应当委托具备资质条件的机构，对本企业或单位的安全管理情况每3年至少进行一次安全评估，出具安全评估报告。委托具有资质的中介机构开展安全评价工作，不仅可以借助社会力量监督道路危险品运输企业，指导、监督道路危险品运输企业及时采取措施消除安全隐患，降低事故发生率，还可以科学评价道路危险品运输企业安全生产状况，为交通运输主管部门确定工作目标和工作计划提供数据和理论支撑。

2. 严格危险品运输市场准入

（1）严格企业准入管理

严格危险品运输资质许可，认真审核申请企业的安全生产和经营条件。一是在2015年年底前，暂停审批道路危险品运输企业。做好“挂而不管、以包代管、包而不管”安全责任不落实车辆的清理，实现道路危险品运输企业全部车辆公司化经营。二是危险品运输企业未取得安全生产标准化达标证书的，限期予以整改，并根据相关法律、法规规定对仍未达标的企业不准新增运力和扩大经营范围。

（2）严格运输工具准入管理

一是严格道路危险品运输车辆准入前材料审核和年度审验，禁止不合格车辆准入。二是自2015年1月1日起，无紧急切断装置且无安全技术检验合格证明的液体危险品罐车，根据相关法律、法规规定不予通过年审，并注销其道路运输证。

(3)严格从业人员准入管理

一是严把道路危险品运输从业人员考试与证件发放关,严禁考试和发证过程中弄虚作假、徇私舞弊等行为,一经发现严肃处理。二是从事道路危险品运输的驾驶员、押运员、装卸管理人员必须持相应的资格证上岗。三是按照有关规定建立和落实道路运输(危险品)经理人从业资格制度和专职安全管理人员制度。四是严格驾驶员从业资格管理,及时掌握驾驶员的违章、事故记录及诚信考核、继续教育等情况,对于记分周期内扣满 12 分的驾驶员,要根据相关法律、法规规定吊销其从业资格证件,三年内不予重新核发。

3. 强化危险品运输安全监督管理

(1)加强危险品运输作业过程监督管理

一是严格危险品车辆联网联控系统的接入管理,凡应接入而尚未接入的车辆、已装监控系统但不能正常使用的车辆以及故意损毁、屏蔽系统的,责令其整顿,未按要求进行整改的,按照《安全生产法》和《道路运输车辆动态监督管理办法》的相关规定予以从严处罚。二是从事危险品运输的企业要严格执行相关法律法规,按照运输车的核定载质量(重量)装载危险品,不得超载、谎报和瞒报。

(2)加强危险品运输督查检查

一是定期深入企业、深入基层、深入现场开展督查检查,重点检查企业安全生产主体责任和基层一线安全生产措施落实等情况。二是严格查处危险品托运人未依法将危险品委托具备危险品运输资质的企业承运危险品的行为。三是严格按照相关法律法规和交通运输安全生产约谈、重点监管名单、挂牌督办等相关规定,严厉查处违法违规从事危险品运输的企业、车船和从业人员,对未按约谈、挂牌督办要求整改的或纳入重点监管名单仍然违法违规运输的,应依法依规严肃处理并从严追究责任。

(3)深化危险品运输安全专项整治行动

针对道路危险品运输开展危险品专项整治行动,建立健全隐患排查治理体系,对重大隐患实行挂牌督办,凡整改后仍达不到要求的,根据相关法律、法规规定停产停业整顿。严厉打击危险品运输非法违规行为,重点打击无证经营、越范围经营、超速超载、疲劳驾驶、非法改装和非法夹带危险品运输等行为。

4. 推进危险品运输安全生产风险管控

(1)开展危险品运输风险防控

一是建立安全生产风险管理制度,开展风险源辨识、评估,确定风险等级,制订具体控制措施。二是细化落实重大风险源安全管控责任制,建立风险源数据库,并按照有关规定做好重大风险源报备工作,实时掌握重大风险源变化情况,采取有针对性的管控措施,实现全过程控制。

(2)加强危险品运输事故应急处置

一是各级交通运输管理部门要完善道路危险品运输事故应急预案,纳入地方政府事故应急处置体系,建立应急联动机制,并按规定开展应急演练。二是危险品运输企业要编制具体的危险品运输事故应急预案和操作手册,并发放到相关车辆和一线从业人员。三是加强应急救援能力建设,配备应急装备设施和物资,加强专兼职应急救援力量建设,有条件的应建立专业应急救援队伍。

5. 加强从业人员培训和监管队伍建设

(1)强化从业人员教育培训

一是督促企业健全并落实安全教育培训制度,切实抓好从业人员岗前培训、在岗培训和继续教育。二是重点强化危险品运输企业主要负责人、安全管理人员、驾驶员、装卸管理人员、押运人员等人员的教育培训。三是各级交通运输管理部门要严格执行考培分离制度,严把考试发证质量关,凡符合考试条件要求的可不通过培训直接考试。

(2)加强危险品运输安全监管队伍建设

一是各级交通运输管理部门要加强危险品运输安全监管队伍建设,配备具有专业知识的监管人员。二是部、省交通运输管理部门要建立危险品运输安全生产专家库,让专家参与技术咨询、督促检查和参谋决策等工作。

6. 严肃危险品运输安全生产事故调查处理

(1)加大事故查处力度

一是切实做好危险品运输安全生产事故调查处理工作,依法严格追究相关责任单位、责任人的责任。加强对事故调查处置情况的监督,确保事故调查处理从严、据实、及时结案。二是积极主动参与和协助公安、安监等部门做好危险品道路运输和装卸作业等安全生产事故的调查处理工作。

(2)加强事故的警示教育

一是按时上报危险品运输事故信息,及时发布事故警示通报。二是加强事故统计、分析,深度剖析典型事故案例,总结事故教训;举一反三,制订有效措施,防范类似事故再次发生。

7. 建立危险品运输安全生产长效机制

(1)加强危险品运输安全生产法规建设

一是认真梳理并进一步完善危险品运输安全生产法规制度,及时废止不必要的法规。二是各地交通运输管理部门和海事管理机构要结合当地的实际情况,加强与地方人大、政府及相关部门的沟通协调,加快危险品运输相关法规的制修订工作。

(2)加强危险品运输安全生产技术和信息化应用

一是充分发挥全国道路危险品运输联网联控信息系统的管控作用,提高联网联控系统在过程管理、监管执法、信息共享等方面的应用水平。二是加强物联网、车联网等关键技术在危险品运输安全监督管理工作中的应用,加大危险品运输防泄漏、应急处置等关键技术研发和应用力度,积极引导使用安全技术性能高的运输工具和设施装备。三是建设全国重点监管企业、车辆、人员信息数据库,积极推进道路危险品运输重要信息与路网信息以及相关重要监督管理信息跨区域、跨部门的共享。

(3)加强区域和相关部门协作配合

加强与公安、安监、环保、海关、质检等相关部门和周边地区的沟通协作、密切配合,进一步建立健全协调联动工作机制和应急反应机制,特别要在当地政府统一领导下,加强对道路危化品和烟花爆竹等易燃易爆物品以及剧毒和放射性物质运输等领域的联合执法,切实解决危险品运输安全生产方面存在的深层次问题。

☞ 资讯链接

国家安全监管总局关于公布首批重点监管的危险化学品名录的通知

为了进一步突出重点、强化监管，指导安全监管部门和危险化学品单位切实加强危险化学品安全管理工作，国家安全监管总局组织对现行《危险化学品名录》中的3 800余种危险化学品进行了筛选，编制了《首批重点监管的危险化学品名录》，于2011年6月21日予以公布。并就有关事项通知如下：

一、重点监管的危险化学品是指列入《危险化学品名录》的危险化学品以及在温度20 ℃和标准大气压101.3 kPa条件下属于以下类别的危险化学品：

(1)易燃气体类别1(爆炸下限≤13%或爆炸极限范围≥12%的气体)；

(2)易燃液体类别1(闭杯闪点<23 ℃并初沸点≤35 ℃的液体)；

(3)自燃液体类别1(与空气接触不到5分钟便燃烧的液体)；

(4)自燃固体类别1(与空气接触不到5分钟便燃烧的固体)；

(5)遇水放出易燃气体的物质类别1(在环境温度下与水剧烈反应所产生的气体通常显示自燃的倾向，或释放易燃气体的速度等于或大于每千克物质在任何1分钟内释放10升的任何物质或混合物)；

(6)三光气等光气类化学品。

二、涉及重点监管的危险化学品的生产、储存装置，原则上须由具有甲级资质的化工行业设计单位进行设计。

三、地方各级安全监管部门应当将生产、储存、使用、经营重点监管的危险化学品的企业，优先纳入年度执法检查计划，实施重点监管。

四、生产、储存重点监管的危险化学品的企业，应根据本企业工艺特点，装备功能完善的自动化控制系统，严格工艺、设备管理。对使用重点监管的危险化学品数量构成重大危险源的企业的生产储存装置，应装备自动化控制系统，实现对温度、压力、液位等重要参数的实时监测。

五、生产重点监管的危险化学品的企业，应针对产品特性，按照有关规定编制完善的、可操作性强的危险化学品事故应急预案，配备必要的应急救援器材、设备，加强应急演练，提高应急处置能力。

六、各省级安全监管部门可根据本辖区危险化学品安全生产状况，补充和确定本辖区内实施重点监管的危险化学品类项及具体品种。在安全监管工作中如发现重点监管的危险化学品存在问题，请认真研究提出处理意见，并及时报告国家安全监管总局。

资料来源：国家安全生产监督管理总局 http://www.chinasafety.gov.cn

模块二　道路危险品运输托运和承运

☞ 案例导入

2014 年 7 月 19 日 2 时 57 分，湖南省邵阳市境内沪昆高速公路 1 309 km +33m 处，一辆自东向西行驶运载 6.52 吨乙醇的轻型货车，与前方停车排队等候的大型普通客车发生追尾碰撞，轻型货车运载的乙醇瞬间大量泄漏起火燃烧，致使大客车、轻型货车等 5 辆车被烧毁，造成 54 人死亡、6 人受伤（其中 4 人因伤势过重医治无效死亡），直接经济损失 5 300 余万元人民币。

事故原因：

1. 直接原因

（1）这起事故的直接原因是由于轻型货车追尾大客车致使轻型货车所运载乙醇泄漏燃烧所致。

（2）车辆追尾碰撞的原因：刘某驾驶严重超载的轻型货车，未按操作规范安全驾驶，忽视交警的现场示警，未注意观察、未采取制动措施，以 85 km/h 的时速撞上停在前方等候的大客车，致使轻型货车、大客车起火燃烧，其违法行为是导致车辆追尾碰撞的主要原因。

贾某驾驶大客车未按交通标志指示在规定车道通行，遇前方车辆停车排队等候时，作为本车道最末车辆未按规定开启危险报警闪光灯，其违法行为是导致车辆追尾碰撞的次要原因。

（3）起火燃烧和造成大量人员伤亡的原因：轻型货车高速撞上前方停车排队等候的大客车尾部，车厢内装载乙醇的聚丙烯材质罐体受到剧烈冲击，导致焊缝大面积开裂，乙醇瞬间大量泄漏并迅速向大客车底部和周边弥漫，轻型货车车头右前部由于碰撞变形造成电线短路产生火花，引燃泄漏的乙醇，火焰迅速沿地面向大客车底部和周围蔓延将大客车包围。

2. 间接原因（摘录）

（1）长沙某化工有限公司和长沙某原料有限公司违法运输和充装乙醇。

长沙某化工有限公司违反《危险化学品安全管理条例》规定，从 2013 年 3 月份以来一直使用非法改装的无危险品道路运输许可证的肇事轻型货车运输乙醇。长沙某原料有限公司违反《危险化学品安全管理条例》规定，安全管理制度不落实，未查验承运危险品的车辆及驾驶员和押运员的资质，多次为肇事轻型货车充装乙醇。

（2）某公司安全生产主体责任落实不到位。

某公司对承包经营车辆管理不严格，对事故大客车在实际运营中存在的站外发车、不按规定路线行驶、凌晨 2 时至 5 时未停车休息等多种违规行为未能及时发现和制止。开展道路运输车辆动态监控工作不到位，未能运用车辆动态监控系统对车辆进行有效管理。

（3）长沙市某货柜加工厂和某塑料厂非法从事车辆改装和罐体加装。

长沙市某货柜加工厂无汽车改装资质，违规为本事故中肇事的轻型货车进行了加装货厢、更换钢板弹簧等改装。长沙市某塑料厂在明知周某有意使用塑料罐体运输乙醇的情况下，为轻型货车制作和加装了聚丙烯材质的方形罐体。

资料来源：人民网 http://politics.people.com.cn

任务一 熟知道路危险品运输业务流程及相关文件

一、道路危险品运输作业流程

道路危险品运输作业过程一般包括托运、受托、验货、派车、配货、派装、运送、卸车、保管和交付等环节。按照货物运输阶段的不同,可将作业划分为发送作业、途中作业和达到作业。危险品运输受理属于发送作业阶段,由受理托运、组织装车和核算制票三部分组成。道路危险品作业流程如图 4－1 所示。

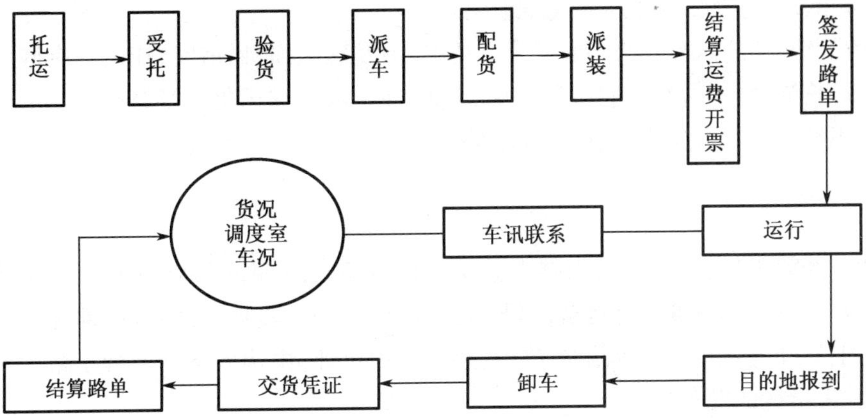

图 4－1 道路危险品作业流程图

(一)受理托运

1. 托运

无论是货物交给危险品运输企业运输,还是企业主动承揽货物,都必须由货主办理托运手续。托运手续从托运人递交危险品托运证明书开始,危险品的托运必须符合《汽车运输危险品规则》的相关规定。

2. 受托

承运人审查托运人递交的托运证明书,根据企业的经营范围和运输能力,决定是否接受委托。若接受,让货主认真填写托运单,办理承运手续。承运人要认真审核运单上所填写的货物的收发货地点、时间以及所提供的单证是否符合《汽车运输危险品规则》的相关规定,并核实货物的编号、品名、规格、数量、件重和货物包装标志、标签以及应急措施和运输要求,检查单证附录是否齐全。

3. 验货

理货员凭托运单验货、勘察现场、落实货物分批数量、起运时间、可用车型,向调度室汇报并作记录。

根据托运单填写的内容,逐一核实货物的编号、品名、规格、数量、件重、净重、总重和货物包装标志、标签是否和托运单上一致，货物包装是否破损以及是否符合国家相关规定，具体要求如下。

（1）危险品一般应单独包装。同一件包装内的货物必须是同一项或同一配装号（除爆炸品外），而且消防方法不相抵触的物品。

（2）包装的种类、材质、封口等应适应所装货物的性质。

（3）包装的规格、形式及单位包装质量应便于装卸、搬运和保证运输过程中的安全。

（4）包装必须有规定的标志。

（二）组织装车

调度室根据业务员的托运单及反馈的信息，编制作业计划，选配合适的车辆，签发派车单派装，选派技能熟练的从业人员组织装货。

危险品装车前应认真检查包装的完好情况，当发现破损、撒漏时，托运人应调换包装或修理加固。货物交付时，双方应做到点收、点交，并由双方在运单上签章确认。承运人有权拒绝运输不符合国家有关规定、标准要求的危险品。

（三）核算制票

货物一经派车装运，开票员根据发货单位的发货通知单或磅码单上的货名、数量、质量、卸货地点、收货单位等计算运费，填开货票，核收运费。货票一式五联，即存查、缴款、发票、随货同行、单车结算。根据派车单、货票及有关单证，由调度室签发行车路单代行车命令，交驾驶人员凭此发车。

二、道路危险品运输相关文件

道路危险品运输承运人可分为运输企业和自备运输单位。运输企业是专门从事汽车运输货物，以营利为目的，以提供运输劳务为手段的经济组织。运输企业从事营业性运输，是一种合同运输，运输当事人各方之间会发生一系列的法律关系，即权利、义务关系。自备运输单位是附属于工农业生产企业或商业企业的运输单位，仅为本企业生产、经营服务，其运输称为自备车运输。由于道路危险品运输的特殊性，不论是营业性运输还是自备车运输，均须提供相关运输文件，才能进行运输。

1. 危险品运单和托运书

汽车货物运输合同可采用书面形式、口头形式和其他形式。书面形式合同的种类分为定期运输合同、一次性运输合同、道路货物运单（简称运单）。道路危险品运输，承运人必须填写运单，并经承托双方签章认可后生效。从事危险品多式联运的承运人应填写危险品多式联运表。

运单由承运人制作，在收齐单据上所列的所有货物后，由承运人签发给托运人。托运人在托运货物时，要向承运人递交托运书。托运书是托运人托运货物的正式文件，是承运人制作运单的依据。托运人填写托运书时要字迹清楚、内容齐全，并对所填关于货物的各项说明和声明的正确性负责。如果由于托运人在托运书中所填的内容不正规、不正确或不完备而使承运人或任何其他人遭受到任何损失，托运人应负全部责任。

在托运书中托运人还应承诺遵守承运人的运输规章。托运书必须包含危险品名称、联合国编号和国内编号、货物类别和项别、包装类别、包件的编号和种类、该货名所包含的危险品总量(根据适当情况,按体积、总质量或净含量计)、发货人的名称和地址、收件人的名称和地址、任何特殊协议项目所要求申报的材料等。

托运危险品必须符合《汽车运输危险货物规则》有关危险品托运的相关规定及下述附加规定:

(1)托运第1类爆炸品的附加规定

①对于每个注有说明的物质或物品,其中有爆炸成分总的净重,用千克表示。

②对于两种及以上货物的混合包装,在运单上必须注明货物的名称和危险品编号,以及配装组。

③托运人提交爆炸品的准运证明文件。

(2)托运第2类压缩气体和液化气体的附加规定

对于罐体中装有混合物的运输,应该给出混合物组分的体积或质量百分率,成分低于1%的不必标明。

(3)托运第4.1项易燃固体和第5.2项有机过氧化物的附加规定

对于第4.1项易燃固体和第5.2项有机过氧化物,在运输过程中要对温度进行控制的,在托运书和运单上要标明控制温度和应急温度,如"控制温度×××℃,应急温度×××℃",并向承运人说明控温方法。

(4)托运第6.2项感染性物质的附加规定

托运医疗废物,医疗废物专用包装物、容器上,应有明显的警示标识和警示说明,在运单上要加注说明。

(5)托运食用、药用危险品的附加规定

托运食用、药用的危险品,应在运单上注明"食用""药用"字样。

2. 托运证明文件

托运须凭证运输的危险品,除填写托运书外,还需提供相应证明文件。证明文件作为托运书的附录,在托运时一并交付给承运人。

(1)托运危险品的包装如果与国家有关规定的包装不同时,必须附有包装检查证明书和包装适用证明书,包装检查证明书经主管部门确认后才有效。

(2)托运未列入《危险品货物名表》或《剧毒化学品目录》的危险品,必须附有危险品鉴定表,如表4-1所示。

(3)托运放射性物品,必须附有经有关主管部门批准的批准证书和认可的核查单位及核查人员盖章或签名的放射性货包表面污染及辐射水平检查证书。

(4)托运放射性同位素空容器,必须附有"放射性同位素空容器检查证明书",并必须经有关主管部门确认后才能有效。

(5)托运危险化学品,必须将危险化学品标签粘贴、挂栓(或印刷)在容器或包装的明显位置,其格式如表4-2所示,样例如图4-2所示。

表 4－1　危险品鉴定表

品名		别名	
英文名		分子式	
理化性能 a			
主要成分 b			
包装方法 c			
中毒急救措施			
撒漏处理和消防方法			
运输注意事项 d			
鉴定单位意见	属于________ –类________项危险品 比照________________品名办理 比照《危规》第____________号包装		

鉴定单位联系人：　　电话：　　传真：

地址：　　邮编：

鉴定单位及鉴定人______________________________(盖章)　　年　　月　　日

申请单位联系人：　　电话：　　传真：

地址：　　邮编：

申请单位及鉴定人______________________________(盖章)　　年　　月　　日

注：鉴定单位由国家安全生产监督管理局指定。

a. 性能包括色、味、形态、相对密度、熔点、沸点、闪点、燃点、爆炸极限、急性中毒极限及危险程度；

b. 凡危险品系混合物，应该详细填写所含危险品的主要成分；

c. 包装方法应注明材质、形状、厚度、封口、内部衬垫物、外部加固情况及内包装单位质量(重量)等；

d. 对该种货物遇到何种物质可能发生的危险，提出防护措施。

表 4-2 危险化学品标签格式

化学品英文名字 化学品中文名字 (或危险组分名称、含量) 分子式	UN No. CN No.
提示词 (重要危险性)	表示危险性的图形符号
危险性 急救 灭火方法	泄漏处置 处理和储运
防护措施或图形符号 其他说明 净重	
生产厂(公司)名称、地址、邮编、电话	

(6)使用集装箱托运危险品,要附有现场检查员签字的集装箱装运危险货物装箱证明书,详细说明箱内危险品的包件装在何装置上或装于何装置内、集装箱/车辆/装置的识别号以及证明操作是按以下条件进行,符合以下要求:

①货运装置干净、干燥、适合容纳该货物;

②如果托运物包含 1.4 项以外的第 1 类物质,货运装置应结实耐用;

③应该分装的货物,没有装在同一货运装置上或装置内;

④所有包件都进行了外部损伤、泄漏或过滤检查,只有完好的包件被装载;

⑤鼓形圆桶竖直放置,除了主管部门批准的其他方式;

⑥所有包件都适当地装在货物运输装置上或装于货物装置内并且安全可靠;

⑦当危险品用散装容器运输时,货物内部应均匀分布;

⑧危险品装置和包件都加了适当的标记、标签和标牌;

⑨处于熏蒸的集装箱,必须标贴有熏蒸警告符号。当采用固体二氧化碳(干冰)用作冷却目的时,集装箱外部门端明显处贴显示标记或标志,并标明"内有危险的二氧化碳(干冰),进入之前务必彻底通风"字样;

(7)托运爆炸物品和剧毒化学品,应提供公安部门签发的爆炸物品准运证和剧毒化学品公路运输通行证;

(8)其他承运人认为必要的证明文件。

3. 承运证明文件

承运人承运危险品除须携带由托运人交付的相关证明文件外,还应携带有关法规、规章、标准规定的证明文件。

(1)驾驶人员、押运人员须携带上岗资格证;

(2)执行运输任务的车辆须携带道路运输证;

氯乙烯

危 险

含压力下气体：如加热可爆炸；极易燃气体；可致癌

【预防措施】

- 远离热源/火花/明火/热表面。-- 禁止吸烟。
- 得到专门指导后操作。
- 在阅读并了解所有安全预防措施之前，切勿操作。
- 按要求使用个体防护装备。

【事故响应】

- 泄漏气体着火：切勿灭火，除非能安全地切断泄漏源。
- 如果没有危险，消除一切点火源。
- 如果接触或有担心，就医。

【安全储存】

- 避免日照。在通风良好处储存。
- 上锁保管。

【废弃处置】

- 本品或其容器采用焚烧法处置。

请参阅化学品安全技术说明书

供应商：************************************ 电话：********

地 址：************************************ 邮编：********

化学事故应急咨询电话：[illegible]

图 4-2 化学危险品标签样例

(3)本次运输任务的运单；

(4)《汽车运输危险货物规则》规定应携带道路运输危险货物安全卡，如表4－3所示。

表4－3 道路运输危险货物安全卡(正面)

<table>
<tr><td rowspan="2">Ⅰ
表示危险性的图形符号</td><td rowspan="2">Ⅱ
化学品中文名称
化学品英文名称
(或危险组分名称、含量)
分子式</td><td>Ⅲ
UN No.</td></tr>
<tr><td>Ⅳ
CN No.</td></tr>
<tr><td colspan="2">Ⅴ
危险性
(主要危险性)

Ⅵ
储运要求</td><td>Ⅶ
泄漏处理

Ⅷ
急救

Ⅸ
灭火方法</td></tr>
<tr><td colspan="3">Ⅹ
防护措施：</td></tr>
</table>

☞ 案例

2015年2月11日凌晨4时50分，一辆载有26.3吨黄磷的罐车在途经108国道会理县云甸镇境内桐子林路段2 889 km＋200 m处时发生侧翻，导致黄磷泄漏与空气接触后发生自燃，在随后的处置中事故车辆油箱发生爆炸，造成在距离事故现场50米左右的值守人员被飞溅的燃烧颗粒灼伤，在手部造成点状伤口。此次事故造成31位事故附近村民出现不适，加上原有10名武警消防官兵和公安民警受轻伤，当地医院已接受观察、诊断、治疗人员共41人，患者诊断为急性呼吸道灼伤为主，生命体征平稳。

资料来源：中国化学品安全协会 http://www.chemicalsafety.org.cn

任务二　掌握道路危险品运输托运人的责任

一、托运人的定义

运输过程中与危险品运输有关的当事人包括产品制造商、包装制造商、仓储商、经销商、货主、发货人、托运人、承运人、收货人等。一个当事人可以兼任多个角色，如果制造商直接向运输公司托运，则制造商、货主、发货人和托运人将合为一方；如果某人从经销商处购得货物，到仓库提货后，再委托他人代理并办理托运手续，则有多个当事人参与。在合同运输法律关系中，只规定两个相互承担义务、享有权利的当事人，即托运人和承运人。在危险品运输中，托运和承运各方都有明确的责任。一个当事人如果兼任了托运人和承运人，就应该同时承担托运和承运的责任。

货物运输合同中，委托运输、交给货物并支付运费的当事人，称为货物运输托运人。在危险物品托运证明书上签字的人为主要托运人。

二、托运人的责任

1. 办理托运时的责任

托运人托运易燃易爆、有毒、有腐蚀性、有放射性等危险物品的，应按照国家有关危险物品运输的规定对危险物品妥善包装，作出危险物标志和标签，并将有关危险物品的名称、性质和防范措施的书面材料提交承运人。托运人违反前款规定的，承运人可以拒绝运输，也可以采取相应措施以避免损失的发生，因此而产生的费用由托运人承担。

2. 在货物方面的责任

托运人必须对其托运的货物负责，并严格执行《汽车运输危险品规则》的有关规定。

(1)托运人应向具有汽车运输危险品经营资质的企业办理托运，且托运的危险品应与承运企业的经营范围相符合。托运人不能托运国家禁止运输的货物。

(2)托运放射性物品，按《放射性物质安全运输规程》办理。

(3)托运人只能托运《危险货物品名表》上列名的货物。当托运未列入该品名表的危险品时，应提交与托运的危险品完全一致的安全技术说明书、安全标签和危险品鉴定表。

(4)托运凭证运输的危险品，托运人应提交相关证明文件，并在运单上注明。

(5)危险品性质或与消防方法相抵触的货物应分别托运。

(6)托运人应如实详细填写运单上规定的内容，提交与托运的危险品完全一致的安全技术说明书和安全标签。

(7)托运需控温运输的危险品，托运人应向承运人说明控制温度、危险温度和控温方法，并在运单上注明。

(8)托运食用、药用的危险品，应在运单上注明“食用”“药用”字样。

(9)盛装过危险品的空容器，未经消除危险处理，有残留物的仍按原装危险品办理托运。如果是未装过危险品的新空包装或虽装过危险品但已经过彻底清洗，并确认是消除危险状态的空包装，可以不作危险品托运。

(10)托运需要添加抑制剂或稳定剂的危险化学品,托运人交付托运时应添加抑制剂或稳定剂,并在运单上注明。

(11)使用集装箱运输危险品的,托运人应提交危险品装箱清单。如果集装箱或集合包装内部有不同品名的货物,托运人要确认这些货物的性质不会相互抵触发生化学反应。相抵触的,要分别托运。

(12)托运危险废物、医疗废物,托运人应提供相应识别标识。

(13)托运人如果瞒报、错报货物的性质,托错了危险品的分类分级或把危险品托成普通货物,或在普通货物里夹带危险品,则由托运人负全部法律责任。旅客运输中,旅客在随身行李或交运行李中有上述情况者,其责任也同上述。托运人和旅客不得将隐含着危险的物品故意隐瞒。

3. 在包装方面的责任

包装是安全的保障,对货物进行包装并确保其符合国家安全运输的要求是托运人的责任。

(1)托运人必须依据各种运输方式,按国家法律、标准的规定对货物进行包装。

(2)当包装容器可能存在下列情况之一时,托运人必须对提交货物的包装负全部责任。

①由专门的包装生产厂家制造,并由其进行过规定的包装试验。

②化工物品的生产厂商在其产品出厂时自己具备包装。

③货主在提交运输以前先委托他人另行包装过。

④托运者通过背书转移后从一次运输转为另一次运输。

不管何种情况,对于合同运输的双方,托运人应对其托运货物的包装质量负全部责任。托运人当然可以就包装不合格与有关各方交涉,但这与承运人无关。总之,不是由包装制造商、货物生产商、代为包装商、托运人等共同对承运人负连带责任,而是由托运人单独对承运人负全部责任。

(3)集装箱或集合包装内部的所有单件包装,都必须保证不采用集装箱或集合包装时也能达到国家规定的质量标准。

(4)托运人托运货物的包装与国家规定的具体规定不一致时,托运人有责任向承运人提供包装试验和适用的情况及证明文件。

(5)货物交付运输后,在启运前发现包装破损撒漏的,如不能证明是承托人的过错造成的,托运人有责任改换或修理包装。如果能证明是承运人的过错造成的,也应由托运人负责改换或修理包装,而由承运人赔偿托运人由此而造成的直接损失。改换或修理后的包装必须符合国家规定的要求。包装泄漏污染了车厢、货舱,托运人应提供清洗材料和方法。

4. 在包装标志和标签方面的责任

(1)托运人交运的货物包装外表必须有国家规定的各种包装标志。

(2)托运人交运的货物包装外表不得有可能引起争议的文字、图案和无关的标志。

(3)识别标志必须由托运人自己制作、打印、粘贴,托运人要对其正确性负责。

(4)储运指示标志和危险性能标志可以由承运人提供,但必须由托运人自己粘贴在托运人所交付的货物包装的外表上,托运人要对这些标志使用的正确性负责。

(5)集装箱和集合包装的外表必须有箱内所有危险品的性能标志。同时,箱内所有单件包装的外表都必须有本单件包装所装危险品的性能标志。

(6)每件货物包装的外表、集装箱外表、罐体外表都必须标有所装危险品的危险品安全标签。

5. 在运输证单方面的责任

货物在运输过程中,每项业务活动都有相应的证明文件记录业务活动的过程和结果。这些证明文件又称为运输证单或单据。运输证单的种类很多,制作者也各不相同。有属于承运者内部管理为明确各储运环节岗位责任的各种单据,有属于托运人与有关各方发生业务往来如委托运输代理、委托包装检验等的各种单据。

在货物合同运输中,对合同双方都有法律约束力的文件是运单。在危险品运输中,《道路危险品运输管理规定》规定了托运人必须向承运人提交危险品托运证明书作为货运单的补充和承运人制作货运单的依据。托运人要对经其本人签署的危险品托运证明书的正确性负法律责任。上述托运人在货物、包装、标记上的各种责任,都应在危险品托运证明书中得到体现,向承运人提交危险品托运证明书及附属于证明书的各种证明文件是托运人的责任和义务。托运人如有特殊要求,经承运人同意,特殊要求应在托运书上载明。托运人必须在托运证明书上承诺对自己制作的托运证明书内容的正确性负法律责任。

如果托运剧毒化学品,托运人需提供剧毒化学品公路运输通行证。

6. 在收货方面的责任

收货人是运输合同缔约当事人以外的第三人,虽未参与合同的订立,但享有向承运人领取货物、提出赔偿的权利,同时必须承担接受货物的义务。因此,相对于承运人,收货人是托运方的连带责任人。货物包装完整无损而货物短损、变质,收货人拒收或货物运抵到达地找不到收货人,以及由托运方负责装卸的货物超过合同规定装卸时间所造成的损失,均应由托运方负责赔偿。

危险品运达卸货地点后,因故不能及时卸货的,应及时与托运人联系妥善处理;不能及时处理的,承运人应立即报告当地公安部门。而由此引起的承运人的经济损失或危险品发生变化而造成的其他损失,托运人应负相应的责任。

任务三　掌握道路危险品运输承运人的责任

一、承运人的定义及安全责任

承运人是负责进行运输并收取运输劳务费用的当事人。托运人将危险品交付给承运人,并从承运人处得到货运单后,危险品的保管责任即同时移交给承运人,直到收货人从承运人手中提取货物为止,在整个承运期间,承运人要对所运危险品的安全负全部责任。

货物运输要经过托运受理、仓储保管、装卸货物、运送、交付等环节。这些环节分别由不同的当事人完成。在危险品运输中,承运人各方都必须严格遵守《汽车运输危险品规则》和其他有关危险品的规定,明确中转交接手续,划清各环节的职责范围和责任,共同完成运输。

在整个承运期间,承运人要对所运危险品的安全负责。完成一项完整的运输业务,有可能由一个运输企业承担,也有可能由几个运输企业共同承担,共同承担的企业应负连带责任。承运人连带责任是指发生运输事故时，先由事故发生地的承运人全权与托运人（或收货人）解决事故纠纷，然后在负连带责任的承运人各方内部分清责任的归属，按过错和损失的大小来确定各承运人之间的债权、债务关系，由有过错方赔偿无过错方的损失，由过错大损失小的一方补偿过错小损失大的一方。

二、承运人的责任

（一）危险品托运受理时承运人的责任

承运人在发货站承诺托运人委托运输的要求，并接受委托人交给货物的过程是托运受理。受理完毕，发货站签署货运单，运输合同宣告成立，各承运当事人都有按约定完成合同的义务。受理危险品，除受理普通货物的一般规定必须遵守外，发货站还必须按危险品的运输要求对托运人提交的运输证单和货物对照《汽车运输危险品规则》的各项规定进行全面、详尽、严格的审核。要特别注意的是，承运人应按照道路运输管理机构核准的经营范围受理危险品的托运。

1. 审核托运单

承运人应核实所装运危险品的收发货地点、时间以及托运人提供的相关单证是否符合规定，并核实货物的品名、编号、规格、数量、件重、包装、标志、安全技术说明书、安全标签和应急措施以及运输要求。

2. 审核所托运的危险品

汽车运输货物运输批量相对较小，受理人员可以对所托货物逐件检查，又可分两种情况：

（1）门到门的整车运输。此种情况下货物的交付不是与托运手续的办理同时进行，而是与运送连续进行，即没有仓储环节。货物在运送前交付，货物交付后即装车运送。

（2）班车运输和零担运输。此种情况下货物的交付和运送是时间和空间分离的两个环节。承运人必须对所受理的危险品的包装和标志逐件审核。

危险品装运前应认真检查包装的完好情况，当发现破损、撒漏，托运人应重新包装或修理加固，否则承运人应拒绝运输。这实质上提出了对货物包装进行逐件审核的要求。

至于包装内容物，受理人员不可能也不必对其性能、成分进行审核。在包装完好无损、火漆封志或铅封完整的情况下，承运方不对包装的内容物负责。托运方要对其所交付货物的理化特性负全部责任。

（二）危险品装卸堆桩时承运人的责任

危险品储存前后和运送前后需要装卸和堆桩。将货物搬上运输工具称为装货，将货物搬下运输工具称为卸货，货物在仓库里或运输工具的车厢平台、货舱里堆放时称堆桩或堆垛。装卸、堆桩的安全操作对危险品的安全尤为重要。

（1）在危险品装卸过程中，应当根据危险品的性质，轻装轻卸，堆码整齐，防止混杂、撒漏、破损，不得与普通货物混合堆放。

（2）危险品的装卸作业应当遵守安全作业标准、规程和制度，并在装卸管理人员的现场指挥或者监控下进行。

(3)装卸完毕后,货物需要绑扎苫盖篷布的,装卸人员必须将篷布苫盖严密并绑扎牢固,由承、托运人或委托站场编制有关清单,做好交接记录,并按有关规定施加封志和外贴有关标志。承、托双方应履行交接手续,包装货物采取件收,集装箱重箱及其他施封的货物凭封志交接,散装货物要磅交磅收或采取承托双方协商的交接方式交接。

(4)货物在装卸中,承运人应认真核对装车的危险品名称、质量、件数是否与运单上记载相符,包装是否完好。当发现破损、撒漏,要通知托运人,托运人调换包装或修理加固,征得承运人同意,承、托双方需做好记录并签章后,方可运输,由此产生的损失由托运人负责。交接后双方应在有关单证上签字。至此,危险品的保管责任即移交给承运人,承运人就正式接受了危险品的保管责任。

(5)严禁超范围运输,严禁超载、超限。运输不同性质危险品,其配装应按危险品配装表规定的要求执行。

(三)危险品运送和送达交付时承运人的责任

(1)危险品运输过程中,应随车配备押运人员,货物应随时处在押运人员的监管之下。车辆中途临时停靠,应安排人员看管。需要停车住宿或遇无法正常运输的情况时,应向当地公安部门报告。随车人员严禁吸烟。行车作业人员不得擅自变更运行作业计划、严禁擅自拼装、超载。承运人应拒绝运输托运人应派押运人员而未派的危险品。

(2)运输危险品的车辆严禁搭乘无关人员。运输爆炸品和需要特别防护的烈性危险品,应要求托运人派熟悉货物性质的人员指导操作、交接和随车押运。

(3)运输途中,发生危险品被盗、丢失、流散、泄漏等情况时,承运人及押运人员必须立即向当地公安部门报告,并采取一切可能的警示措施。

(4)运输途中不得进入危险品运输车辆禁止通行的区域,如繁华街区、居民住宅区、名胜古迹和风景名胜区等。确需进入上述区域的,应事先向当地公安部门申报,并遵守公安部门规定的行车时间和路线。

(5)运输途中,押运人员应密切注意车辆所装载的危险品动态,根据危险品性质,定时停车检查,发现问题及时会同驾驶人员采取措施妥善处理。不得擅自脱岗、离岗。

(6)运输危险品的车辆不得在居民聚居点、行人稠密地段、政府机关、名胜古迹、风景游览区停车。如需在上述地区进行装卸作业或临时停车,应采取安全措施。

(7)货物抵达承、托双方约定的地点后,收货人应凭有效单证提(收)货物,无故拒提(收)货物,承运人可以索取因此造成的损失。

(8)货物到达目的地后,承运人知道收货人的,应及时通知收货人,收货人应及时提(收)货物,收货人逾期不提货物的,承运人也不能因此免除保管责任,但收货人应向承运人支付保管费等费用。收货人不明或收货人无正当理由拒绝受领货物的,依照《中华人民共和国合同法》第101条的规定,承运人可以提存货物。

(9)货物交付时,承运人应与收货人做好交接工作,发现货损货差,由承运人与收货人共同编制货运事故记录,交接双方在货运事故记录上签字确认。货运事故记录单如表4-4所示。

表 4-4 货运事故记录单

							运单号码	
							记录编号	
托运人			地址		电话		邮编	
收货人			地址		电话		邮编	
承运人			地址		电话		邮编	
车号			驾驶人员		起运日期	年 月 日 时	达到日期	年 月 日 时
出事地点				出事时间			记录时间	
原运单记载	编号	货物名称及规格型号	包装形式	件数	新旧程度	体积 长*宽*高 /cm	重量 /kg	保险保价价格
事故发生详细情况及原因分析								
承运人签章			年 月 日		托运人或收件人签章	年 月 日		
注意事项								

注：本记录单应一式三份，承运人、托运人、责任方各一份，每增加一个责任方增加一份记录。

三、《道路危险货物运输管理规定》对从事道路危险品运输经营的条件规定

（一）有符合下列要求的专用车辆及设备

（1）自有专用车辆（挂车除外）5 辆以上；运输剧毒化学品、爆炸品的，自有专用车辆（挂车除外）10 辆以上。

（2）专用车辆技术性能符合国家标准《营运车辆综合性能要求和检验方法》（GB 18565）的要求，技术等级达到行业标准《营运车辆技术等级划分和评定要求》（JT/T 198）规定的一级技术等级。

（3）专用车辆外廓尺寸、轴荷和质量符合国家标准《道路车辆外廓尺寸、轴荷和质量限值》（GB 1589）的要求。

（4）专用车辆燃料消耗量符合行业标准《营运货车燃料消耗量限值及测量方法》（JT 719）的要求。

(5)配备有效的通信工具。

(6)专用车辆应当安装具有行驶记录功能的卫星定位装置。

(7)运输剧毒化学品、爆炸品、易制爆危险化学品的，应当配备罐式、厢式专用车辆或者压力容器等专用容器。

(8)罐式专用车辆的罐体应当经质量检验部门检验合格，且罐体载货后总质量与专用车辆核定载质量相匹配。运输爆炸品、强腐蚀性危险品的罐式专用车辆的罐体容积不得超过 20 立方米，运输剧毒化学品的罐式专用车辆的罐体容积不得超过 10 立方米，但符合国家有关标准的罐式集装箱除外。

(9)运输剧毒化学品、爆炸品、强腐蚀性危险品的非罐式专用车辆，核定载质量不得超过 10 吨，但符合国家有关标准的集装箱运输专用车辆除外。

(10)配备与运输的危险品性质相适应的安全防护、环境保护和消防设施设备。

(二)有符合下列要求的停车场地

(1)自有或者租借期限为 3 年以上，且与经营范围、规模相适应的停车场地，停车场地应当位于企业注册地市级行政区域内。

(2)运输剧毒化学品、爆炸品专用车辆以及罐式专用车辆，数量为 20 辆(含)以下的，停车场地面积不低于车辆正投影面积的 1.5 倍，数量为 20 辆以上的，超过部分，每辆车的停车场地面积不低于车辆正投影面积；运输其他危险品的，专用车辆数量为 10 辆(含)以下的，停车场地面积不低于车辆正投影面积的 1.5 倍，数量为 10 辆以上的，超过部分，每辆车的停车场地面积不低于车辆正投影面积。

(3)停车场地应当封闭并设立明显标志，不得妨碍居民生活和威胁公共安全。

(三)有符合下列要求的从业人员和安全管理人员

(1)专用车辆的驾驶人员取得相应机动车驾驶证，年龄不超过 60 周岁。

(2)从事道路危险品运输的驾驶人员、装卸管理人员、押运人员应当经所在地设区的市级人民政府交通运输主管部门考试合格，并取得相应的从业资格证；从事剧毒化学品、爆炸品道路运输的驾驶人员、装卸管理人员、押运人员，应当经考试合格，取得注明为“剧毒化学品运输”或者“爆炸品运输”类别的从业资格证。

(3)企业应当配备专职安全管理人员。

(四)有健全的安全生产管理制度

(1)企业主要负责人、安全管理部门负责人、专职安全管理人员安全生产责任制度。

(2)从业人员安全生产责任制度。

(3)安全生产监督检查制度。

(4)安全生产教育培训制度。

(5)从业人员、专用车辆、设备及停车场地安全管理制度。

(6)应急救援预案制度。

(7)安全生产作业规程。

(8)安全生产考核与奖惩制度。

(9)安全事故报告、统计与处理制度。

模块三 道路危险品运输车辆要求

☞ 案例导入

2015年8月9日，一辆严重超载的槽罐车从哈密出发前往石河子，槽罐内运送的是50吨纯度为99%的工业用甲醇。9日18时30分左右，在行至阜康收费站时，安全员下车检查车辆发现阀门口有裂缝，甲醇已经泄漏了，就赶紧打电话报了警。槽罐车是辆新车，刚刚通过年检。司机说，估计是更换的阀门质量不合格导致。18时33分消防接警，中队出动3车9人参与救援。救援人员到达现场后发现，槽罐车车尾底部开关阀门处有5~6厘米的裂缝，甲醇像自来水一样从裂缝中涌出，空气中弥漫着刺鼻的气味。工业甲醇是透明无色有酒精气味的易挥发液体，遇明火、高温能引起燃烧爆炸。担心引发更大的事故，消防官兵立即对事故现场设置警戒区域，并严禁一切火源。消防救援人员分成三组，一组防止明火，二组利用移动水炮对现场空气中弥漫的甲醇蒸气进行稀释，三组穿戴防化服，在水枪的掩护下利用倒罐工具将泄漏罐车内的甲醇转入倒罐车。20时55分，22吨甲醇成功自流倒罐。但由于发生泄漏的槽罐内压力不足，车内剩余的20多吨甲醇无法正常倒灌。阜康市环保局工作人员通过现场检测，决定将剩余的20多吨甲醇通过稀释现场排放，减少危害。这期间，消防救援人员前后用了80多吨水稀释。

资料来源：中国化学品安全协会 http://www.chemicalsafety.org.cn

任务 了解道路危险品运输车辆要求

危险品具有燃烧、爆炸、毒害、腐蚀及放射性等危险性质。这些性质的存在，就决定了运输危险品车辆的结构、技术性能和装备必须符合一些相应的特殊要求。因此，道路危险品运输车辆和设备，除了对一般货物运输的要求外，还有一些特殊的要求。正确认识和掌握道路危险品运输车辆和设备的特殊要求，并切实加强管理，对道路危险品运输安全，提高运输效率和经济效益，具有重要意义。

一、对道路危险品运输车辆及设备的基本要求

(1)安全技术状况应符合 GB 7258 的要求。

(2)技术状况应符合 JT/T 198 规定的一级车况标准。

(3)车辆应配置符合 GB 13392 的标志，并按规定使用。

(4)车辆应配置运行状态记录装置(如行驶记录仪)和必要的通信工具。

(5)运输易燃易爆危险品的车辆的排气管，应安装隔热和熄灭火星装置，并配装符合 JT 230 规定的导静电橡胶拖地带装置。

(6)车辆应有切断总电源和隔离电火花的装置，切断总电源装置应安装在驾驶室内。

(7)车辆车厢底板应平整完好，周围栏板应牢固。在装运易燃易爆危险品时，应使用木质底板等防护衬垫。

(8)装卸机械及工、属具，应有可靠的安全系数；装卸易燃易爆危险品的机械及工、属

具,应有消除产生火花的措施。

(9)根据装运危险品的性质和包装形式的需要,配备相应的捆扎、防水和防散失等用具。

(10)运输危险品的车辆应配备消防器材并定期检查、保养,发现问题立即更换或修理。

二、对道路危险品运输车辆的技术要求

为强化道路危险品运输安全管理,确保道路危险品运输安全、有序,交通运输部明文规定,要求危险品运输车辆车况达不到一级标准的车不得从事化学危险品运输。凡不符合运输安全技术条件和标准的营运车辆,要立即停运或予以更新。

一级完好车的衡量标准是:新车行驶到第一次定额大修间隔里程的三分之二和第二次定额大修间隔里程的三分之二以前,车辆主要总成的基础件和主要零部件坚固可靠,技术性能良好,发动机运转稳定,无异响,动力性能良好,燃料、润料消耗不超过定额指标,废气排放、噪声均应符合国家标准;各项装备齐全完好,运行中无任何保留条件。

值得注意的是,新车不等于一级完好车。从事道路危险品运输的车辆应到当地地(市)级运政管理部门进行车辆等级鉴定。即从事危险品运输的车辆要达到三个条件:一是车辆技术性能良好,各项主要技术指标符合定额要求;二是车辆行驶里程必须是在相应定额大修间隔里程的三分之二以内;三是车辆状况完好,能随时行驶参加危险品运输生产。不符合上述条件的车辆,不准运输危险品。

三、对各类车辆的具体要求

(一)栏板货车

(1)栏板货车(如图4-3所示)车厢底板必须平整完好,周围栏板必须牢固。没有周围栏板的车辆,不得装运危险品。在装运易燃、易爆危险品时,应使用木质底板车厢,如是铁质底板,应采取衬垫措施,如铺垫木板、胶合板、橡胶板等,但不能使用谷草、草片等松软易燃材料。

图4-3 栏板货车

(2)机动车辆排气管应装置在车辆前保险杠下方,远离危险品,并装置有效的熄灭火星的装置。易燃易爆运输车辆,还应装置导静电橡胶拖地带。

(3)电路系统应有切断电源的总开关,应在驾驶室内,便于开、关。有的车辆的总电源开关在驾驶室外右后部,并裸露在车架外边,容易被搬动,影响安全。

(4)根据所装危险品的性质配备相应的消防器材,其消防材质、数量应能满足应急需要。

(5)装运大型气瓶或集装瓶架、集装箱、集装罐柜等的车辆,必须配备有效的紧固装置。装运集装箱危险品的车辆,其锁紧装置必须牢固、安全、有效。

(6)装运大型气瓶,车辆必须配置活络插桩、三角垫木、紧绳器等工具,以保证车辆装载平衡,防止气瓶在行驶中滚动,以保证安全。

(7)对装运放射性同位素的专用车辆、设备、搬运工具、防护用品等,应定期进行放射性污染程度的检查,超量时不得继续使用。

(8)根据所装危险品的性质和包装形式的需要,车辆还必须配备相应的捆扎用的大绳、防散失用的网罩、防水用的苫布等工、属具。装运小包装件危险品或轻货物(如软包装的硝化纤维素),装车后货物超出栏板部分必须使用网罩(或苫布)覆盖后再用大绳捆扎,防止途中丢失。此外,如果装运怕潮危险品,或易飞扬的散装固体危险品(如硫黄块、硫黄粉等),必须使用苫布覆盖严密。

(9)危险品运输车辆,应根据所装运的危险品性质,采取相应的遮阳、控温、防爆、防火、防震、防水、防冻、防粉尘飞扬、防撒漏等措施。

(10)车辆不准私自改装、加大装载量而超载,应符合汽车产品目录规定。

(二)专用罐车

专用罐车的生产单位和经批准公布的车型、牌号,应按当年公安部、机械部颁布的《全国汽车、摩托车产品目录》执行。任何罐车生产单位不得生产与《全国汽车、摩托车产品目录》不符的罐车投放社会使用。假冒品牌、假冒标准罐体型号、低劣材质、结构不合理、粗制滥造、随意改装、扩大容量等现象,使现行的消防手段难以应付,给危险品运输带来了巨大隐患。专用罐车按其罐体壳承受工作压力大小,分常压专用罐车和压力容器专用罐车。专用罐车按照车身与罐体是否可以分离分为拖挂罐式货车(罐体固定在挂车底盘上,牵引车与挂车可分离,如图4-4所示)和固定罐式货车(罐体与车辆不可分离,如图4-5所示)。

1. 常压专用罐车

常压专用罐车的罐体必须符合《汽车运输液体危险品常压容器(罐体)通用技术条件》的要求。常压罐体最高工作压力不大于72 kPa,罐体材质可为金属或非金属。金属罐体工作温度不高于50 ℃,非金属罐体工作温度不高于40 ℃。常压罐体也必须经质检部门检验,检验合格的由质检部门核发检验合格证,在检验合格证有效期限内使用。在用常压专用罐车的罐体必须进行定期检验,每年一次。常压专用罐车适用于运输液体危险品,如烧碱、硫酸、盐酸、硝酸、甲醇、甲苯、轻质燃油等。常压罐体可用玻璃纤维增强塑料、耐酸不锈钢、碳素钢、铝或铝合金板材制作。

(1)根据所装介质,确定罐体材质

罐体材质不能与装运介质的性能相抵触,也不能让介质把罐体腐蚀、穿孔而泄漏,因此罐体材质选择非常关键。如装运硝酸的罐体应用铝板制作,装运硫酸的罐体应用碳钢板制

图 4－4　拖挂罐式货车

图 4－5　固定罐式货车

作，装运盐酸的罐体则应用非金属的玻璃钢制作，装运乙醇等危险品的罐体可用碳钢板材质制作等，即罐体材质应与装运介质相符合。

（2）根据所装介质，确定罐体结构

根据各种危险品的化学特性和物理特性确定其罐体结构和需要配备的相应设备、设施，包括：

①钢质罐车。罐体采用厚度均匀的碳钢或不锈钢板制造。

②铝质罐车。罐体采用厚度均匀的优质铝板制造，厚度不应小于6 mm，内置防波隔板，

隔板之间容积不应大于3 m^3。铝制罐车适宜装运甲醛、硝酸、冰醋酸等危险品。

③玻璃纤维增强塑料(玻璃钢)罐车。由合成树脂和玻璃纤维经复合工艺制作而成。由于树脂、玻璃纤维材质容易老化、脱落,应定期加强检查,及时修复或更换。

(3)轻质燃油罐车

轻质燃油罐车为常压罐车,因其所装货物就是单一的燃料油,其质地较轻、闪点低、极为易燃,所以专门为其设计了一种罐体固定安装在汽车底盘上,罐体与车形成一体,减少了不固定就不易产生摩擦、火花导致燃油燃烧、爆炸。燃油罐车又分为运油车和加油车两种(以下简称油罐车)。

①油罐车应能在环境温度 -40 ℃条件下正常工作,罐体总成应能承受36 kPa空气压力,不得有渗漏和永久变形。

②油罐车应具有防止和消除静电起火的安全装置。发动机排气管应位于驾驶室左前方,与油罐及泵油系统距离不得小于1.5 m。油罐两侧要有明显的"严禁烟火"字样。

③油罐车系国家批准定点厂生产,出厂有产品合格证。凭合格证办理危险品道路运输证。常压容器的油罐车,每年应检测一次。

④油罐的设计、制造应与车辆相匹配,自行改装、扩大罐体容积的,不予办理危险品道路运输证。已取得道路运输证后,改装扩大罐体容积的,应收缴证件。

2. 压力容器专用罐车

压力容器专用罐车又称为液化气体罐车,其罐体所装货物为设计温度不高于50 ℃的液化气体,且为钢制罐体的汽车罐车。根据不同气体的物理性质(临界温度和临界压力),罐体可分为裸式、有保温层、有绝热层等形式。

(1)气体罐车是属压力容器的特种汽车,液化气体罐车的使用单位,必须携带有关资料到省级技术质量监督管理部门办理使用手续。车辆经省指定的检验单位进行检验,经检验合格领取液化气体汽车罐车使用证。在用罐车实行定期检验,每年一次,全面检验每6年进行一次。罐体发生重大事故或停用时间超过一年的,使用前应进行全面检验。由于液化气体罐车在运输、装卸过程中的特殊要求,驾驶员、押运员还需由省级劳动部门指定的单位进行岗前培训,经培训考核合格,由省级劳动部门颁发气体罐车准驾证和气体罐车押运员证。

(2)液化气体罐车适用于运输液化石油气、丙烯、丙烷、液氨及低温的液氧、液氮等。其包括罐体固定在汽车底盘上的单车式汽车和半拖式汽车,也包括罐体靠附加紧固装置安装放在车厢内的活动式汽车。

(3)液压气体罐车罐体外表面应按国家标准喷涂颜色色带和标志。易燃易爆罐体两侧中央部位应用红色喷写"严禁烟火"字样,字高不小于200 mm。

(4)液化气体罐车必须有安全阀(泄压阀)、紧急切断装置、液面计(液位计)、压力表、温度计等安全装置。其排气管熄灭火星装置、电源总开关和导除静电装置与栏板货车相同。

(5)液化气体罐车必须加强日常的检查和维护。发生故障应及时排除,保持车辆性能经常处于最佳状态。

(6)液化气体罐车在充装前,发现下列情况之一者,必须妥善处理,否则严禁充装:①罐车超期未作检查者;②罐车的漆色、铭牌和标志与规定不符,或与所装介质不符,或脱落不易识别者;③安全防火、灭火装置及附件不全、损坏、失灵或不符合规定者;④未判明装过何种介质,或罐内没有余压者(新罐车及检修后罐车除外) ⑤罐体外观检查有缺陷、不能保证安全使用，或附件有跑冒滴漏者；⑥驾驶员或押运员无有效证件者；⑦车辆无公安车辆管理部门或交通监理部门核发的有效检验证明和行驶证明者；⑧罐体号码与车辆号码不符者；⑨罐体与车辆之间的固定装置不牢靠或已损坏者。

（三）厢式货车

1. 厢式货车

厢式货车分为两种：一种是驾驶室与车厢分离，各成一室的厢式货车，如图4-6所示；另一种是驾驶室与车厢同为一室的客货两用的厢式车。后一种不得装运危险品，因为一旦危险品发生泄漏，车厢内充满有害气体，会使驾驶人员失去驾驶能力，造成车辆无人驾驶，任其在道路横冲直撞，车上危险品不能得到控制，后果将不堪设想。因此，客货两用厢式车不得运输危险品。

厢式货车的厢体，大多数是木质、钢板或钢木结合的厢体，可以固定在栏板货车的底板上。其紧固装置必须牢固，不能使厢体滑落。厢式货车装运的危险品大多数是单一品种的货物，不得装入性质相抵触的危险品。厢式货车适宜运输爆炸物品、遇湿易燃物品、氧化剂及毒害品等危险品，在运输中能防止危险品货损、货差和丢失，能起到防雨、防雷等保护作用。

2. 控温厢式货车

控温厢式货车的车厢内应有制冷或加温装置以及保温措施，驾驶室应有温度监控系统。根据所装危险品的特殊要求，车辆还要有防震、防爆、隔热、防止产生火花、排除静电等装置，且厢体密封性能要好，不能因厢体不严密造成温度升高或下降，要确保危险品在恒温或冷藏条件下完成运输。其恒温或制冷装置在一个厢体内，除正常工作使用外，还应有一套或一套以上备用控温装置，一旦正在工作的装置发生故障，备用控温装置能及时正常工作，保证运送任务的完成。这类厢式车多数从事疫苗、菌苗、有机过氧化物的运输。

图4-6　厢式货车

（四）集装箱运输车

集装箱运输是一种集零为整的成组运输。集装箱临时固定在拖挂车上，经过运行到达目的地把集装箱卸下去，一次运输任务即告完成。

集装箱装运危险品时，在同一箱体内不得装入性质相抵触的危险品。更要注意危险品的配载规定，如果小箱体达不到隔离间距时，不应强行配装，避免发生不应有的事故。

罐式集装箱由箱体框架和罐体两部分组成，有单罐式和多罐式两种。罐式集装箱运输车主要运输液体化工品、压缩气体和液化气体等危险品。

四、道路危险品运输车辆选择

（1）运输爆炸品的车辆，应符合国家爆破器材运输车辆安全技术条件规定的有关要求。

（2）运输爆炸品、固体剧毒品、遇湿易燃物品、感染性物品和有机过氧化物时，应使用厢式货车运输，运输时应保证车门锁牢。对于运输瓶装气体的车辆，应保证车厢内空气流通。

（3）运输液化气体、易燃液体和剧毒液体时，应使用不可移动罐体车、拖挂罐体车或罐式集装箱。罐式集装箱应符合 GB/T 16563 的规定。

（4）运输放射性物品，应使用核定载质量在 1 吨及以下的厢式或者封闭货车。

（5）运输危险品的常压罐体，应符合 GB 18564 规定的要求。

（6）运输危险品的压力罐体，应符合 GB 150 规定的要求。

（7）运输放射性物品的车辆，应符合 GB 11806 规定的要求。

（8）运输需控温危险品的车辆，应有有效的温控装置。

（9）运输危险品的罐式集装箱，应使用集装箱专用车辆。

五、《道路危险货物运输管理规定》对专用车辆、设备管理的要求

（1）道路危险品运输企业或者单位应当按照《道路货物运输及站场管理规定》中有关车辆管理的规定，维护、检测、使用和管理专用车辆，确保专用车辆技术状况良好。

（2）设区的市级道路运输管理机构应当定期对专用车辆进行审验，每年审验一次。审验按照《道路货物运输及站场管理规定》进行，并增加以下审验项目：

①专用车辆投保危险品承运人责任险情况；

②必需的应急处理器材、安全防护设施设备和专用车辆标志的配备情况；

③具有行驶记录功能的卫星定位装置的配备情况。

（3）禁止使用报废的、擅自改装的、检测不合格的、车辆技术等级达不到一级的和其他不符合国家规定的车辆从事道路危险品运输。

除铰接列车、具有特殊装置的大型物件运输专用车辆外，严禁使用货车列车从事危险品运输。倾卸式车辆只能运输散装硫黄、萘饼、粗蒽、煤焦沥青等危险品。

禁止使用移动罐体（罐式集装箱除外）从事危险品运输。

（4）运输剧毒化学品、爆炸品专用车辆及罐式专用车辆（含罐式挂车）应当到具备道路危险品运输车辆维修资质的企业进行维修。

牵引车以及其他专用车辆由企业自行消除危险品的危害后，可到具备一般车辆维修资质的企业进行维修。

（5）用于装卸危险品的机械及工具的技术状况应当符合行业标准《汽车运输危险货物规则》（JT 617）规定的技术要求。

（6）罐式专用车辆的常压罐体应当符合《道路运输液体危险货物罐式车辆第 1 部分：金属常压罐体技术要求》（GB 18564.1）、《道路运输液体危险货物罐式车辆第 2 部分：非金属常压罐体技术要求》（GB 18564.2）等有关技术要求。

使用压力容器运输危险品的，应当符合国家特种设备安全监督管理部门制定并公布的《移动式压力容器安全技术监察规程》（TSG R0005）等有关技术要求。

压力容器和罐式专用车辆应当在质量检验部门出具的压力容器或者罐体检验合格的有效期内承运危险品。

（7）道路危险品运输企业或者单位对重复使用的危险品包装物、容器，在重复使用前应当进行检查；发现存在安全隐患的，应当维修或者更换。

道路危险品运输企业或者单位应当对检查情况作出记录，记录的保存期限不得少于 2 年。

（8）道路危险品运输企业或者单位应当到具有污染物处理能力的机构对常压罐体进行清洗（置换）作业，将废气、污水等污染物集中收集，消除污染，不得随意排放，污染环境。

（9）不得使用罐式专用车辆或者运输有毒、感染性、腐蚀性危险品的专用车辆运输普通货物。

其他专用车辆可以从事食品、生活用品、药品、医疗器具以外的普通货物运输，但应当由运输企业对专用车辆进行消除危害处理，确保不对普通货物造成污染、损害。

不得将危险品与普通货物混装运输。

（10）专用车辆应当按照国家标准《道路运输危险货物车辆标志》（GB 13392）的要求悬挂标志。

（11）专用车辆应当配备符合有关国家标准以及与所载运的危险品相适应的应急处理器材和安全防护设备。

（12）道路危险品运输企业或者单位使用罐式专用车辆运输货物时，罐体载货后的总质量应当和专用车辆核定载质量相匹配；使用牵引车运输货物时，挂车载货后的总质量应当与牵引车的准牵引总质量相匹配。

模块四　道路危险品运输相关人员基本条件和岗位职责

☞ 案例导入

据美国媒体报道，2015 年 1 月 9 日上午，一辆载有危险品的卡车与一辆载有烟花的卡车在密歇根州卡拉马祖附近的 94 号州际公路上相撞起火。由于路面积雪结冰，随后造成约 150 辆汽车连环相撞，包括 4 辆卡车在内的 6 辆汽车起火。事故造成至少 1 人死亡，另有 10 多名伤者被送往医院。事故造成密歇根州南部的主要东西向交通大动脉 94 号州际公路的卡拉马祖至巴特尔克里克 6 km 多的路段被双向关闭。美国国家气象局信息显示，从 8 日下午至 9 日上午，事发地区的降雪量超过 12 cm。低温再加上大风，使得当地路况十分恶劣。

资料来源中国化学品安全协会 http://www.chemicalsafety.org.cn

任务一 熟知道路危险品运输驾驶人员基本条件和岗位职责

一、驾驶人员需具备的基本条件

(1)取得相应的机动车驾驶证。

(2)3 年内无重大以上交通责任事故。

(3)年龄不超过 60 周岁。

(4)取得经营性道路旅客运输或者货物运输驾驶员从业资格 2 年以上。

(5)接受相关法规、安全知识、专业技术、职业卫生防护和应急救援知识的培训,了解危险品性质、危害特征、包装容器的使用特性和发生意外时的应急措施。

(6)经考试合格,取得相应的从业资格证件。

二、驾驶人员的岗位职责及要求

(1)上岗时应当随身携带从业资格证。出车前应检查随车携带的道路运输危险品安全卡是否与所运危险品一致。按照有关规定对车辆安全技术状况进行严格检查,发现故障应立即排除。

(2)必须熟悉有关安全生产的法规、技术标准和安全生产规章制度、安全操作规程。

(3)了解所装运危险品的性质、危害特性、包装物或者容器的使用要求和发生意外事故时的处置措施。并根据所运危险品特性,应随车携带遮盖、捆扎、防潮、防火、防毒等工、属具和应急处理设备、劳动防护用品。

(4)装车完毕后,驾驶员应对货物的堆码、遮盖、捆扎等安全措施及影响车辆启动的不安全因素进行检查,确认无不安全因素后方可起步,并负责监管运输全过程。在运输途中应经常检查货物装载情况,发现问题及时采取措施。

(5)严格执行《汽车运输危险货物规则》(JT 617)、《汽车运输、装卸危险货物作业规程》(JT 618)等标准,不得违章作业。

(6)在运输危险品时,严格遵守有关部门关于危险品运输线路、时间、速度方面的有关规定,并遵守有关部门关于剧毒、爆炸危险品道路运输车辆在重大节假日通行高速公路的相关规定。

(7)应当按照规定参加国家相关法规、职业道德及业务知识培训。

(8)应当按照道路交通安全主管部门指定的行车时间和路线运输危险品,不得超限、超载运输,连续驾驶时间不得超过 4 h,一次连续驾驶 4 h 应休息 20 min 以上,24 h 内实际驾驶车辆时间累计不得超过 8 h。

(9)应当按照规定填写行车日志。运输过程中需要停车住宿或遇有无法正常运输的情况时,应向当地公安部门报告。

(10)运输危险品的车辆在一般道路上最高车速为 60 km/h,在高速公路上最高车速为 80 km/h,并应确认有足够的安全车间距离。如遇雨天、雪天、雾天等恶劣天气,最高车速为 20 km/h,并打开示警灯,警示后车,防止追尾。

(11)不得擅自改变运输作业计划。

(12)在道路危险品运输过程中发生燃烧、爆炸、污染、中毒或者被盗、丢失、流散、泄漏等事故,应当立即向当地公安部门和所在运输企业或者单位报告,说明事故情况、危险品品名和特性,并采取一切可能的警示措施和应急措施,积极配合有关部门进行处置。

(13)车辆发生故障需修理时,应选择在安全地点和具有相关资质的汽车修理企业进行。

(14)不能在装卸作业区内维修运输危险品的车辆。

(15)对装有易燃易爆的和有易燃易爆残留物的运输车辆,不能动火修理。确需修理的车辆,应向当地公安部门报告,根据所装载的危险品特性,采取可靠的安全防护措施,并在消防员监控下作业。

(16)运输过程中遇有天气、道路路面状况发生变化,应根据所载危险品特性,及时采取安全防护措施。遇有雷雨时,不得在树下、电线杆、高压线、铁塔、高层建筑及容易遭到雷击和产生火花的地点停车。若要避雨时,应选择安全地点停放。遇有泥泞、冰冻、颠簸、狭窄及山崖等路段时,应低速缓慢行驶,防止车辆侧滑、打滑及危险品剧烈震荡等,确保运输安全。

任务二　熟知道路危险品运输押运人员基本条件和岗位职责

一、押运人员需具备的基本条件

(1)年龄不超过60周岁。

(2)初中以上学历。

(3)接受相关法规、安全知识、专业技术、职业卫生防护和应急救援知识的培训,了解危险品性质、危害特征、包装容器的使用特性和发生意外时的应急措施。

(4)经考试合格,取得相应的从业资格证件。

二、押运人员的岗位职责及要求

(1)应当对道路危险品运输进行全程监管。

(2)应当严格按照《汽车运输危险货物规则》(JT 617)、《汽车运输、装卸危险货物作业规程》(JT 618)操作,不得违章作业。

(3)在道路危险品运输过程中发生燃烧、爆炸、污染、中毒或者被盗、丢失、流散、泄漏等事故,应当立即向当地公安部门和所在运输企业或者单位报告,说明事故情况、危险品品名和特性,并采取一切可能的警示措施和应急措施,积极配合有关部门进行处置。

(4)运输危险品过程中,押运人员应密切注意车辆所装载的危险品,根据危险品性质定时停车检查,发现问题及时会同驾驶人员采取措施妥善处理。驾驶人员、押运人员不得擅自离岗、脱岗。

(5)运输过程中如发生事故时,押运人员应和驾驶员人立即向当地公安部门及安全生产管理部门、环境保护部门、质检部门报告,并应看护好车辆、货物,共同配合采取一切可能的警示、救援措施。

任务三 熟知道路危险品装卸管理人员基本条件和岗位职责

一、装卸管理人员需具备的基本条件

(1)年龄不超过60周岁。

(2)初中以上学历。

(3)接受相关法规、安全知识、专业技术、职业卫生防护和应急救援知识的培训,了解危险品性质、危害特征、包装容器的使用特性和发生意外时的应急措施。

(4)经考试合格,取得相应的从业资格证件。

二、装卸管理人员的岗位职责及要求

(1)道路危险品运输装卸管理人员应当按照安全作业规程对道路危险品装卸作业进行现场监督,确保装卸安全。

(2)应当严格按照《汽车运输危险货物规则》(JT 617)、《汽车运输、装卸危险货物作业规程》(JT 618)操作,不得违章作业。

(3)运输危险品的车辆应按装卸作业的有关安全规定驶入装卸作业区,应停放在容易驶离作业现场的方位上,不准堵塞安全通道。停靠货垛时,应听从作业区业务管理人员的指挥,车辆与货垛之间要留有安全距离。待装卸的车辆与装卸中的车辆应保持足够的安全距离。

(4)装卸作业前,车辆发动机应熄火,并切断总电源(需从车辆上取得动力的除外)。在有坡度的场地装卸货物时,应采取防止车辆溜坡的有效措施。

(5)进入易燃、易爆危险品装卸作业区时应:①禁止随身携带火种;②关闭随身携带的手机等通信工具和电子设备;③严禁吸烟;④穿着不产生静电的工作服和不带铁钉的工作鞋。

(6)装卸作业前应对照运单,核对危险品名称、规格、数量,并认真检查货物包装。货物的安全技术说明书、安全标志、标识、标志等与运单不符或包装破损、包装不符合有关规定的货物应拒绝装车。

(7)装卸作业时应根据危险品包装的类型、体积、质量(重量)、件数等情况和包装储运图示标志的要求,采取相应的措施,轻装轻卸,谨慎操作。同时应做到:

①堆码整齐,紧凑牢靠,易于点数。

②装车堆码时,桶口、箱盖朝上,允许横倒的桶口及袋装货物的袋口应朝里;卸车堆码时,桶口、箱盖朝上,允许横倒的桶口及袋装货物的袋口应朝外。

③装卸平衡。堆码时应从车厢两侧向内错位骑缝堆码,高出栏板的最上一层包装件,堆码超出车厢前挡板的部分不得大于包装件本身高度的二分之一。

④装车后,货物应用绳索捆扎牢固。易滑动的包装件,需用防散失的网罩覆盖并用绳索捆扎牢固或用毡布覆盖严密;需用多块毡布覆盖货物时,两块毡布中间接缝处须有大于15 cm的重叠覆盖,且货厢前半部分毡布需压在后半部分的毡布上面。

⑤包装件体积为450 L以上的易滚动危险品应紧固。

⑥带有通气孔的包装件不准倒置、侧置，防止所装货物泄漏或混入杂质，造成危害。

(8)装卸过程中需要移动车辆时，应先关上车厢门或栏板。若车厢门或栏板在原地关不上时，应有人监护，在保证安全的前提下才能移动车辆。起步要慢，停车要稳。

(9)装卸危险品的托盘、手推车应尽量专用。装卸前，要对装卸机具进行检查。装卸爆炸品、有机过氧化物、剧毒品时，装卸机具的最大装载量应小于其额定负荷的75%。

(10)危险品装卸完毕，作业现场应清扫干净。装运过剧毒品和受到危险品污染的车辆、工具应按JT 617—2004中附录E车辆清洗消毒方法洗刷和除污。危险品的撒漏物和污染物应送到当地环保部门指定地点集中处理。

模块五　道路包装危险品运输、装卸要求

☞ 案例导入

2015年9月8日，一辆由陕西拉运冰乙酸送至蒙西工业园区的危险品车在途经千里山工业园区北区华信焦化北侧三岔路口时发生倾覆，连车带料共计30吨。车辆倾覆致使少量冰乙酸泄漏，因下雨，冰乙酸泄漏量无法估算。经现场监测，冰乙酸浓度超过90%。环保局与消防等部门配合，使用沙袋设置围堰，阻挡冰乙酸随雨水排入黄河，并调取石灰对泄漏现场进行处置。市、区两级监测人员正在对污染状况进行实时监测。现场环境监察人员用石灰搅拌冰乙酸做中和处理。两辆抽污车将40立方米稀释废水拉至千里山工业园区固体废物堆场倾倒，并用石灰和黄土进行搅拌清理。罐车翻倒现场部分稀释废水已用黄土和白灰进行搅拌清理，清理拌和物60吨。

资料来源中国化学品安全协会 http://www.chemicalsafety.org.cn

任务一　熟知爆炸品运输、装卸要求

一、出车前

(1)运输爆炸品应使用厢式货车。

(2)厢式货车的车厢内不得有酸、碱、氧化剂等残留物。

(3)不具备有效的避雷电、防潮湿条件时，雷雨天气应停止对爆炸品的运输、装卸作业。

二、运输

(1)应按公安部门核发的道路通行证所指定的时间、路线等行驶。

(2)运输过程中发生火灾时，应尽可能将爆炸品转移到危害最小的区域或进行有效隔离。不能转移、隔离时，应组织人员疏散。

(3)施救人员应戴防毒面具。扑救时禁止用沙土等物压盖，不得使用酸碱灭火剂。

三、装卸

(1)严禁接触明火和高温，严禁使用会产生火花的工具、机具。

(2)车厢装货总高度不得超过1.5 m。无外包装的金属桶只能单层摆放,以免压力过大或撞击摩擦引起爆炸。

(3)火箭弹和旋上引信的炮弹应横装,与车辆行进方向垂直。凡从1.5 m以上高度跌落或经过强烈震动的炮弹、引信、火工品等应单独存放,未经鉴定不得装车运输。

(4)任何情况下,爆炸品不得配装。装运雷管和炸药的两车不得同时在同一场地进行装卸。

任务二　熟知压缩气体和液化气体运输、装卸要求

一、出车前

(1)车厢内不得有与所装货物性质相抵触的残留物。

(2)夏季运输应检查并保证瓶体遮阳、瓶体冷水喷淋降温设施等安全有效。

二、运输

(1)运输中,低温液化气体的瓶体及设备受损、真空度遭破坏时,驾驶人员、押运人员应站在上风处操作,打开放空阀泄压,同时应注意防止灼伤。一旦出现紧急情况,驾驶人员应将车辆转移到距火源较远的地方。

(2)压缩气体遇燃烧、爆炸等险情时,应向气瓶大量浇水使其冷却,并及时将气瓶移出危险区域。

(3)从火场上救出的气瓶,应及时通知有关技术部门另作处理,不可擅自继续运输。

(4)发现气瓶泄漏时,应确认拧紧阀门,并根据气体性质做好相应的人身防护。

①施救人员应戴上防毒面具,站在上风处抢救;

②易燃、助燃气体气瓶泄漏时,严禁靠近火种;

③有毒气体气瓶泄漏时,应迅速将所装载车辆转移到空旷安全处。

(5)除另有限运规定外,当运输过程中瓶内气体的温度高于40 ℃时,应对瓶体实施遮阳、冷却喷淋降温等措施。

三、装卸

(1)装卸人员应根据所装气体的性质穿戴好防护用品,必要时戴好防毒面具。用起重机装卸大型气瓶或气瓶集装架(格)时,应戴好安全帽。

(2)装车时要拧紧瓶帽,注意保护气瓶阀门,防止撞坏。车下人员须待车上人员将气瓶放置妥当后,才能继续往车上装瓶。在同一车厢内不准有两人以上同时单独往车上装瓶。

(3)气瓶应尽量采用直立运输,直立气瓶高出栏板部分不得超过气瓶高度的四分之一。不允许纵向水平装载气瓶。水平放置的气瓶均应横向平放,瓶口朝向应统一。水平放置最上层气瓶不得超过车厢栏板高度。

(4)妥善固定瓶体,防止气瓶窜动、滚动,保证装载平衡。

(5)卸车时,要在气瓶落地点铺上铅垫或橡皮垫。应逐个卸车,严禁溜放。

(6)装卸作业时,不要把阀门对准人身,注意防止气瓶安全帽脱落,气瓶应直立转动,不

准脱手滚瓶或传接,气瓶直立放置时应稳妥牢靠。

(7)装运大型气瓶(盛装净重0.5 t以上的)或气瓶集装架(格)时,气瓶与气瓶、集装架与集装架之间需填牢填充物,在车厢栏板与气瓶空隙处应有固定支撑物,并用紧绳器紧固,严防气瓶滚动,重瓶不准多层装载。

(8)装卸有毒气体时,应预先采取相应的防毒措施。

(9)装货时,漏气气瓶、严重损坏瓶(报废瓶)、异型瓶不准装车。收回漏气气瓶时,漏气气瓶应装在车厢的后部,不得靠近驾驶室。

(10)装卸氧气瓶时,工作服、手套和装卸工具、机具上不得沾有油脂。装卸氧气瓶的机具应采用氧溶性润滑剂,并应装有防止产生火花的防护装置。不得使用电磁起重机搬运。库内搬运氧气瓶应采用带有橡胶车轮的专用小车,小车上固定氧气瓶的槽、架也要注意不产生静电。

(11)配装时应做到:

①易燃气体中除非助燃性的不燃气体、易燃液体、易燃固体、碱性腐蚀品、其他腐蚀品外,不得与其他危险品配装;

②助燃气体(如空气、氧气及具有氧化性的有毒气体)不得与易燃易爆物品及酸性腐蚀品配装;

③不燃气体不得与爆炸品、酸性腐蚀品配装;

④有毒气体不得与易燃易爆物品、氧化剂和有机过氧化物、酸性腐蚀物品配装;

⑤有毒气体液氯与液氨不得配装。

任务三　熟知易燃液体运输、装卸要求

一、出车前

根据所装货物和包装情况(如化学试剂、油漆等小包装),随车携带好遮盖、捆扎等防散失工具,并检查随车灭火器是否完好,车辆货厢内不得有与易燃液体性质相抵触的残留物。

二、运输

装运易燃液体的车辆不得靠近明火、高温场所。

三、装卸

(1)装卸作业现场应远离火种、热源。操作时货物不准撞击、摩擦、拖拉。装车堆码时桶口、箱盖一律向上,不得倒置。集装货物,堆码整齐。装卸完毕,应罩好网罩,捆扎牢固。

(2)钢桶盛装的易燃液体,不得从高处翻滚溜放卸车。装卸时应采取措施防止产生火花,周围需有人员接应,严防钢桶撞击致损。

(3)钢制包装件多层堆码时,层间应采取合适衬垫,并应捆扎牢固。

(4)对低沸点或易聚合的易燃气体,若发现其包装容器内装物有膨胀(鼓桶)现象时,不得装车。

任务四 熟知易燃固体、易于自燃的物质、遇水放出易燃气体的物质运输、装卸要求

一、出车前

(1)运输危险品车辆的货厢,随车工、属具不得沾有水、酸类和氧化剂。

(2)运输遇湿易燃物品,应采取有效的放水、防潮措施。

二、运输

(1)运输过程中,应避开热辐射,通风良好,防止受潮。

(2)雨雪天气运输遇湿易燃物品,应保证防雨雪、防潮湿措施切实有效。

三、装卸

(1)装卸场所及装卸用工、属具应清洁干燥,不得沾有酸类和氧化剂。

(2)搬运时应轻装轻卸,不得摩擦、撞击、震动、摔碰。

(3)装卸自燃物品时,应避免与空气、氧化剂、酸类等接触。对需用水(如黄磷)、煤油、石蜡(如金属钠、钾)、惰性气体(如三乙基铝等)或其他稳定剂进行防护的包装件,应防止容器受撞击、震动、摔碰、倒置等造成容器破损,避免自燃物品与空气接触发生自燃。

(4)遇湿易燃物品不宜在潮湿的环境下装卸。若不具备防雨雪、防潮湿的条件,不准进行装卸作业。

(5)装卸容易升华、挥发出易燃、有害或刺激性气体的货物时,现场应通风良好,防止中毒。作业时应防止摩擦、撞击,以免引起燃烧、爆炸。

(6)装卸钢桶包装的碳化钙(电石)时,应确认包装内有无填充保护气体(氮气)。如未填充的,在装卸前应侧身轻轻的拧开桶上的通气孔放气,防止爆炸、冲击伤人。电石桶不得倒置。

(7)装卸对撞击敏感,遇高热、酸易分解、爆炸的自反应物质和有关物质时,应控制温度,且不得与酸性腐蚀品及有毒或易燃脂类危险品配装。

(8)配装时还应做到:

①易燃固体不得与明火、水接触,不得与酸类和氧化剂配装;

②遇湿易燃物品不得与酸类、氧化剂及含水的液体货物配装。

任务五 熟知氧化剂和有机过氧化物运输、装卸要求

一、出车前

(1)有机过氧化物应选用控温厢式货车运输,若车厢为铁质底板,需铺有防护衬垫。车厢应隔热、防雨、通风,保持干燥。

(2)运输货物的车厢与随车工具不得沾有酸类、煤炭、砂糖、面粉、淀粉、金属粉、油脂、磷、硫、洗涤剂、润滑剂或其他松软、粉状可燃物质。

(3)性质不稳定或由于聚合、分解在运输中能引起剧烈反映的危险品,应加入稳定剂。有些常温下会加速分解的货物,应控制温度。

(4)运输需要控温的危险品应做到:

①装车前检查运输车辆、容器及制冷设备;

②配备备用制冷系统或备用部件;

③驾驶人员和押运人员应具备熟练操作制冷系统的能力。

二、运输

(1)有机过氧化物应加入稳定剂后方可运输。

(2)有机过氧化物的混合物按所含最高危险有机过氧化物的规定条件运输,并确认自行加速分解温度(SADT),必要时应采取有效控温措施。

(3)运输应控制温度的有机过氧化物时,要定时检查运输组件内的环境温度并记录,及时关注温度变化,必要时采取有效控温措施。

(4)运输过程中,环境温度超过控制温度时,应采取相应补救措施。环境温度超过应急温度,应启动有关应急程序。其中,控制温度低于应急温度,应急温度低于自行加速分解温度(SADT)。

三、装卸

(1)对加入稳定剂或需控温运输的氧化剂和有机氧化物,作业时应认真检查包装,密切注意包装有无渗漏及膨胀(鼓桶)情况,发现异常应拒绝装运。

(2)装卸时,禁止摩擦、震动、摔碰、拖拉、翻滚、冲击,防止包装及容器损坏。

(3)装卸时发现包装破损,不能自行将破损件改换包装,不得将撒漏物装入原包装内,而应另行处理。操作时,不得踩踏、碾压撒漏物,禁止使用金属和可燃物(如纸木等)处理撒漏物。

(4)外包装为金属容器的货物,应单层摆放。需要堆码时,包装物之间应有性质与所运货物相容的不燃材料衬垫并加固。

(5)有机过氧化物装卸时严禁混有杂质,特别是酸类、重金属氧化物、胺类等物质。

(6)配装时还应做到:

①氧化剂不能和易燃物质配装运输,尤其不能与酸、碱、硫黄、粉尘类(炭粉、糖粉、面粉、洗涤剂、润滑剂、淀粉)及油脂类货物配装;

②漂白粉及无机氧化物中的亚硝酸盐、亚氯酸盐、次亚氯酸盐不得与其他氧化剂配装。

任务六 熟知毒性物质和感染性物质运输、装卸要求

一、毒性物质运输、装卸要求

(一)出车前

除有特殊包装要求的剧毒品采用化工物品专业罐车运输外,毒性物质应采用厢式货车速输。

(二)运输

运输毒性物质过程中,押运人员要严密监视,防止货物丢失、撒漏。行车时要避开高温、明火场所。

(三)装卸

(1)装卸作业前,对刚开启的仓库、集装箱、封闭式车厢要先通风排气,驱除积聚的有毒气体。当装卸场所的各种毒性物质浓度低于最高容许浓度时方可作业。

(2)作业人员应根据不同货物的危险特性,穿戴好相应的防护服装、手套、防毒口罩、防毒面具和护目镜等。

(3)认真检查毒性物质的包装,应特别注意剧毒毒性物质、粉状的毒性物质的包装,外包装表面应无残留物。发现包装破损、渗漏等现象,则拒绝装运。

(4)装卸作业时,作业人员尽量站在上风处,不能停留在低洼处。

(5)避免易碎包装件、纸质包装件的包装损坏,防止毒性物质撒漏。

(6)货物不得倒置。堆码要靠紧堆齐,桶口、箱口向上,袋口朝里。

(7)对刺激性较强的和散发异臭的毒性物质,装卸人员应采取轮班作业。

(8)在夏季高温期,尽量安排在早晚气温较低时作业。晚间作业应采用防爆式或封闭式安全照明。积雪、冰封时作业,应有防滑措施。

(9)忌水的毒性物质(如磷化铝、磷化锌等),应防止受潮。装运毒害品之后的车辆及工、属具要严格清洗消毒,未经安全管理人员检验批准,不得装运食用、药用的危险品。

(10)配装时应做到:

①无机毒性物质不得与酸性腐蚀品、易感染性物品配装;

②有机毒性物质不得与爆炸品、助燃气体、氧化剂、有机过氧化物及酸性腐蚀物品配装;

③毒性物质严禁与食用、药用的危险品同车配装。

二、感染性物质运输、装卸要求

(一)出车前

(1)应穿戴专用安全防护服和用具。

(2)认真检查盛装感染性物品的每个包装件外表的警示标志,核对医疗废物标签。标

签内容包括：医疗废物产生单位、产生日期、类别及需要的特别说明等。标签、封口不符合要求时，拒绝运输。

（二）运输

（1）运输感染性物品，应经有关的卫生检疫机构的特许。

（2）运输医疗废物，应符合 JT 617—2004 的 9.7 的要求。

（3）运输医疗废物，应按照有关部门规定的时间和路线，从产生地点运送至指定地点。

（4）车厢内温度应控制在所运医疗废物要求的温度范围之内。

（三）装卸

（1）根据不同的医疗废物分类，作业人员在工作中应穿戴好相应的防护服装、手套、防毒口罩、面具和护目镜等。

（2）作业人员受到医疗废物刺伤、擦伤等伤害时，应采取相应的处理措施，并及时报告相关部门。

任务七　熟知腐蚀品运输、装卸要求

一、出车前

根据危险品性质配备相应的防护用品和应急处理器具。

二、运输

（1）运输过程中发现货物撒漏时，要立即用干沙、干土覆盖吸收。货物大量溢出时，应立即向当地公安、环保等部门报告，并采取一切可能的警示和消除危害措施。

（2）运输过程中发现货物着火时，不得用水柱直接喷射，以防腐蚀品飞溅，应用水柱向高空喷射形成雾状覆盖火区。对遇水发生剧烈反应，能燃烧、爆炸或放出有毒气体的货物，不得用水扑救。着火货物是强酸时，应尽可能抢出货物，以防止高温爆炸、酸液飞溅。无法抢出货物时，可用大量水降低容器温度。

（3）扑救易散发腐蚀性蒸气或有毒气体的货物时，应穿戴防毒面具和相应的防护用品。扑救人员应站在上风处施救。如果被腐蚀物品灼伤，应立即用流动自来水或清水冲洗创面 15 ~ 30 min，之后送医院救治。

三、装卸

（1）装卸作业前应穿戴具有防腐蚀功能的防护用品，并穿戴带有面罩的安全帽。对易散发有毒蒸气或烟雾的，应配备防毒面具。认真检查包装、封口是否完好，要严防渗漏，特别要防止内包装破损。

（2）装卸作业时，应轻装、轻卸，防止容器受损。液体腐蚀品不得肩扛、背负，忌震动、摩擦。易碎容器包装的货物，不得拖拉、翻滚、撞击。外包装没有封盖的组合包装件不得堆码装运。

(3)具有氧化性的腐蚀品不得接触可燃物和还原剂。

(4)有机腐蚀品严禁接触明火、高温或氧化剂。

(5)配装时应做到:

①特别注意腐蚀品不得与普通货物配装;

②酸性腐蚀品不得与碱性腐蚀品配装;

③有机酸性腐蚀品不得与有氧化性的无机酸性腐蚀品配装;

④浓硫酸不得与任何其他物质配装。

模块六 道路散装危险品运输、装卸要求

☞ 案例导入

2005 年 3 月 29 日晚 6 时许,一辆满载液氯的槽车沿京沪高速由北向南行驶至江苏淮安段某处时,左前轮爆胎,冲断高速公路中间隔离栏至逆向车道,与由南向北行驶的载有液化气空钢瓶的卡车相撞并翻车,导致液氯槽车车头与罐体脱离,槽罐车上满载的约 32 吨液态氯气大面积泄漏。液化气空钢瓶的卡车司机当场死亡。槽罐车驾驶员没有及时报警,逃离事故现场,延误了最佳抢险救援时机,造成了公路旁三个乡镇村民重大伤亡。据有关报道称,事故造成中毒死亡者达 27 人,送医院治疗 285 人,组织疏散村民群众近 1 万人,大量家畜、家禽、农作物死亡和损失,直接经济损失 1 700 余万元人民币,造成京沪高速公路宿迁至宝应段关闭 20 个小时。

资料来源:中国驾驶员学习网 http://www.anjia365.com

任务 熟知散装危险品运输、装卸要求

一、散装固体运输、装卸要求

(1)运输散装固体的车辆的车厢应采取衬垫措施,防止撒漏。应带好装卸工、属具和苫布。

(2)易撒漏、飞扬的散装粉状危险品,装车后应用苫布遮盖严密,必要时应捆扎结实,防止飞扬,包装良好方可装运。

(3)行车中尽量防止货物窜动、甩出车厢。

(4)高温季节,散装煤焦沥青应在早晚时段进行装卸。

(5)装卸硝酸铵时,环境温度不得超过 40 ℃,否则应停止作业。装卸现场应保持足够的水源以降温和应急。

(6)装卸会散发有害气体、粉尘或致病微生物的散装固体,应注意人身保护并采取必要的预防措施。

二、散装液体运输、装卸要求

(1)运输易燃液体的罐车应有阻火器和呼吸阀,应配备导除静电装置,排气管应安装熄

灭火星装置。罐体内应设置防波挡板，以减少液体震荡产生静电。

(2)装卸作业可采用泵送或自流灌装。

(3)作业环境温度要适应该液体的储存和运输安全的理化性质要求。

(4)作业中要密切注视货物动态，防止液体泄漏、溢出。需要换罐时，应掀开空罐，后关满罐。

(5)易燃液体装卸始末，管道内流速不得超过1 m/s，正常作业流速不宜超过3 m/s。其他液体产品可采用经济流速。

(6)装卸料管应专管专用。

(7)装卸作业结束后，应将装卸管道内剩余的液体清扫干净。可采用泵吸或氮气清扫易燃液体装卸管道。

三、散装气体运输、装卸要求

(一)出车前

(1)根据所装危险品的性质选择罐体。与罐壳材料、垫圈、装卸设备及任何防护衬料接触可能发生反应而形成危险产物或明显减损材料强度的货物，不得充灌。

(2)装卸前应对罐体进行检查，罐体应符合下列要求：

①罐体无渗漏现象；

②罐体内应无与待装货物性质相抵触的残留物；

③阀门应能关紧，且无渗漏现象；

④罐体与车身应紧固，罐体盖应严密；

⑤装卸料导管状况应良好无渗漏；

⑥装运易燃易爆的货物，导除静电装置应良好；

⑦罐体改装其他液体时，应经过清洗和安全处理，检验合格后方可使用。清洗罐体的污水经处理后，按指定地点排放。

(二)运输

(1)在运输过程中罐体应采取防护措施，防止罐体受到横向、纵向的碰撞及翻倒时导致罐壳及其装卸设备损坏。

(2)化学性质不稳定的物质，需采取必要的措施后方可运输，以防止运输途中发生危险性的分解、化学变化或聚合反应。

(3)运输过程中，罐壳(不包括开口及其封闭装置)或隔热层外表面的温度不应超过70 ℃。

(三)装卸

(1)装卸作业现场应通风良好。装卸人员应站在上风处作业。

(2)装卸前要联好防静电装置。易燃易爆品的装卸工具要有防止产生火花的性能。装卸时应密切注视进出料情况，防止溢出。

(3)装料时，认真核对货物品名后按车辆核定吨位装载，并应按规定留有膨胀余位，严禁超载。装料后，关紧罐体进料口，将导管中的残留液体或残留气体排放到指定地点。

(4)卸料时，贮罐所标货名应与所卸货物相符。卸料导管应支撑固定，保证卸料导管与阀门的连接牢固；要逐渐缓慢开启阀门。

(5)卸料时，装卸人员不得擅离操作岗位。卸料后应收好卸料导管、支撑架及防静电设施等。

四、液化气体运输、装卸要求

此处的液化气体是指“压缩气体和液化气体”中的液化气体。

(一)一般规定

(1)车辆进入贮罐区前，应停车提起导除静电装置，进入充灌车位后再接好导除静电装置。

(2)灌装前，应对罐体阀门和附件(安全阀、压力计、液位计、温度计)以及冷却、喷淋设施的灵敏度和可靠性进行检查，并确认罐体内有规定的余压。如无余压的，经检验合格后方可充灌。

(3)严格按规定控制灌装量，做好灌装量复核、记录，严禁超缝、超温、超压。

(4)发生下列异常情况时，一律不准灌装。操作人员应立即采取紧急措施，并及时报告有关部门：

①容器工作压力、介质温度或壁温超过许可值，采取各种措施仍不能使之下降；

②容器的主要受压元件发生裂缝、鼓包、变形、泄漏等缺陷而危及安全；

③安全附件失效、接管断裂或紧固件损坏，难以保证运输安全；

④雷雨天气，充装现场不具备避雷电作用；

⑤充装易燃易爆气体时，充装现场附近发生火灾。

(5)禁止用直接加热罐体的方法卸液。卸液后，罐体内应留有规定的余压。

(6)运输过程中应严密注视车内压力表的工作情况，发现异常，应立即停车检查，排除故障后方可继续运行。

(二)非冷冻液化气体运输、装卸要求

(1)非冷冻液化气体的单位体积最大质量(kg/L)，不得超过 50 ℃时该液化气体密度的 0.95 倍。罐体在 60 ℃时不得充满液化气体。

(2)装载后的罐体不得超过最大允许总重，并且不得超过所运各种气体的最大允许载重。

(3)罐体在下列情况下不得交付运输：

①罐体处于不足量状态，由于罐体压力骤增可能产生不可承受的压力；

②罐体渗漏时；

③罐体的损坏程度已影响到罐体的总体及其起吊或紧固设备；

④罐体的操作设备未经过检验，不清楚是否处于良好的工作状态。

(三)冷冻液化气体运输、装卸要求

(1)不可使用保温效果变差的罐体。

(2)充灌度不超过 92%，且不得超重。

(3)装卸作业时,装卸人员应穿戴防冻伤的防护用品(如防冻手套),并穿戴带有面罩的安全帽。

五、有机过氧化物和易燃固体中的自反应物质运输、装卸要求

此条款适用于运输自行加速分解温度(SADT)为 55 ℃或以上的有机过氧化物和易燃固体项中的自反应物质。

(1)罐体应配置感温装置。

(2)罐体应有泄压安全装置和应急释放装置。在达到由有机过氧化物的性质和罐体的结构特点所确定的压力时,泄压安全装置就应启动。罐壳上不允许有易熔化的元件。

(3)罐体的表面应采用白色或明亮的金属。罐体应有遮阳板隔热或保护。如果罐体所运物质的自行加速分解温度(SADT)为 55 ℃或以下,或者罐体为铝质的,罐体则应完全隔热。

(4)环境温度为 15 ℃时,充灌度不得超过 90%。

六、放射性物质运输、装卸要求

(1)运输放射性物质的可移动罐体不得用于装运其他货物。

(2)运输放射性物质的可移动罐体的充灌度不得超过 90%或大于经主管机关批准的其他数值。

七、腐蚀品运输、装卸要求

(1)运输腐蚀品的罐体材料和附属设施应具有防腐性能。

(2)运输腐蚀品的罐车应专车专运。

(3)装卸操作时应注意:

①作业时,装卸人员应站在上风处;

②出车前或灌装前,应检查卸料阀门是否关闭,防止上放下漏;

③卸货前,应让收货人确认卸货贮槽无误,防止放错贮槽引发货物化学反应酿成事故;

④灌装和卸货后,应将进料口盖严盖紧,防止行驶中车辆的晃动导致腐蚀品溅出;

⑤卸料时,应在保证导管与阀门的连接牢固后,逐渐缓慢开启阀门。

模块七　危险品集装箱及部分常见大宗危险品运输、装卸要求

☞ 案例导入

2015 年 1 月 16 日 17 时 52 分,驾驶员曹某驾驶小型面包车行驶至烟台莱州段 305 km + 500 m 饮马池大桥处时,因雪天路滑、桥面结冰,车辆侧滑失控,与路中心护栏碰撞后,停于应急车道和慢车道之间。随后,后方驶来的一辆重型罐式货车(罐体核载 16.23 吨,实载 19.5 吨 93 号汽油)、一辆大型普通客车和一辆小型越野客车相继发生碰撞。碰撞造成重型罐式货车罐体所载汽油泄漏,在重型罐式货车驾驶人下车手工操作关闭罐体紧急切断阀

时,泄漏的汽油起火燃烧。事故造成小型面包车、大型普通客车及小型越野客车烧毁,重型罐式货车损坏,12 人死亡,6 人受伤。

资料来源:山东道路交通安全网 http://sdjtaq.cn/aq_show_12518.html

任务一 清楚危险品集装箱运输、装卸要求

一、装箱作业前

(1)应检查集装箱,确认集装箱技术状态良好并清扫干净,去除无关标志和标牌。

(2)应检查集装箱内有无与待装危险品性质相抵触的残留物。发现问题,应及时通知发货人进行处理。

(3)应检查待装的包装件。破损、撒漏、水湿及沾污其他污染物的包装件不得装箱,对撒漏破损件及清扫的撒漏物交由发货人处理。

二、装箱

(1)不准将性质相抵触、灭火方法不同或易污染的危险品装在同一集装箱内。如符合配装规定而与其他货物配装时,危险品应装在箱门附近。包装件在集装箱内应有足够的支撑和固定。

(2)装箱作业时,应根据装载要求装箱,防止集重和偏重。

三、装箱完毕

(1)装箱完毕,关闭、封锁箱门,并按要求粘贴好与箱内危险品性质相一致的危险品标志、标牌。

(2)熏蒸中的集装箱,应标贴有熏蒸警告符号。当固体二氧化碳(干冰)用作冷却目的时,集装箱外部门端明显处应贴有指示标记或标志,并标明"内有危险的二氧化碳(干冰),进入之前务必彻底通风!"字样。

四、卸箱

(1)集装箱内装有易产生毒害气体或易燃气体的货物时,卸货时应先打开箱门,进行足够的通风后方可进行装卸作业。

(2)对卸空危险品的集装箱要进行安全处理。有污染的集装箱,要在指定地点按规定要求进行清扫或清洗。

(3)装过毒害品、感染性物品、放射性物品的集装箱在清扫或清洗前,应开箱通风。进行清扫或清洗的工作人员应穿戴适用的防护用品。洗箱污水在未作处理之前,禁止排放。经处理过的污水,应符合 GB 8978 的排放标准。

任务二　了解部分常见大宗危险品运输、装卸要求

一、液化石油气运输、装卸要求

此处是指汽车罐车运输液化石油气。

（一）运输

（1）运输液化石油气的罐车应按当地公安部门规定的路线、时间和车速行驶，不准带拖挂车，不得携带其他易燃、易爆危险物品。罐体内温度达到 40 ℃时，应采取遮阳或罐外冷水降温措施。

（2）运输过程中，液化石油气罐车若发生大量泄漏时，应切断一切电源，戴好防护面具与手套，同时应立即采取防火、灭火措施，关闭阀门制止渗漏，并用雾状水保护关闭阀门的人员。设立警戒区，组织人员向逆风方向疏散。一般不得启动车辆。

（二）装卸

（1）作业前应接好安全地线，管道和管接头连接应牢固，并排尽空气。

（2）装卸人员应相对稳定。作业时，驾驶人员、装卸人员均不得离开现场。在正常装卸时，不得随意启动车辆。

（3）新罐车或检修后首次允装的罐车，充装前应作抽真空或充氮置换处理，严禁直接充装。

（4）液化石油气罐车充装时须用地磅、液面计、流量计或其他计量装置进行计量，严禁超载。罐车的充装量不得超过设计所允许的最大充装量。

（5）充装完毕，应复检质量（重量）和液位，并应认真填写充装记录。若有超载，应立即处理。

（6）液化石油气罐车抵达厂（站）后，应及时卸货。罐车不得兼作贮罐用。一般情况不得从罐车向钢瓶直接灌装。如临时确需从罐车直接灌瓶，现场应符合安全防火、灭火要求，并有相应的安全措施，且应预先取得当地公安消防部门的同意。

（7）禁止采用蒸汽直接注入罐车罐内升压或直接加热罐车罐体的方法卸货。

（8）液化石油气罐车卸货后，罐内应留有规定的余压。

（9）凡出现下列情况，罐车应立即停止装卸作业，并作妥善处理：

①雷击天气；

②附近发生火灾；

③检测出液化气体泄漏；

④液压异常；

⑤其他不安全因素。

二、油品

此处是指用常压燃油罐车运输燃油。

(一)运输

当罐车的罐体内温度达到 40 ℃时,应采取遮阳或罐外冷水降温措施。

(二)装卸

(1)在灌油前和放油后,驾驶人员应检查阀门和管盖是否关牢,查看接地线是否接牢,不得敞盖行驶,严禁罐车顶部载物。

(2)燃油罐车可采用泵送或自流灌装。

(3)罐车进加油站卸油时,要有专人监护,避免无关人员靠近。

(4)卸油时发动机应熄火。雷雨天气时,应确认避雷电措施有效,否则应停止卸油作业。

(5)卸油时应夹好导静电接线,接好卸油胶管,当确认所卸油品与贮油罐所贮的油品种类相同时方可缓慢开启卸油阀门。

(6)卸油前要检查油罐的存油量,以防止卸油时冒顶跑油。卸油时应严格控制流速,在油品没有淹没进油管口前,油品的流速应控制在 0.7 ~1 m/s 以内,防止产生静电。

(7)卸油过程要做到不冒、不洒、不漏,各部分接口牢固,卸油时驾驶人员不得离开现场,应与加油站工作人员共同监视卸油情况,发现问题随时采取措施。

(8)卸油时,卸油管应深入罐内。卸油管口至罐底距离不得大于 300 mm,以防喷溅产生静电。

(9)卸油要尽可能卸净,当加油站工作人员确认罐内已无贮油时方可关闭放油阀门,收好放油管,盖严油罐盖。

(10)测量油量要在卸完油 30 min 以后进行,以防测油尺与油液面、油罐之间静电放电。

模块八　危险品运输事故应急预案

☞ 案例导入

2014 年 7 月,某公司一辆运输环氧乙烷的车在一家大型工场里面装货,由于操作失误,管路下面有大量液体泄漏,司机最初的判断是车上的阀门泄漏了,于是就把车上的液下阀关闭,但没有关闭气下阀。整整持续了 20 多分钟后,发现是气下阀泄漏出来的液体。环氧乙烷是易燃易爆危险等级非常高的物品,因为环氧乙烷汽化特别快,地上马上结起了大量的冰柱,当时如果现场有明火,可能整个工厂都会处于火海之中。由于处理及时,避免了一场巨大事故。

资料来源:现代物流报,2015 年 1 月 2 日第 A06 版

任务　了解危险品运输事故应急预案

一、事故应急预案的定义

事故应急预案，是指根据预测危险源、危险目标可能发生事故的类别、危害程度，而制定的事故应急救援方案。一旦发生事故，事故应急预案就是救援行动的指南。

二、制定事故应急救援预案的目的和原则

（一）制定预案的目的

事故发生前充分做好风险管理和隐患管理，出现事故后，需要专业的施救力量、专业的指导和处理措施。“预防为主”是安全生产的原则，然而由于自然灾害、环境因素、人为原因，或由于人们对生产过程中的危险认识的局限性，事故发生的概率还比较高，尤其是重大工业事故未能得到有力遏止。当事故不可避免的时候，有效的应急救援行动是唯一可以抵御事故灾害蔓延和减缓灾害后果的有力措施。所以，如果在事故灾害发生前建立完善的应急救援系统，制订周密的救援计划，组织、培训精干的抢险队伍和配备完善的应急救援设施，而在灾害发生的紧急关头能从容及时地按照预定方案进行有效的应急救援，在短时间内使事故得到有效控制，以及灾害后的系统恢复和善后处理，能够避免或减少事故和灾害的损失，以拯救生命、保护财产、保护环境。

针对事故灾难的应急救援活动，包括减灾、防灾、救灾和灾后恢复这些步骤与环节，只有建立起一个科学、有效、运转良好的体系，才能把各类灾害应急以及应急过程中的各个环节联系组织起来，实现有效控制事态，确保人员生命、财产安全和尽快恢复重建这3个目标。

综上所述，制订重大事故应急救援预案的目的是：(1)采取预防措施使事故控制在局部，消除蔓延条件，防止突发性重大或连锁事故发生；(2)能在事故发生后迅速有效地控制和处理事故，尽力减轻事故对人、财产和环境的影响；(3)尽快恢复生产和正常生活。

（二）制定预案的原则

生产安全是“人—机—环境”系统相互协调，保持最佳“秩序”的状态。事故应急救援预案应由事故的预防和事故发生后损失的控制两个方面构成。

1. 以防为主

从事故预防的角度制定事故应急救援预案。

从事故预防的角度看，事故预防应由技术对策和管理对策共同构成：(1)技术上采取措施，使“机—环境”系统具有保障安全状态的能力；(2)通过管理协调“人”自身及“人—机”系统的关系，以实现整个系统的安全。

值得注意的是，企业职工对生产安全所持的态度、人的能力和人的技术水平是决定能否实现事故预防的关键因素，提高人的素质可以提高事故预防和控制的可靠性。采取预定措施，万一发生事故，也只能在局部，不会蔓延。

“提高系统安全保障能力”和“将事故控制在局部”是事故预防的两个关键点。

2. 防救结合

从事故发生后损失控制的角度制订应急预案。

从事故发生后损失控制的角度看，事先对可能发生事故后的状态和后果进行预测并制定救援措施，一旦发生异常情况：(1)能根据事故应急救援预案及时进行救援处理；(2)可最大限度地避免突发性重大事故发生；(3)减轻事故所造成的损失；(4)同时又能及时地恢复生产。

值得注意的是，事故应急救援预案，要定期地经常演练，才能在事故发生时作出快速反应，投入救援。

“及时进行救援处理”和“减轻事故所造成的损失”是事故损失控制的两个关键点。

三、应急救援系统的组织机构

(1)应急指挥中心。协调应急组织各个机构运作和关系。

(2)事故现场指挥机构。负责事故现场应急的指挥工作、人员调度、资源的有效利用。

(3)支持保障机构。提供应急物质资源和人员支持的后方保障。

(4)媒体机构。安排媒体报道、采访、新闻发布会。

(5)信息管理机构。信息管理、信息服务。

当发生事故时，由信息管理机构首先接收报警信息，并立刻通知应急指挥机构和事故现场指挥机构在最短时间内赶赴事故现场，投入应急工作，并对现场实施必要的交通管制。如有必要，应急指挥机构进而通知媒体和支持保障单位进入工作状态，并协调各机构的运作，保证整个应急行动能有序高效地进行。同时，事故现场指挥机构在现场开展应急的指挥工作，并保持与应急指挥机构的联系，从支持保障机构调用应急所需的人员和物资投入事故的现场应急。同时，信息管理机构为其他各单位提供信息服务。这种应急救援运作能使各机构明确自己的职责，管理统一，从而满足事故应急救援快速、有效的要求。各机构通力合作，不断调整运行状态，协调关系，形成整体，使系统快速、有效、高效地开展现场应急救援。

四、应急预案制定方法与步骤

编制事故应急预案是一项系统工程，它具有严格的科学性和实践性，预案一定要结合实际情况认真细致地考虑到各项影响因素，并经演练的实践考验，不断补充、修改完善。

(1)调查研究，收集资料。这是制订应急预案非常重要的第一步，是制订预案的基础和前提。

(2)全面分析，分析评估的内容为：

①危险源的分析。主要包括有毒、有害、易燃、易爆事故应急处理预案编制指南。危险品生产、运输、仓储等环节单位的名称、地点、种类、数量、分布、产量、储量、危险度、以往事故发生情况和发生事故的诱发因素等.

②危险度评估。事故源潜在危险度的评估就是在对危险源全面调查的基础上，对事故潜在危险度进行全面的科学评估，为确定目标单位危险度的等级找出科学的数据依据。

③救援力量的分析。对现有可用于参与事故应急救援队伍的单位、人员、装备情况、分布特点、可担负的任务及执行任务能力等逐项分析、正确估价、合理使用。

(3)制订预案要分工负责,组织编写制订预案要涉及各个方面、各个部门,是一项比较复杂的工作,必须在统一领导下,指定专门的部门牵头组织,吸收有关单位参加,共同拟订。

(4)制订预案要现场勘察,反复修改。为使预案切实可行,尤其是重点目标区的具体行动预案,拟订前需要组织有关部门,单位的专家、领导到现场进行实地勘察,如重点目标区的周围地形、环境、指挥所位置、分队行动路线、展开位置、人口疏散道路及疏散地域等的实地勘察、实地确定。预案拟订后还要组织有关部门、单位的领导和专家进行评议,使制订的预案更清楚、更科学、更合理。

五、事故应急预案的主要内容

(1)企业基本情况;
(2)可能事故及其危险、危害程度(范围)的预测;
(3)应急救援的组成和职责;
(4)报警与通信;
(5)现场抢险;
(6)条件保障;
(7)培训和演练。

六、企业编制事故应急预案的步骤

为了确保应急行动的准确性,企业在制订预案时要根据单位事故潜在威胁的情况和现有诸方面救援力量的实际,将分散在各系统、各部门的各种力量有效地组合,形成整体力量,使若干分系统形成一个总体系,最大限度地发挥整体效益。企业编制事故应急预案的步骤如下:

(1)成立预案编制小组;
(2)收集资料并进行初始评价;
(3)辨识危险源并评价风险;
(4)评估能力与资源;
(5)建立应急反应机构;
(6)选择合适类型的应急计划方案;
(7)编制各级应急计划。

❖ 练习与思考

一、判断题

1. 道路运输危险品专用车辆应当根据所运危险货品的性质,配备必需的应急处理器材和安全防护设施。(　　)

2. 道路运输剧毒、爆炸、强腐蚀性危险品的非罐式专用车辆,核定载质量不得超过20吨。(　　)

3. 道路运输液体危险品时,无论使用何种材质的容器,只要能确保不破损即可。(　　)

4. 道路运输危险品专用车辆,应到具备道路运输危险品车辆维修条件的企业进行维

修。( )

5. 道路运输危险品企业应当对从业人员进行经常性的安全和业务知识、操作规程培训。( )

6. 道路运输剧毒、爆炸、易燃、放射性危险品的,应当具备罐式车辆或厢式车辆、专用容器,车辆应当安装行驶记录仪或定位系统。( )

7. 运输爆炸物品、易燃易爆化学物品以及剧毒、放射性等危险物品,应当经公安机关批准后,按指定的时间、路线、速度行驶,悬挂警示标志并采取必要的安全措施。( )

8. 道路运输危险品过程中,驾驶人员可以根据自己的意愿改变运输计划。( )

9. 道路运输危险品从业人员应随车携带从业资格证。( )

10. 当托运危险品时,应委托具有道路运输危险品资质的单位承运。( )

11. 道路运输危险品从业人员应严格按照《汽车运输危险货物规则》(JT 617)、《汽车运输、装卸危险货物作业规程》(JT 618)操作,不得违章作业。( )

12. 从事危险化学品运输的驾驶人员、装卸管理人员、押运人员必须取得上岗资格证,方可上岗作业。( )

13. 危险品可以与普通货物混合存放。( )

14. 危险化学品的装卸作业必须在押运人员的现场指挥下进行。( )

15. 乙炔能与氯气、氢气、氯化氢、硫酸等多种物质起反应。因而储运乙炔时,不能与其他化学物质放在一起。 ( )

16. 因包装破损,氯酸钾撒漏在地面后被践踏后会发生火灾。( )

二、不定项选择题

1. 从事道路危险品运输的驾驶人员应取得相应机动车驾驶证,年龄不超过( )周岁。

A. 50　　B. 55　　C. 60

2. ( )负责危险化学品公路运输单位、驾驶人员、押运人员、装卸管理人员的资质认定。

A. 公安部门　　B. 交通部门　　C. 国家安全生产监督部门

3. 危险品的装卸作业,应在( )的现场指挥下进行。

A. 押运人员　　B. 驾驶人员　　C. 装卸管理人员

4. 押运人员和装卸管理人员必须具备( )学历。

A. 小学　　B. 初中　　C. 高中

5. ( )负责危险化学品事故应急救援的组织和协调。

A. 交通部门　　B. 公安部门　　C. 国家安全生产监督部门

6. ( )负责发放危险化学品及其包装物、容器的生产许可证。

A. 交通部门　　B. 质检部门　　C. 国家安全生产监督部门

7. ( )对危险品的车辆确定行车路线、禁行区域、通行时间,并核发通行证件。

A. 交通部门　　B. 公安部门　　C. 国家安全生产监督部门

8. 驾驶人员一次连续驾驶 4 小时应休息 20 分钟以上,24 小时内实际驾驶车辆时间累计不得超过( )小时。

A. 4　　B. 6　　C. 8　　D. 10

9. 装运危险化学品的车辆通过市区时，中途(　　)。

A. 可以到加油站加油　　B. 可以把车存在停车场　　C. 不得随便停车

10. 国家对危险化学品实行经营(　　)制度。

A. 专营　　B. 许可证　　C. 审批　　D. 联营

11. 各种气瓶的存放，必须距离明火(　　)以上，避免阳光暴晒，搬运时不得碰撞。

A. 1 米　　B. 2 米　　C. 3 米　　D. 5 米　　E. 10 米

12. 危险化学品单位从事生产、经营、储存、运输、使用危险化学品或者处置废弃危险活动的人员，必须接受有关法律、法规、规章和安全知识、专业技术、职业卫生防护救援知识的培训，并经(　　)，方可上岗作业。

A. 培训　　B. 教育　　C. 考核合格　　D. 评议

13. 为了保证检修动火和罐内作业的安全，检修前要对设备内的易燃易爆、有毒气体进行(　　)。

A. 置换　　B. 吹扫　　C. 清理

三、思考题

1. 从事道路危险品运输的车辆应符合哪些基本要求？
2. 用图画出道路危险品运输业务流程。
3. 简述道路危险品运输托运人责任。
4. 简述道路危险品运输承运人责任。
5. 简述道路危险品运输驾驶人员基本要求及岗位职责。
6. 简述道路危险品运输押运人员基本要求及岗位职责。
7. 简述道路危险品运输装卸管理人员基本要求及岗位职责。
8. 简述各类危险品运输安全及事故应急措施。

四、案例分析

1. 现代物流报 2015 年 1 月 2 日报道，在 2014 年 12 月 19 日召开的全国危化品物流行业年会暨中物联危化品物流分会成立大会上，组委会组织了宁波智慧物流科技有限公司、镇海石化物流有限责任公司、交通运输部科学研究院、万创危化品物流、泛思特国际运输代理有限公司等危化品物流行业内的专家和企业一线管理人员就危化品事故应急机制与互助联盟体系的建立进行探讨。大会上有专家认为危化品运输要抓好三个点和一条线，所谓三个点分别是装货点、停车区域和卸货点，一条线就是运输线，三点一线上任何一个环节出了问题，都可能酿成重大危化品事故。例如在停车区域，目前全国很多地方由政府主导建立的危化品停车场，非常明确地告诉司机只允许停空车，不允许停重车，司机有时只能把车辆停在路边。在夜间停车的时候，有经验的司机会把危险警示牌放置在距车尾一定距离处。然而现实情况是，司机把车停好后就去睡觉了，而在睡觉的时候，一旦发生追尾，往往会引发大事故。如何能让满载危化品的车辆安全停车是一个需要着重思考的问题。

请结合上述报道，讨论在我国如何开展危险品运输管理。

2. 某危品储运公司拥有一个危险化学品库区，内设有 3 个危化品仓库，第一个仓库存有苯、甲苯、硫黄、黄磷等 4 种易燃物质，第二个仓库存有氧气，第三个仓库存有氮气、氩气等气体。请分析讨论下列问题：

(1)苯属于什么危化品？

(2)某天，有一运输车辆向仓库内运送来20桶甲苯，在操作过程中下列(　　)做法是不允许的。

A. 使用铜制工具进行装卸，避免撞击火花。

B. 在库房内开桶检查，避免外界热源或火源影响。

C. 装卸时轻搬轻放，防止摩擦和撞击。

D. 装卸人员穿防静电工作服，避免引起静电火花。

(3)在储存甲苯的库房内，由于包装破损，甲苯发生泄漏，可能发生的事故类型有(　　)。

A. 火灾　　B. 窒息　　C. 中毒　　D. 爆炸

(4)下列哪些危化品需要必须使用Ⅱ类包装？(　　)

A. 苯　　C. 硫黄　　B. 甲苯　　D. 黄磷

3. 2010年07月21日凌晨5时01分，一辆从四川泸州出发前往重庆潼南县的某运输槽车，在行至重庆大足县中敖镇加油站时，满载15吨浓硫酸的运输槽车突然发生泄漏，大量浓硫酸直喷而出，流下公路的排水沟，直逼大足县城居民饮水主河流。

请回答：1. 如果你是驾驶员，你该怎么处理？

2. 如果硫酸槽车上喷射的硫酸压力很大，根本无法进行堵漏，怎么办？

项目五　铁路危险品运输

❖ 学习目标

一、知识目标

1. 了解我国铁路危险品运输管理状况；
2. 掌握铁路危险品运输托运人责任；
3. 掌握铁路危险品运输承运人责任；
4. 熟知铁路危险品运输业务流程；
5. 熟知铁路危险品运输相关文件。

二、能力目标

1. 能够对铁路危险品事故发生的过程进行事故原因分析；
2. 能对铁路典型案例进行经验和教训总结。

❖ 学习重点

1. 铁路危险品承运人和托运人的安全义务；
2. 铁路危险品运输业务流程。

模块一　铁路危险品运输认知

☞ 案例导入

2014 年 10 月 7 日上午，加拿大国家铁路运输公司(CN)1 列向西行驶的货运火车发生脱轨。这列火车的始发站是 Manitoba 省 Winnipeg 市，终点站是 Saskatchewan 省 Saskatoon 市。这列火车总计 3 台机车，牵引了 100 节车皮，60 节车皮是空车，40 节车皮装运了货物，其中 6 节车皮装运了危险品。脱轨的 26 节车皮中，2 节装运石油产品的车皮外溢后起火，另有 4 节车皮也装运了危险品，2 节车皮装运了盐酸、2 节车皮装运了烧碱。现场发生了多次爆炸，火苗冲出超过 30 米。脱轨发生在 Saskatoon 市以东约 190 千米的 Clair 小镇附近，事故发生后，Saskatchewan 省政府组织 Clair 小镇居民和附近一些农场人员进行疏散。这起事故也造成 5 号高速公路在该地区的路段双向封闭。

资料来源：中国化学品安全协会 http://www.chemicalsafety.org.cn

任务 认知铁路危险品运输

一、办理站的定义和种类

1. 办理站的定义

危险品办理站是指站内、专用线、专用铁路办理危险品发送、到达业务的车站。危险品办理站根据危险品运输需求和铁路运力资源配置的情况，统一规划，合理布局。新建危险品办理站时，应远离市区和人口稠密的区域，与发展危险品物流园区配套考虑，并与省、自治区、直辖市人民政府或设区的市级人民政府商定符合安全要求的危险品办理站设置地点。

危险品办理站应建立危险品运输有关技术档案，具体掌握危险品的运量、品类、理化特性、包装、运输方式、装卸作业设备、计量方法、消防设施等情况。适时掌握企业危险品运输发展动态，相应调整管理措施和内容。

《铁路危险货物运输办理站（专用线、专用铁路）办理规定》（2009 版）（以下简称《规定》）规定，凡在《规定》中未列载的办理站、专用线、专用铁路一律不得办理危险品运输。批准办理危险品运输的办理站、专用线、专用铁路只准办理《规定》中列载的指定品名的危险品。

2. 办理站的种类

办理站按类型分为五种。

（1）专办站：指主要办理危险品运输的车站。

（2）兼办站：指主要办理普通货物运输，兼办危险品运输的车站。

（3）集装箱办理站：指在站内办理危险品集装箱运输的车站。

（4）专用线接轨站：指仅在接轨的专用线、专用铁路办理危险品作业的车站。

（5）综合办理站：指前四项中两项以上的车站。

二、专用线、专用铁路和危险品装卸作业线的定义

1. 专用线

专用线是指由企业或者其他单位管理的与国家铁路或者其他铁路线路接轨的岔线。

2. 专用铁路

专用铁路是指由企业和其他单位管理，具有自备动力、自备运输工具和一套内部相对完整的运输组织方法的与国家铁路或其他铁路线路接轨的，专为本企业或本单位内部提供运输服务的铁路。

3. 危险品装卸作业线

危险品装卸作业线是指车站货场或专用线（专用铁路）内用于危险品装卸作业的线路。

三、铁路危险品承运人和托运人资质申请条件

从事铁路危险品运输的承运人、托运人，必须具有铁路危险品承运人资质或铁路危险品托运人资质。通过资质认证的管理工作，可以有效地防止非法生产、储存、使用危险品的

托运人办理铁路运输，防止不符合国家规定的包装、运输工具、装卸设施等进入铁路运输，从源头确保铁路危险品运输安全。

（一）承运人资质申请条件

铁路危险品承运人是指办理危险品运输的铁路运输企业。申请办理铁路危险品承运人资质的，应当具备下列条件。

1. 有按国家规定标准检测、检验合格的专用设施、设备

承运人要承运危险品，首先要具有办理危险品运输的专用设施、设备。由于承运危险品具有一定的危险性，因此危险品办理站的储运仓库、作业站台、专用雨棚等专用设施、设备要与所办理危险品的品类和运量相适应。耐火等级、防火、防爆、防雷、防静电、污水排放和污物处理等应符合国家有关规定及技术标准。

2. 设施、设备应符合安全需要

危险品专用线（专用铁路）办理的地点、场所应配备有关检测设备和报警装置，作业人员应配备相应的防护用品，装卸设备应具备防爆、防静电功能，装卸能力、计量方式、消防设施、安全作业防护应符合规定要求，专用线、专用铁路接轨方式、线路作业条件等铁路运输安全基本设施、设备必须符合铁道部的规定。安全生产条件经安全评价合格。

3. 有符合国家规定条件的驾驶人员、技术管理人员、装卸人员

危险品的特性决定参与运输活动的驾驶人员、装卸人员要具有一定的运输危险品的专业知识和技能，能够在装卸、运输环节中根据货物的危险性进行正确的作业，以免发生由于作业人员操作或处置不当造成的危险品事故。因此货运人员、技术管理人员、装卸及驾驶人员应经过铁路危险品运输业务知识培训，熟悉本岗位的相关危险品知识，掌握铁路危险品运输规定。

4. 有健全的安全作业规程及安全管理制度

应建立健全危险品受理、承运、装卸、储存保管、消防、劳动安全防护等安全作业规程及管理制度。危险品运输安全管理制度是危险品运输安全的保障。其内容包括企业内部的安全生产责任制，企业的安全生产的操作规程，企业的安全生产的监督检查制度，企业消除安全隐患的制度等内容。建立健全安全管理制度，实现对危险品运输管理的规范化、制度化，是预防事故发生的重要保证。好的制度可以调动人的积极性，规范操作，避免事故的发生；而坏的、不健全的安全管理制度，可能因管理混乱而导致事故的发生。铁路在这方面的教训是深刻的。只有规范和完善各工种、各工作环节的作业标准，才能保证危险品运输安全。

5. 有铁路危险品运输事故处理应急预案，配备应急救援人员和必要的救援器材和设备

危险品性质特殊，运输难度大，责任重，一旦发生事故，后果非常严重。因此，危险品承运人一定要建立完善的危险品运输事故应急预案，并且配备应急救援人员和必要的救援器材和设备。只有建立健全并正确运用事故处理应急预案，才能做到一旦发生事故，能及时、有效处置事故，达到迅速控制危险源，维护铁路运输正常秩序，最大限度地减少人员伤亡、财产损失，减少对事故现场周边环境及社会的负面影响。

（二）托运人资质申请条件

铁路危险品托运人，是指经国家有关部门认定，取得危险品生产、储存、使用、经营资

格，从事铁路危险品运输托运业务的单位。申请铁路危险品托运人资质的，应当具备下列条件。

(1)具有国家规定的危险物品生产、储存、使用、经营的资格；

(2)危险品自备货(罐)车、集装箱(罐)等运输工具的设计、制造、使用、充装、检修等符合铁道部的安全管理规定；

(3)危险品容器及包装物的生产符合国家规定的定点生产条件并取得产品合格证书；

(4)需加固运输的危险品，应按铁道部《铁路货物装载加固规则》制订加固技术方案；

(5)装运压缩气体和液化气体的，应按国家规定安装轨道衡等安全计量设备；

(6)办理危险品作业场所的消防、防雷、防静电、安全检测、防护、装卸、充装等安全设施、设备应符合国家有关规定，储存仓库的耐火等级、防火间距应符合《建筑设计防火规范》等有关国家标准；

(7)相关专业技术人员、运输经办人员和押运人员应经过铁路危险品运输业务知识培训，熟悉本岗位的相关危险品知识，掌握铁路危险品运输规定；

(8)有铁路危险品运输事故处理应急预案，配备应急救援人员和必要的救援器材及设备。

四、铁路危险品承运人和托运人的安全义务

(一)托运人的安全义务

(1)如实向铁路运输企业说明所托运危险品的品名、数量(重量)、危险特性以及发生危险情况时的应急处置措施等。不得将危险品匿报或者谎报品名进行托运，不得在托运的普通货物中夹带危险品，或者在危险品中夹带禁止配装的货物。

(2)对国家规定实行许可管理、需凭证运输或者采取特殊措施的危险品，向铁路运输企业如实提交相关证明。

(3)配备必要的押运人员和应急处理器材、设备和防护用品，并使危险品始终处于押运人员监管之下。

(二)承运人的安全义务

(1)对承运的货物进行安全检查，不得在非危险品办理站办理危险品承运手续，不得承运未接受安全检查的货物，不得承运不符合安全规定、可能危害铁路运输安全的货物。

(2)对国家规定实行许可管理、需凭证运输或者采取特殊措施的危险品，查验托运人、收货人提供的相关证明材料并留存备查。

(3)告知押运人注意事项，检查押运人员、备品、设施及押运工作情况，并为押运人员提供必要的工作、生活条件。

(4)运输单位应当按照国家劳动安全职业卫生有关规定配备符合国家防护标准要求的劳动保护用品和职业防护等设施设备，开展从业人员职业健康体检，建立从业人员职业健康监护档案，预防人身伤害。

(5)运输单位应当建立健全危险品运输安全管理、岗位安全责任、教育培训、安全检查和隐患排查治理、安全投入保障、劳动保护、应急管理等制度，完善危险品包装、装卸、押运、运输等操作规程和标准化作业管理办法。

(6)运输单位应当对本单位危险品运输从业人员进行安全、环保、法制教育和岗位技术经常性培训,经考核合格后方可上岗。从业人员应当掌握所运输危险品的危险特性及其运输工具、包装物、容器的使用要求和出现危险情况时的应急处置方法。

五、装载危险品车辆的安全防范要求

(1)要求装卸、储存专用场地和安全设施设备封闭管理并设立明显的安全警示标志,避免无关人员接近装载危险品的车辆。

(2)要求托运人配备必要的押运人员和应急处理器材、设备及防护用品,并使危险品始终处于押运人员的监管之下。

(3)运输危险品的车辆途中停留时,要求远离客运列车及停留期间有乘降作业的客运站台等人员密集场所和设施,并采取安全防范措施。

(4)装运剧毒品、爆炸品、放射性物质和气体等危险品的车辆途中停留时,由铁路运输企业派人看守。

(5)铁路运输企业制订完善事故应急预案,配备应急救援人员和必要的应急救援器材、设备,并定期组织救援演练,一旦发生意外及时采取措施,防止事态扩大。

(6)进出办理站取送危险品的机动车辆必须具备危险品道路运输证件,取送爆炸品、剧毒品货物的机动车辆还须持有到达地公安部门出具的公路运输通行证。

六、严格禁止通过铁路运输的危险品

(1)法律、行政法规禁止生产和运输的危险物品,如氯丹、六氯苯等对健康、环境有严重危害的物品,以及非法生产的违禁物品等。

(2)危险性质不明的物品。

(3)未采取安全措施的过度敏感或者能自发反应而产生危险的物品,如叠氮铵、高锰酸铵等。

(4)高速铁路、城际铁路等客运专线及旅客列车禁止运输危险品(法律、行政法规另有规定的除外)。

模块二　铁路危险品运输组织

☞ 案例导入

2010年8月5日,华中某站发往西南某站冰醋酸1车,托运人为武汉某醋酸有限公司,收货人为成都某农药化工有限公司。8月8日,该车编挂于10592次货物列车机后第20位,运行到中途某站时罐车顶部发生液体外溢。

造成事故的原因分析如下。

1. 冰醋酸,铁危编号为81601A,为无色透明液体,溶于水,沸点为118.1 ℃,闪点40 ℃,爆炸极限5.4% ~16%。属于二级酸性腐蚀性物质,有腐蚀性,能灼伤皮肤,其蒸气刺激眼睛和黏膜。其蒸气可形成爆炸性混合物,一旦处置不当,后果很严重。因此,冰醋酸限使用自备罐车装运。

2. 通过调查获知，冰醋酸罐车的呼吸阀失效，卸料口盲板密封垫圈密封不良，时值8月份的外部环境气温相当高，罐内饱和蒸气压力增大，由于安全阀失效而产生的冰醋酸饱和蒸气无法通过呼吸阀及时排出，在蒸气压力作用下使冰醋酸顺着卸料管上升，又因卸料口处盲板密封垫圈失效，导致冰醋酸溢出罐体。因此，造成这起冰醋酸罐车泄漏事故的主要原因是托运人使用车况不良的自备罐车运输。由于中途站发现冰醋酸罐车液体外溢后，及时启动应急预案，采取了调离事故车辆、划定隔离警戒区，对卸料口采取减压措施，使液面回落，同时加补密封圈并将罐车罐盖固定螺栓紧固，排除了这起罐车泄漏事故。由于事故处理及时，未造成作业人员的灼伤及可能发生的严重后果。

资料来源：中国危运网 http://www.weiyun5.com

任务一　了解铁路危险品运输条件

一、铁路运输企业应具备的条件

(1)运输危险品应当在符合法律、行政法规和标准规定，具备相应品名办理条件的车站、专用铁路、铁路专用线间发到。

(2)铁路运输企业应当将办理危险品的车站名称、作业地点(货场、专用铁路、铁路专用线名称)、办理品名及编号、装运方式等信息及时向社会公布。发生变化的，应当重新公布。

(3)危险品装卸、储存场所和设施应当符合下列要求：

①装卸、储存专用场地和安全设施设备封闭管理并设立明显的安全警示标志。设施设备布局、作业区域划分、安全防护距离等符合规定；

②设置有与办理货物危险特性相适应，并经相关部门验收合格的仓库、雨棚、场地等设施，配置相应的计量、检测、监控、通信、报警、通风、防火、灭火、防爆、防雷、防静电、防腐蚀、防泄漏、防中毒等安全设施设备，并进行经常性维护、保养，保证设施设备的正常使用；

③装卸设备符合安全要求，易燃、易爆的危险品装卸设备应当采取防爆措施，罐车装运危险品应当使用栈桥、鹤管等专用装卸设施，危险品集装箱装卸作业应当使用集装箱专用装卸机械；

⑤法律、行政法规、标准和安全技术规范规定的其他条件。

(4)铁路运输单位应当按照国家有关规定，对本单位危险品装卸、储存作业场所和设施等安全生产条件进行安全评价。

①法律、行政法规规定需要委托相关机构进行安全评价的，运输单位应当委托具备国家规定资质条件且业务范围涵盖铁路运输、危险化学品等相关领域的机构进行。

②新建、改建危险品装卸、储存作业场所和设施，在既有作业场所增加办理危险品品类，以及危险品新品名、新包装和首次使用铁路罐车、集装箱、专用车辆装载危险品的，应当进行安全评价。

(5)装载和运输危险品的铁路车辆、集装箱和其他容器应当符合下列条件：

①制造、维修、检测、检验和使用、管理符合标准和有关规定；

②牢固、清晰地标明危险品包装标志和警示标志；

③铁路罐车、罐式集装箱以及其他容器应当封口严密，安全附件设置准确、起闭灵活、

状态完好，能够防止运输过程中因温度、湿度或者压力的变化发生渗漏、洒漏；

④压力容器应当符合国家特种设备安全监督管理部门制订并公布的《移动式压力容器安全技术监察规程》《气瓶安全技术监察规程》等有关安全技术规范要求，并在经核准的检验机构出具的压力容器安全检验合格有效期内；

⑤法律、行政法规、安全技术规范和标准规定的其他条件。

二、运输限制

2008 年 12 月 1 日起实行的《铁路危险货物运输管理规则》明确规定：

(1)危险品仅办理整车和 10 吨及以上集装箱运输。

(2)国内运输危险品禁止代理。

(3)禁止运输国家禁止生产的危险物品。

(4)禁止运输本规则未确定运输条件的过度敏感或能自发反应而引起危险的物品，如叠氮铵、无水雷汞、高氯酸(>72%)、高锰酸铵、4 - 亚硝基苯酚等。

(5)对易发生爆炸性分解反应或需控温运输等危险性大的货物，须由铁道部确定运输条件，如乙酰过氧化磺酰环已烷、过氧重碳酸二仲丁酯等。

(6)凡性质不稳定或由于聚合、分解在运输中能引起剧烈反应的危险品，托运人应采用加入稳定剂或抑制剂等方法，保证运输安全，如乙烯基甲醚、乙酰乙烯酮、丙烯醛、丙烯酸、醋酸乙烯、甲基丙烯酸甲酯等。

(7)高速铁路、城际铁路等客运专线及旅客列车禁止运输危险品。

任务二　熟知铁路危险品运输业务流程

铁路危险品运输作业流程分为托运、受理和承运、装卸作业、保管和交付等。

一、托运

危险品运输组织，除应遵守普通货物的一般规定外，还应严格执行《铁路危险货物运输管理规则》的规定。

(一)托运相关规定

(1)托运人可根据铁路运输企业公布的危险品车站名称、作业地点(货场、专用铁路、铁路专用线名称)、办理品名及编号、装运方式等信息，选择相应车站办理。

(2)在托运单上填写清楚危险品品名、规格、件重、件数、包装方法、起运日期、收发货人详细地址及运输过程中的注意事项。对有特殊要求或凭证运输的危险品，必须附有相关单证，并在托运单备注栏内注明。

(3)托运人托运危险品时，应在货物运单“货物名称”栏内填写危险品品名索引表内列载的品名和铁危编号，在运单的右上角用红色戳记标明类项名称，并在货物运单“托运人记载事项”栏内填写托运人资质证书、经办人身份证和铁路危险品运输业务培训合格证号码，对派有押运员的还需填写押运员姓名、身份证号码和培训合格证号码，气体危险品还需填写液化气体铁路罐车押运员证号码。

(4)托运下列危险品时,应当持有相关证件。

①托运人托运危险品时,要出具托运人资质证书、经办人身份证和培训合格证,对派有押运员的还需出具押运员身份证和培训合格证,气体危险品还需出具液化气体铁路罐车押运员证(以下简称押运员证)。

②托运爆炸物品和需凭证运输的化学危险物品,应当持有公安部门签发的民用爆炸物品运输许可证,托运烟花爆竹时须出具烟花爆竹道路运输许可证;在运单上注明许可证名称和号码,在运单右上角用红色戳记标明“爆炸品”或“烟花爆竹”字样。

③托运放射性物质或放射性物质空容器时,应出具经铁路卫生防疫部门核查签发的《铁路运输放射性物质包装件表面污染及辐射水平检查证明书》或《铁路运输放射性物质空容器检查证明书》一式两份,一份随货物运单交收货人,一份发站留存。对辐射水平相等、质量(重量)固定、包装件统一的放射性物质(如化学试剂、化学制品、矿石、矿砂等)再次托运时,可出具证明书复印件。

④托运人托运第一类易制毒化学品时,须持有运出地市级人民政府公安机关审批的一次有效的易制毒化学品运输许可证(以下简称运输许可证)。托运人托运第二类易制毒化学品时,须持有运出地县级人民政府公安机关审批的有效期为3个月的运输许可证。如果是进出口货物运输,托运人办理该货物进出口运输时,须持有经国务院商务主管部门或者其委托的省、自治区、直辖市人民政府商务主管部门批准的进口或出口许可证。

(5)货物性质或灭火方法相抵触的危险品,必须分别填写托运单,以防止混装而引发重大事故。

(6)危险品品名索引表中未列载的品名办理运输时须进行性质鉴定,属于危险品时,按危险品新品名试运要求办理运输。托运人提交品名鉴定前,需填写《铁路危险货物运输技术说明书》一式四份。托运人对填写内容和送检样品真实性承担法律责任。送检样品须经铁道部认定的专业技术机构进行鉴定。危险品新品名试运由铁路局批准。经批准后,发站、铁路局、托运人各留存一份《铁路危险货物运输技术说明书》。新品名试运须在指定的时间和区段内进行。跨铁路局试运时,由批准单位以电报形式通知有关铁路局。试运前承运人、托运人双方应签订安全运输协议。

试运时,由托运人在运单“托运人记载事项”栏内注明“比照铁危编号×××新品名试运,批准号×××”字样。试运时间2年。试运结束时,托运人应会同车站将试运结果报主管铁路局。铁路局对试运结果进行研究后,提出试运报告报铁道部。铁道部根据试运报告指定有关部门进行复验,达到要求后正式批准运输。未经批准或超过试运期未上报试运报告的,须停止试运。

(7)托运人托运的危险品包装应符合下列要求。

①包装物、容器、衬垫物的材质以及包装形式、规格、方法和单件重量,应当与所包装的危险品的性质和用途相适应;

②包装能够抗御运输、储存和装卸过程中正常的冲击、震动、堆码和挤压,并便于装卸和搬运;

③包装外表面应当牢固、清晰地标明危险品包装标志和包装储运图示标志;

(8)危险品运输包装不得重复使用。性质特殊,须采取特殊包装的,如盛装气体危险品的钢瓶等不受本条限制。

（二）相关单据及填写

托运人在托运危险品时要填写货物运单（如图 5－1 所示）、领货凭证（如图 5－2 和图 5－3 所示）等单据。货物运单和领货凭证按一式两联印制，上联为货物运单，下联为领货凭证。货物运单上所附的领货凭证，由发站加盖承运日期戳后，连同货票丙联一并交给托运人。

附件 1-1

货物约定于　年　月　日交接
货位
号码
运到期限　日

××　铁路局
货　物　运　单
托运人→发站→到站→收货人

承运人/托运人装车
承运人/托运人施封

运单号：　　　　货票号：

发站		专用线名称		专用线代码		车种车号	
到站(局)		专用线名称		专用线代码			
托运人	名　称					货车标重	
	地　址			邮编			
	经办人姓名		经办人电话	Email		货车施封号码	
收货人	名　称						
	地　址			邮编		货车篷布号码	
	经办人姓名		经办人电话	Email			
选择服务	□门到门运输：　□上门装车　□上门卸车 □门到站运输：　□上门装车 □站到门运输：　□装载加固材料　□上门卸车 □站到站运输：　□装载加固材料			取货地址			
				取货联系人		电话	
	□保价运输			送货地址			
	□仓储			送货联系人		电话	

货物名称	件数	包装	集装箱箱型	集装箱箱号	集装箱施封号	货物价格	托运人填报重量（千克）	承运人确定重量（千克）
合计								

托运人记载事项		承运人记载事项	

托运人盖章或签字	发站承运日期戳	承运货运员签章	到站交付日期戳	交付货运员签章
年　月　日	年　月　日	年　月　日	年　月　日	年　月　日

注：本单不作为收款凭证，托运人签约须知和收货人领货须知见领货凭证背面。托运人自备运单的认为已确知签约须知内容。

图 5－1　铁路货物运单样张

1. 铁路运单

铁路运单是由铁路运输承运人签发的货运单据。货物运单是托运人与承运人之间，为运输货物而签订的一种货运合同或货运合同的组成部分。它是确定托运人、承运人、收货人之间在运输过程中的权利、义务和责任的原始依据。运单既是托运人向承运人托运货物的申请书，也是承运人承运货物和核收运费、填制货票以及编制记录和理赔的依据。托运人对其在运单和物品清单内所填记事项的真实性，应负完全责任。

（1）托运人托运货物时，应向承运人按批提出《铁路货物运输规程》规定格式的货物运单一张。使用机械冷藏列车运输的货物，同一到站、同一收货人可以数批合提一份运单；整车分卸的货物，对每一分卸站应增加两份运单（到站、收货人各一份）。

（2）运单由承运人印制，在办理货运业务的车站按规定的价格出售。运量较大的托运人经发站同意，可以按照承运人规定的格式，自行印制运单。

（3）货物运单的正确填写要求如下。

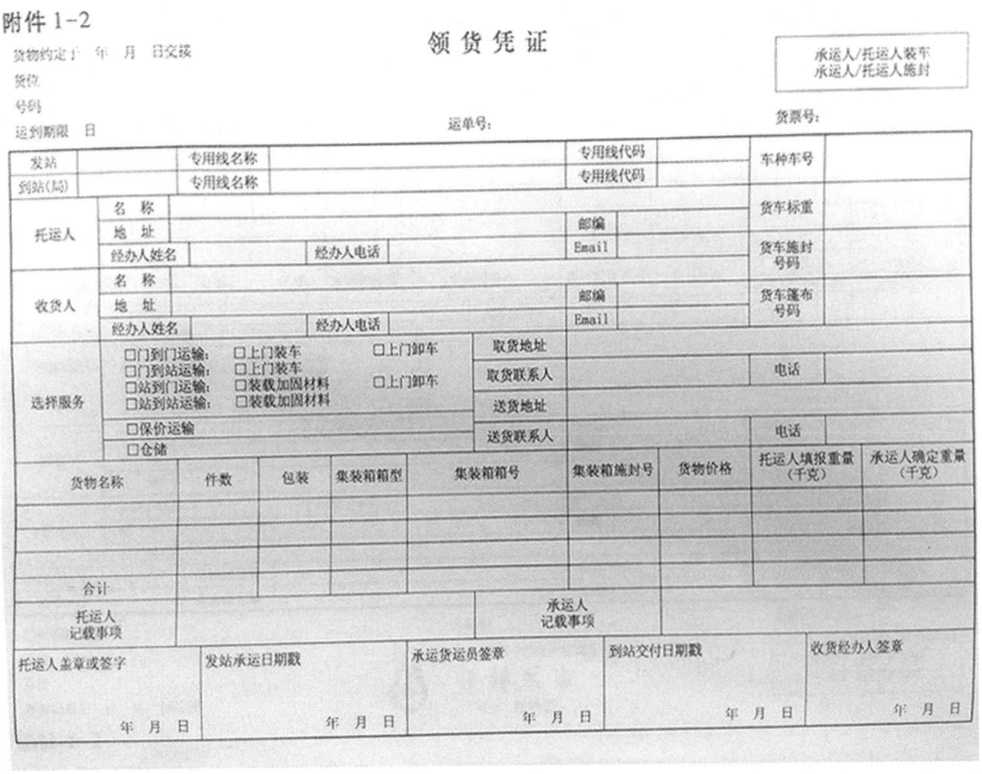

附件 1-2

领货凭证

货物约定于　年　月　日交接

货位

号码

运到期限　日

承运人/托运人装车
承运人/托运人施封

运单号：

货票号：

发站		专用线名称		专用线代码		车种车号	
到站(局)		专用线名称		专用线代码			
托运人	名　称					货车标重	
	地　址			邮编			
	经办人姓名		经办人电话	Email		货车施封号码	
收货人	名　称						
	地　址			邮编		货车篷布号码	
	经办人姓名		经办人电话	Email			
选择服务	□门到门运输：□上门装车　□上门卸车 □门到站运输：□上门装车 □站到门运输：□装载加固材料　□上门卸车 □站到站运输：□装载加固材料			取货地址			
				取货联系人		电话	
				送货地址			
	□保价运输			送货联系人		电话	
	□仓储						

货物名称	件数	包装	集装箱箱型	集装箱箱号	集装箱施封号	货物价格	托运人填报重量（千克）	承运人确定重量（千克）
合计								
托运人记载事项			承运人记载事项					

托运人盖章或签字	发站承运日期戳	承运货运员签章	到站交付日期戳	收货经办人签章
年　月　日	年　月　日	年　月　日	年　月　日	年　月　日

图 5－2　领货凭证正面

①运单粗线以左各栏和领货凭证由托运人用钢笔、毛笔、圆珠笔或用加盖戳记的方法填写。运单和货票都必须按规定填写正确、齐全，字迹要清楚，使用简化字要符合国家规定，不得使用自造字。

②运单内填写各栏有更改时，在更改处，属于托运人填记事项，应由托运人盖章证明；属于承运人记载事项，应由车站加盖站名戳记。承运人对托运人填记事项不得更改。

③托运人填写部分的填写要求如下。

a. “发站”栏和“到站（局）”栏，应分别按《铁路货物运价里程表》规定的站名完整填记，不得简称。到达（局）名，填写到达站主管铁路局名的第一个字，例如（哈）、（上）、（广）等，但到达北京铁路局的，则填写（京）字。“到站所属省（市）、自区”栏，填写到站所在地的省（市）、自治区名称。托运人填写的到站、到达局和到站所属省（市）、自治区名称，三者必须相符。

b. “托运人名称”和“收货人名称”栏应填写托运单位和收货单位的完整名称，如托运人或收货人为个人时，则应填记托运人或收货人姓名。

c. “托运人地址”和“收货人地址”栏，应详细填写托运人和收货人所在省、市、自治区城镇街道和门牌号码或乡、村名称。托运人或收货人装有电话时，应记明电话号码。如托运人要求到站于货物到达后用电话通知收货人时，需将收货人电话号码填写清楚。

d. “货物名称”栏应按《铁路货物运价规则》附表二“货物运价分类表”或国家产品目录

附件 1-3

领货凭证（背面）

托运人须知

1．托运人持本货物运单向铁路托运货物，证明并确认和愿意遵守铁路货物运输的有关规定。

2．货物运单所记载的货物名称、重量与货物的实际完全相符，托运人对其真实性负责。

3．货物的内容、品质和价值是托运人提供的，承运人在接收和承运货物时并未全部核对。

4．托运人应及时将领货凭证寄交收货人，凭以联系到站领取货物。

收货人领货须知

1．托运人应及时将领货凭证寄交收货人，收货人接到领货凭证后，及时向到站联系领取货物。

2．收货人领取货物已超过免费仓储期限时，应按规定支付货物仓储费。

3．收货人到站领取货物，如遇货物未到时，应要求到站在本证背面加盖车站日期戳证明货物未到。

图 5-3　领货凭证背面

所列的货物名称完全、正确填写，危险品则按《危险货物运输规则》附件一“危险货物品名索引表”所列的货物名称完全、正确填写。托运危险品应在品名之后用括号注明危险品编号。货物运价分类表或危险品品名索引表内未列载的货物，应填写生产或贸易上通用的具体名称。但须用《铁路货物运价规则》附件一相应类项的品名加括号注明。除填记货物的完整名称外，应按货物性质，在运单右上角用红色墨水书写或用加盖红色戳记的方法，注明“爆炸品”“氧化剂”“毒害品”“腐蚀物品”“易腐货物”“×吨集装箱”等字样。

要注意两点：第一，按一批托运的货物，不能逐一将品名在运单内填记时，须另填物品清单一式三份，一份由发站存查，一份随同运输票据递交到站，一份退还托运人；第二，需要说明货物规格、用途、性质的，在品名之后用括号加以注明。

e.“件数”栏，应按货物名称及包装种类，分别记明件数，“合计件数”栏填写该批货物的总件数。承运人只按重量承运的货物，则在本栏填记“堆”“散”“罐”字样。

f.“包装”栏记明包装种类，如“木箱”“纸箱”“钢桶”等。按件承运的货物无包装时，填记“无”字。使用集装箱运输的货物或只按重量承运的货物，本栏可以省略不填。危险品运单包装栏须按《铁路危险货物包装表》的规定填写相应的外包装和内包装名称。

g.“货物价格”栏应填写该项货物的实际价格，全批货物的实际价格为确定货物保价运输保价金额或货物保险运输保险金额的依据。

h.“托运人确定重量”栏，应按货物名称及包装种类分别将货物实际重量（包括包装重量）用公斤记明，“合计重量”栏，填记该批货物的总重量。

i.“托运人记载事项”栏填记需要由托运人声明的事项。例如货物状态有缺陷，但不致影响货物安全运输，应将其缺陷具体注明；需要凭证明文件运输的货物，应将证明文件名称、号码及填发日期注明；托运人派押运人的货物，注明押运人姓名和证件名称；托运易腐货物或“短寿命”放射性货物时，应记明容许运输期限；需要加冰运输的易腐货物，途中不需要加冰时，应记明“途中不需要加冰”；整车货物应注明要求使用的车种、吨位、是否需要苫盖篷布；整车货物在专用线卸车的，应记明“在××专用线卸车”；委托承运人代封的货车或集装箱，应标明“委托承运人代封”；使用自备货车或租用铁路货车在营业线上运输货物时，应记明“××单位自备车”或“××单位租用车”；使用托运人或收货人自备篷布时，应记明“自备篷布×块”；国外进口危险品，按原包装托运时，应注明“进口原包装”。

j.“托运人盖章或签字”栏，托运人在运单填记完毕确认无误后，在此栏盖章或签字。

k. 领货凭证各栏，托运人填写时（包括印章加盖与签字）应与运单相应各栏记载内容保持一致。

l. 货物在承运后，变更到站或收货人时，由处理站根据托运人或收货人提出的“货物变更要求书”，代为分别更正“到站（局）”“收货人”和“收货人地址”栏填记的内容，并加盖站名戳记。

二、受理和承运

铁路实行计划运输，发货人要求铁路部门运输整车货物，应向铁路部门提出要车计划，车站根据要车计划受理货物。

（一）受理、承运危险品时，必须符合下列规定

（1）托运人资质证书、经办人身份证和培训合格证与运单记载相统一。

（2）运单记载的品名、类项、编号等内容与《铁路危险货物品名表》的规定相统一，并核查《铁路危险货物品名表》第 11 栏内有无特殊规定。

（3）发到站、办理品名、运输方式与《铁路危险货物运输办理站（专用线、专用铁路）办理规定》（2009 版）相统一。

（4）货物品名、重量、件数与运单记载相统一。

（5）具有危险品运输包装检测合格证明。

（6）运单右上角用红色戳记标明编组隔离、禁止溜放或限速连挂等警示标记。

（7）运输单位间应当按照约定的交接地点、方式、内容、条件和安全责任等办理危险品交接。

（8）铁路运输企业应当对承运的货物进行安全检查。

（9）运输单位应当按照国家有关规定对放射性物质运输进行现场检测。

（10）下列情形，铁路运输企业应当查验托运人、收货人提供的相关证明材料并留存备查：

①国家对生产、经营、储存、使用等实行许可管理的危险品；

②国家规定需要凭证运输的危险品；

③需要添加抑制剂、稳定剂和采取其他特殊措施方可运输的危险品；

④运输包装、容器列入国家生产许可证制度工业产品目录的危险品；

⑤法律、行政法规及国家规定的其他情形。

（11）运输单位应当如实记录运输的危险品品名及编号、装载数量（重量）、发到站、作业地点、装运方式、车（箱）号、托运人、收货人、押运人等信息，并采取必要的安全防范措施，防止丢失或者被盗；发现爆炸品、易制爆危险化学品、剧毒品丢失或者被盗、被抢的，应当立即

向当地公安机关报告。

(12)危险品限使用棚车装运(铁路危险货物品名表第11栏内有特殊规定除外)。装运时,限同一品名、同一铁危编号。

(13)毒性物质限使用毒品专用车,如毒品专用车不足时,经铁路局批准可使用铁底棚车装运(剧毒品除外)。铁路局应指定毒品专用车保管(备用)站。毒品专用车回送时,使用特殊货车及运送用具回送清单。

(14)派有押运员的成组危险品车辆,要求成组连挂,不得拆解;发站必须在该组车辆每一张运单、货票上注明“成组连挂,不得拆解”,并将该组票据单独装入封套(剧毒品除外),封套上注明“成组连挂,不得拆解”。

(二)承运人正确填写货物运单

(1)发站对托运人提出的运单经检查填写正确、齐全,到站营业办理范围符合规定后,应在“货物指定×月×日搬入”栏内,填写指定搬入日期,零担货物应填记运输号码,由经办人签字或盖章,交还托运人凭以将货物搬入车站,办理托运手续。

(2)“运到期限××日”栏,填写按规定计算的货物运到期限日数。“货票第××号”栏,根据该批货物所填发的货票号码填写。

(3)运单和领货凭证的“车种、车号”和“货车标重”栏,按整车办理的货物必须填写。运输过程中,货物发生换装时,换装站应将货物运单和货票丁联原记的车种、车号画线抹消(使它仍可辨认),并将换装后的车种、车号填记清楚,并在改正处加盖车站戳记,换装后的货车标记载重量有变动时,并应更正货车标重。

(4)“铁路货车篷布号码”栏,填写该批货物所苫盖的铁路货车篷布号码。“集装箱号码”栏,填写装运该批货物的集装箱的箱号。

(5)“施封号码”栏,填写施封环或封饼上的施封号码,封饼不带施封号码时,则填写封饼个数。

(6)“承运人/托运人装车”栏,规定由承运人组织装车的,将“托运人”三字画消,规定由托运人组织装车的,将“承运人”三字画消。

(7)“经由”栏,货物运价里程按最短径路计算时,本栏可不填;按绕路经由计算运费时,应填记绕路经由的接算站名或线名。

(8)“运价里程”栏,填写发站至到站间最短径路的里程,但绕路运输时,应填写绕路经由的里程。

(9)“承运人确定重量”栏,货物重量由承运人确定的,应将检斤后的货物重量,按货物名称及包装种类分别用公斤填记。“合计重量”栏填记该批货物总重量。

(10)“计费重量”栏,整车货物填记货车标记载重量或规定的计费重量;零担货物和集装箱货物,填记按规定处理尾数后的重量或起码重量。

(11)“运价号”栏按货物运价分类表规定的各该货物运价号填写。

(12)“运价率”栏,按该批货物确定的运价号和运价里程,从货物运价率表中找出该批(项)货物适用的运价率填写。运价率规定有加成或减成时,应记明加成或减成的百分比。

(13)实行核算、制票合并作业的车站,对运单内“经由”“运价里程”“计费重量”“运价号”“运价率”和“运费”栏,可不填写,而将有关内容直接填记于货票各该栏内。

(14)“发站承运日期”和“到站交付日期”栏,分别由发站和到站加盖承运或交付当日的车站日期戳。

（三）相关单据

1. 铁路货票

铁路货票，是一种财务性质的票据，是铁路部门运输统计、财务管理、货流货物分析的原始信息。铁路货票在发站是向托运人核收运输费用的收款收据（如图 5－4 所示），在到站是与收货人办理交付手续的一种凭证。铁路货票一式四联：甲联，发站存查；乙联，始发站铁路局存查；丙联是承运及收款凭证，交给托运人；丁联是运输凭证，到站存查。

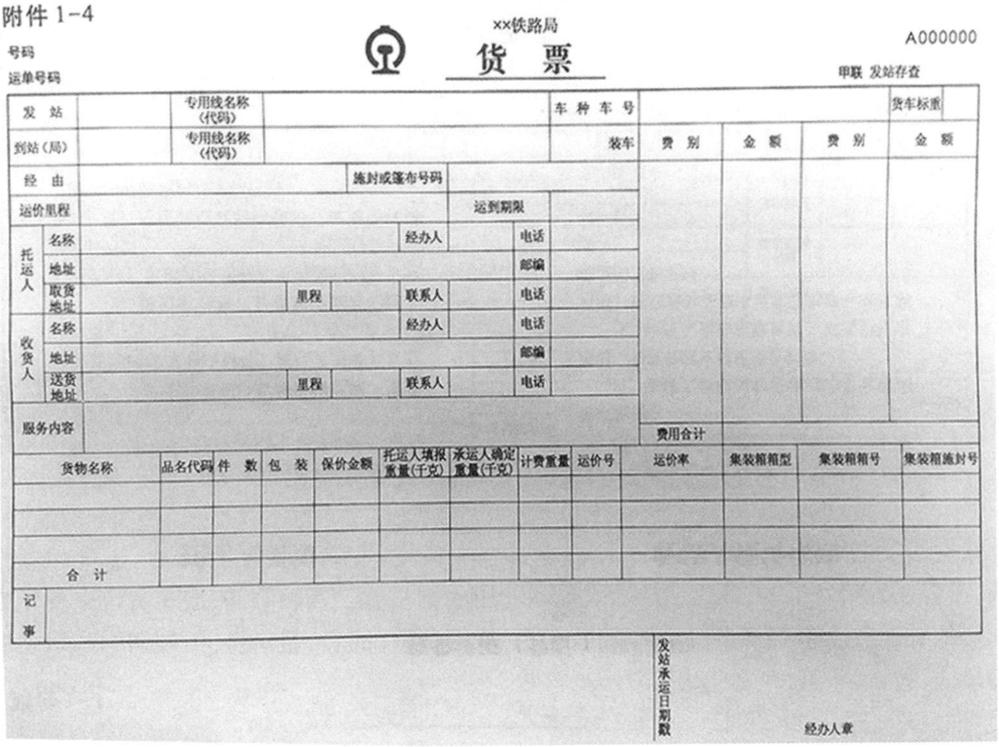
附件 1-4

××铁路局

货 票

A000000

号码

运单号码

甲联 发站存查

发 站		专用线名称（代码）		车 种 车 号		货车标重	
到站（局）		专用线名称（代码）		装车			
经 由		施封或篷布号码					
运价里程		运到期限					

托运人	名称		经办人		电话		
	地址				邮编		
	取货地址		里程	联系人	电话		
收货人	名称		经办人		电话		
	地址				邮编		
	送货地址		里程	联系人	电话		
服务内容							

费 别	金 额	费 别	金 额
费用合计			

货物名称	品名代码	件 数	包 装	保价金额	托运人填报重量（千克）	承运人确定重量（千克）	计费重量	运价号	运价率	集装箱箱型	集装箱箱号	集装箱施封号
合 计												

记事

发站承运日期戳

经办人章

图 5－4 铁路货票样张

货票各联根据货物运单记载的内容填写，金额不得涂改，填写错误时按作废处理。

2. 运费杂费收据

铁路运输的货物（包括企业自备车或租用铁路货车）自承运至交付的全过程中，铁路运输企业向托运人、收货人提供的辅助作业和劳务，以及托运人或收货人额外占用铁路设备，使用用具、备品，所发生的费用均属货运杂费。核收货运杂费的票据为货票、运费杂费收据（如图 5－5 所示）和规定的专用、定额收据，其格式由铁路局统一制定，其他部门不得印制和使用。

货运杂费是铁路货物运输费用的组成部分。由铁路运营主管部门归口管理，其他部门或单位均不得确定货运杂费的收费项目和收费标准。货运杂费的收费项目和收费标准在《铁路货物运价规则》中规定，有关的核收条件，按《铁路货物运输规程》及其引申规则、办法办理。

附件 1-8

××铁路局

A000000

运费杂费收据

甲联 车站存查

付款单位或姓名			原运输票据	日期 第 号	办理种别
发 站	到 站		专用线名称(代码)		
车种车号			集装箱箱型	集装箱号码	

货物品名	品名代码	包 装	件 数	货物重量	计费重量	附 记
合 计						

费 别	费 率	金 额	费 别	费 率	金 额
费用合计					

发站日期戳　　制票人章

图 5-5　运费杂费收据样张

在发站发生按批计算的货运杂费，能在货票上核收的，应在货票上核收。不能以货票核收，或者在到站发生的，以运费杂费收据和专用收据核收。货物装卸、搬运费可以使用专用收据核收。费额在 10 元以下的货物暂存费、清扫费、装卸费、搬运费、催领通知邮资费和出售单据、表格、标志，允许使用定额收据核收。

三、装卸作业

(一)一般要求

(1)危险品装卸作业使用的照明设备及装卸机具必须具有防爆性能，并能防止由于装卸作业摩擦、碰撞产生火花。

(2)装卸作业前，应对车辆和仓库进行必要的通风和检查，向装卸工组说明货物品名、性质、作业安全事项并准备好消防器材和安全防护用品。

(3)作业时要轻拿轻放，堆码整齐稳固，防止倒塌，严禁倒放、卧装(钢瓶等特殊容器除外)。

(4)装运危险品应快装、快卸、快取、快送、优先编组、优先挂运。站内停放危险品车辆时，要采取安全防护措施，对需要看护的重点危险品，由车站派员看守并通知铁路公安部门。

(5)危险品运输装载加固以及使用的铁路车辆、集装箱、其他容器、集装化用具、装载加固材料或者装置等应当符合国家标准、行业标准、技术规范和安全要求。不得使用技术状态不良、未按规定检修(验)或者达到报废年限的设施设备,禁止超设计范围装运危险品。

(6)货物装车(箱)不得超载、偏载、偏重、集重。货物性质相抵触、消防方法不同、易造成污染的货物不得同车(箱)装载。禁止危险品与普通货物混装运输。

(7)危险品装卸作业应当遵守安全作业标准、规程和制度,并在装卸管理人员的现场指挥或者监控下进行。

(8)装运过危险品的车辆、集装箱,卸后应当清扫洗刷干净,确保不会对其他货物和作业人员造成污染、损害。洗刷废水、废物处理应当符合环保要求。

(二)装卸车作业要求

1. 装车作业要求

(1)检查车辆。检查车种车型与规定装运货物是否相符,查看门窗状态、进行透光检查,确认车辆检修是否过期。

(2)检查货物。检查货物品名、包装、件数与运单填写是否一致,以及货物包装是否符合规定。

(3)装车作业。传达安全注意事项及装载方案,检查消防器材和安全防护用品。装载货物(含国际联运换装)不得超过车辆(含集装箱、罐式箱)标记载重量及罐车允许充装量,严禁增载和超装超载。

(4)装车后工作。检查堆码及装载状态,查验门窗是否关闭良好,做好施封加锁及装车台账登记工作等。

2. 卸车作业要求

(1)检查车辆。车辆状态及施封检查,核对票据与现车,确定卸车及堆码方法。

(2)卸车作业。传达安全作业注意事项及卸车方案,检查消防器材和安全防护用品。

(3)卸车后工作。填记卸货登记簿。对受到污染的车辆,及时回送洗刷所洗刷除污。清理车辆残存废弃物交由收货人负责处理。因污染、腐蚀造成车辆损坏的,要按规定索赔。

(三)签认制度

爆炸品、硝酸铵、剧毒品(非罐装、有特殊规定 67 号)、气体类和其他另有规定的危险品运输作业实行签认制度。即在装车作业之后、卸车作业前要按要求进行“签认”。

实行危险品运输作业的签认制度,是确保危险品安全运输的一项重要举措。统一签认制度,规范了办理站和专用线(专用铁路)作业过程,使危险品基础管理更加有序,使各项作业标准都有了规范,明确了执行作业流程的责任人。

1. 签认单的种类

签认单分为铁路危险品运输作业签认单、铁路剧毒品运输作业签认单和危险品罐车运输作业签认单三种,每种签认单又分发送作业签认单、途中作业签认单和到达作业签认单。

2. 危险品作业签认的基本要求

(1)作业过程应按规定程序和标准进行签认,要对作业过程的完整性、真实性负责,严禁漏签、代签和补签。签认单保存期半年。

(2)在货检站无改编作业时,是否要进行签认由各铁路局结合实际情自行确定,但需有押运人的车辆必须进行相关签认。

(3)成组、成列的危险品车辆(发站和到站都相同),可合签一份作业签认单,但车号、票据号须完整填记在作业签认单的背面。

四、保管和交付

(一)保管

(1)危险品应按其性质和要求存放在指定的仓库、雨棚等场地。遇潮或受阳光照射容易燃烧或产生易燃、易爆、有毒气体的危险品不得在雨棚、露天存放。存放保管危险品时,应符合《铁路危险货物配放表》的要求。编号不同的爆炸品不得同库存放。放射性物质需建专用仓库,并与爆炸品仓库保持20米以上的安全距离。

(2)堆放危险品的仓库、雨棚等场地必须清洁干燥、通风良好,配备充足有效的消防设施。货场应设置明显的安全警示标志,须建立健全值班巡守制度。仓库作业完毕后应及时锁闭,剧毒品须加双锁,做到双人收发、双人保管。进入货场的机动车辆必须安装防火帽(罩)。

(二)交付

(1)对到达的货物要及时通知收货人,做到及时交付货物,及时取送车辆。货位清空后,需及时清扫、洗刷干净。对撒漏的危险品及废弃物,应及时通知收货人进行处理。对危险性大、撒漏严重的,要会同卫生防疫、环保、消防等部门共同处理。

(2)由铁路运输企业负责卸车的危险品,到达站应在不迟于卸车完毕的次日内用电话或书信向收货人发出催领通知。收货人应于铁路发出或寄发催领通知的次日(不能实行催领通知或会同收货人卸车的货物为卸车的次日)起算,在两天内将货物提走,超过这一期限将收取货物暂存费。

(3)从铁路发出催领通知日起(不能实行催领通知时,则从卸车完毕的次日起),满30天仍无人领取的货物(包括收货人拒收,发货人又不提出处理意见的货物),铁路则按无法交付货物处理。

(4)收货人在领取货物时,应出示提货凭证,并在货票上签字或盖章。在提货凭证未到或遗失的情况下,则应出示单位的证明。收货人在到达站办妥提货手续和支付相关费用后,铁路将货物连同运单一起交给收货人。

☞ 案例

2006年4月29日11时09分,西北××站承运发往西南××站的液化石油气5车,到达中途××市××站9道。停车后,押运员发现货物列车尾前第3位,车号GY95S 0976845的液化石油气罐车发生泄漏,立即报告车站。该车托运人为西北××石化有限责任公司,收货人为中石化××石油勘探局××液化气储备站,充装单位是中石油天然气股份有限公司××石化分公司。11时25分,车站接到报告后立即启动应急预案,采取隔离防护、接触网停电等施救措施。12时23分,押运员上车检查,确认是液面计保护罩处泄漏,无法处理。该车站只得先将事故车送至站北牵出线无电区。13时53分,再将该事故车送往临近站的××铁路液化气站,进行喷淋降温后,于15时开始卸车,18时01分,卸车完毕。这次事故给编组站运输秩序造成了严重影响。

资料来源:中国铁道企业管理协会运输委员会编著,《铁路危险货物运输事故案例》

任务三 熟知铁路危险品运输押运管理

一、危险品运输押运意义

铁路运输企业应对所接收的货物负责照看和防护，以保证货物完整、及时运送到目的地，这是铁路运输企业履行货运合同的一项主要义务。由于有些货物的性质特殊，为了能保证货物运输安全，需要在运输过程中加以特殊防护和照料，需托运人派对货物性质及防护熟悉的押运人押运。

《铁路危险货物运输管理规则》规定，运输爆炸品（烟花爆竹除外）、硝酸铵实行全程随货押运，剧毒品、罐车装运气体类（含空车）危险品实行全程随车押运，装运剧毒品的罐车和罐式箱不需押运，其他危险品需要押运时按有关规定办理。

二、危险品运输押运管理规定

（1）押运员必须取得培训合格证。运输气体类危险品时，押运员还须取得押运员证。

（2）运输时发现押运员身份与携带证件不符或押运员缺乘、漏乘时应及时甩车，做好记录，并通知发站或到站联系托运人、收货人立即补齐押运员后方可继运。

（3）发站要对押运工具、备品、防护用品以及押运间清洁状态等进行严格检查，不符合要求的禁止运输。

（4）押运间仅限押运员乘坐，不允许闲杂人员随乘，执行押运任务期间，严禁吸烟、饮酒及做其他与押运工作无关的事情。

（5）车辆在临修、辅修、段修、厂修时，要严格按有关规程加强对押运间的检查、修理。在接到押运员的故障报告后要及时修理。气体危险品罐车检修完毕出厂前，罐车产权单位应主动到检修单位，按规程标准对押运间检修质量进行交接签认，并做好记录，确保气体危险品罐车押运间状态良好。

（6）押运管理工作实行区段签认负责制。货检人员须与押运员在所押运的车辆前签认，要对押运备品及押运间状态进行检查，不符合要求的要甩车处理。签认内容见全程押运签认登记表。托运人再次办理运输时（含须押运的气体类罐车返空）须出具此登记表，并由车站保留三个月。对未做到全程押运的，再次办理货物托运时车站不予受理。

（7）同一托运人、同一到站押运方式、车辆及人数规定。

①气体类 6 辆重（空）罐车（含带押运间车辆）以内编为 1 组。1～6 车押运员不得少于 2 人，7～12 车押运员不得少于 4 人，13～18 车押运员不得少于 6 人。每列编挂不得超过 3 组。每组间的隔离车不得少于 10 辆（原则上需要用普通货物车辆隔离）。装运爆炸品（含烟花爆竹）、硝酸铵、气体类车辆与牵引机车隔离不少于 4 辆。

②剧毒品 4 辆（含带押运间车辆）以内编为 1 组，每组 2 人押运；2 组以上押运人数由铁路局确定。

③硝酸铵 4 辆以内编为 1 组，每组 2 人押运；2 组以上押运人数由铁路局确定。

④爆炸品（烟花爆竹除外）每车 2 人押运。

上述车辆编组隔离除符合本条规定外，还须符合《铁路车辆编组隔离表》的规定。

(8)新造出厂的和洗罐站洗刷后送检修地点的及检修后首次返空的气体类危险品罐车不需押运，但须在运单、货票注明“新造车出厂”“洗刷后送检修”或“检修后返空”字样。

三、押运员的职责

(1)押运员在押运过程中必须遵守铁路运输的各项安全规定，并对所押运货物的安全负责。

(2)押运员应了解所押运货物的特性，押运时应携带所需安全防护、消防、通信、检测、维护等工具以及生活必需品，应按规定穿着印有红色“押运”字样的黄色马甲，不符合规定的不得押运。

(3)气体危险品押运员应对押运间进行日常维护保养，破损严重的要及时向所在车站报告，由车站通知所在地货车车辆段按规定予以扣修。对门窗玻璃损坏等能自行修复的，必须及时修复。

(4)押运间内必须保持清洁，严禁存放易燃易爆物品及其他与押运无关的物品。对未乘坐押运员的押运间应使用明锁锁闭，车辆在沿途作业站停留时，押运员必须对不用的押运间进行巡检，发现问题，及时处理。

(5)押运员在途中要严格执行全程押运制度，认真按照全程押运签认登记表要求进行签认，严禁擅自离岗、脱岗。严禁押运员在区间或站内向押运间外投掷杂物。运行时，押运间的门不得开启。对押运期间产生的垃圾要收集装袋，到沿途有关站后，可放置车站垃圾存放点集中处理。

(6)托运人应针对运输的危险品特性，建立危险品运输事故应急预案及施救措施。押运员应熟悉应急预案及施救措施，在运输途中发现异常现象时，应及时采取应急措施并向铁路部门报告。

(7)在押运途中做好记录工作。

①押运员应在全程押运签认登记表中如实记录发车站及运输途中各编组站站名、挂运列车车次和到发站时间、罐车到站和运到专用线的时日。

②押运员在押运途中，对罐体压力表、安全阀、气相阀、液相阀、液位计等安全附件的检查情况和检车员对走行装置的底架、转向架、车钩缓冲装置和制动装置检查情况，分别记入液化气体铁路罐车运行记录。中途发生事故时，应详细记录事故的原因、责任、措施及后果。

③押运员须认真填写液化气体铁路罐车运行记录，不得弄虚作假。每次完成押运任务后，应将运行记录送交所在单位主管部门存档。

④在沿途各技术站检查罐体安全附件情况及了解车辆检车员对罐车走行装置的检查情况，分别做好记录。

任务四　了解铁路危险品自备货车运输

一、危险品自备货车运输条件

1. 危险品自备货车运输时，须由车辆产权单位向过轨站段提出申请，站段初审后报所属铁路局审核，符合规定的，由所属铁路局签发危货车安全合格证。危货车安全合格证实行一车一证，车证相符，按规定品名装运，不得租借和混装使用。铁路局应建立危货车安全合格证档案，每年进行一次复核。

2. 办理危货车安全合格证应出具下列技术文件。

(1) 装运气体类危险品罐车

①申请报告(含企业生产经营规模、运量、产品理化特性和危险性分析)；

②自备罐车审查表；

③压力容器使用登记证；

④铁路货车制造合格证明；

⑤铁路货车检修合格证明；

⑥车辆验收记录；

⑦押运员的押运员证和培训合格证；

⑧企业自备车经国家铁路过轨运输许可证；

⑨其他有关资料。

(2) 装运非气体类液体危险品罐车

①申请报告(含企业生产经营规模、运量、产品理化特性和危险性分析)；

②自备罐车审查表；

③铁路罐车容积检定证书(格式 21)；

④车辆验收记录；

⑤铁路货车制造合格证明；

⑥铁路货车检修合格证明；

⑦押运员的培训合格证(规定须押运的货物)；

⑧企业自备车经国家铁路过轨运输许可证；

⑨其他有关资料。

(3) 非罐车装运危险品

①申请报告(含企业生产经营规模、运量、产品理化特性和危险性分析)；

②自备货车审查表；

③车辆验收记录；

④铁路货车制造合格证明；

⑤铁路货车检修合格证明；

⑥押运员的培训合格证(规定须押运的货物)；

⑦企业自备车经国家铁路过轨运输许可证；

⑧其他有关资料。

在 2006 年 8 月 1 日前制造的货车，可不提供铁路货车制造合格证明。

二、相关规定

《铁路危险货物运输管理规则》对危险品自备货车运输有严格规定。

(1)自备罐车装运危险品，品名范围及车种要求应符合《铁路危险货物品名表》第 11 栏中特殊规定。

(2)危险品罐车装卸作业必须在专用线(专用铁路)办理。

(3)装运危险品的罐车罐体本底色应为银灰色，罐体两侧纵向中部应涂刷一条宽 300 mm表示货物主要特性的水平环形色带：红色表示易燃性，绿色表示氧化性，黄色表示毒性，黑色表示腐蚀性。

(4)装运酸、碱类的罐体为全黄色，罐体两侧纵向中部应涂刷一条宽 300 mm 的黑色水平环形色带；装运煤焦油、焦油的罐体为全黑色，罐体两侧纵向中部应涂刷一条宽 300 mm 红色水平环形色带。

装运黄磷的罐体为银灰色，罐体中部不用涂打环形色带。需在罐体两端右侧中部喷涂 9.13 号危险品标志图。

环带上层 200 mm 宽涂蓝色，下层 100 mm 宽涂红色或黄色分别表示易燃气体或毒性气体。环带 300 mm 为全蓝色时表示非易燃无毒气体。

罐体两侧环形色带中部(有扶梯时在扶梯右侧)以分子、分母形式喷涂货物名称及其危险性，如苯。对遇水会剧烈反应，事故处理严禁用水的货物，还应在分母内喷涂“禁水”二字，如硫酸。并按规定在罐体两端头两侧环形色带下方喷涂相应标志，规格为 400 mm × 400 mm。

(5)承运危险品自备货车时，应审核以下内容。

①气体类危险品

a. 罐车产权单位为托运人的，托运人资质证书的单位名称必须与危货车安全合格证、押运员证、培训合格证的单位名称相统一；

b. 罐车产权单位为收货人的，罐车产权单位名称必须与危货车安全合格证、押运员证、培训合格证的单位名称相统一；

c. 货物品名、托运人、收货人、发到站、专用线(专用铁路)等须与《铁路危险货物运输办理站(专用线、专用铁路)办理规定》(以下简称《办理规定》)中公布的相统一；

d. 货物品名须与危货车安全合格证中的品名及罐体标记品名相统一；

e. 提供铁路液化气体罐车充装记录(以下简称充装记录，格式 7)一式两份，一份由发站留存，一份随运单至到站交收货人；

f. 虽符合上述 a ~ b 项条件，但证件过期、定检过期、车况不良、罐体密封不严、罐体标记文字不清等有碍安全运输的不予办理运输。

②非气体类液体危险品

非气体类液体危险品运输时比照本条第 1 项规定办理，不审核押运员证，有押运规定的，须审核《培训合格证》。

③其他类危险品运输比照上述相应规定办理。

(6)气体类危险品在充装前须对空车进行检衡。充装后,需用轨道衡再对重车进行计量,严禁超装。

(7)充装非气体类液体危险品时,应根据液体货物的密度、罐车标记载重量,标记容积确定充装量。充装量不得大于罐车标记载重量,同时要留有膨胀余量,充装量上限不得大于罐体标记容积的95%,下限不得小于罐体标记容积的83%。充装量低于83%时,罐体内未加防波板不得办理运输。

(8)装运危险品的罐车重车重心限制高度不得超过2 200 mm。

(9)装车前,托运人应确认罐车是否良好,罐体外表应保持清洁,标记、文字应能清晰易辨。罐体有漏裂,阀、盖、垫及仪表等附件、配件不齐全或作用不良的罐车禁止使用。

(10)气体类危险品充装前必须有专人检查罐车,按规定对罐体外表面、罐体密封性能、罐体余压等进行检查,不具备充装条件的罐车严禁充装。罐车充装完毕后,充装单位应会同押运员复检充装量,检查各密封件和封车压力状况,认真详细填记充装记录,符合规定时,方可申请办理托运手续。

危险品罐车装、卸车作业后,须及时关严罐车阀件,盖好人孔盖,拧紧螺栓,严禁混入杂质。气体类危险品罐车卸后罐体内须留有不低于0.05 MPa的余压。

(11)气体类危险品罐车运输不允许办理运输变更或重新托运,如遇特殊情况需要变更或重新托运时,需经铁路局批准。危险品运输变更或重新托运必须符合本规则有关要求。

任务五 熟知铁路危险品集装箱运输

一、开展危险品集装箱运输的条件

(1)铁路危险品集装箱(以下简称危货箱)办理站(专用线、专用铁路)应设置专用场地,并按货物性质和类项划分区域;场地须具备消防、报警和避雷等必要的安全设施;配备装卸设备设施及防爆机具和检测仪器。危货箱的堆码存放应符合《铁路危险货物配放表》中的有关规定。

(2)自备危货箱运输时,须由产权单位向过轨站段提出申请,站段初审后报所属铁路局审核,符合规定的,由所属铁路局签发危货箱安全合格证。危货箱安全合格证实行一箱一证。铁路局应建立危货箱安全合格证档案,每年进行一次复核。

办理危货箱安全合格证须出具下列技术文件。

①罐式箱

a. 罐式箱(如图5-6所示)申请报告(含企业生产经营规模、运量、产品理化特性和危险性分析);

b. 铁路罐式集装箱容积测试证书(格式22);

c. 自备危险品集装箱定期检修合格证(以下简称危货箱检修证,格式26);

d. 罐式箱审查表;

e. 其他有关资料。

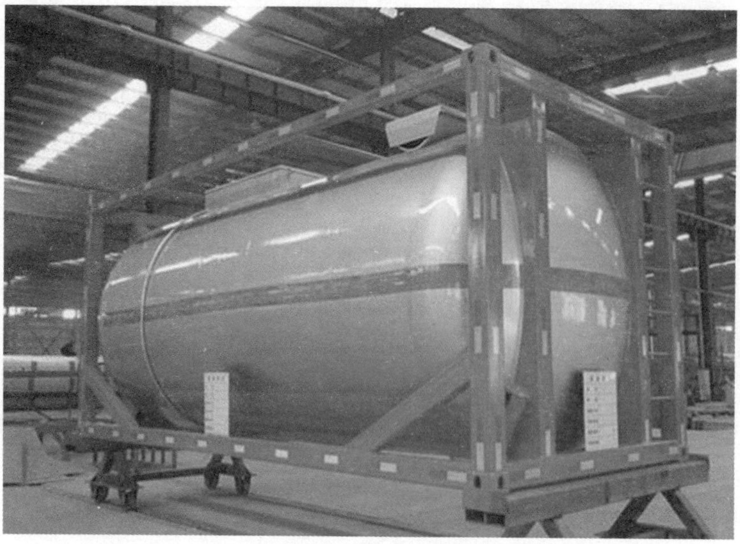

图 5－6　罐式箱

②危货箱

a. 危货箱（如图 5－7 所示）申请报告（含企业生产经营规模、运量、产品理化特性和危险性分析）；

b. 危货箱检修证；

c. 自备箱审查表；

d. 其他有关资料。

图 5－7　危货箱

（3）办理罐式箱运输时，托运人、收货人、发到站、专用线（专用铁路）、货物品名等须与《办理规定》相符。限使用集装箱专用平车（含两用平车）运输。

(4)危货箱仅办理《铁路危险货物品名表中》下列品类：

①铁路通用箱

a. 二级易燃固体(41501—41559)

b. 二级氧化性物质(51501A—51530)

c. 腐蚀性物质。

包括以下三种：

(a)二级酸性腐蚀性物质(81501—81535,81601A—81647)

(b)二级碱性腐蚀性物质(82501—82524)

(c)二级其他腐蚀性物质(83501—83514)

②自备危货箱

a. 上述铁路通用箱规定的品名

b. 毒性物质(61501—61940)

③集装箱装运上述第1.2项以外的危险品,以及改变包装的需经铁道部门批准。

二、危险品集装箱运输相关规定

(1)铁路危险品集装箱(以下简称危货箱)限装同一品名、同一铁危编号的危险品,包装须与《铁路危险品运输管理规则》规定一致。装箱须采取安全防护措施,防止货物在运输中倒塌、窜动和撒漏。运输时只允许办理一站直达并符合《办理规定》要求。

(2)车站办理危货箱时,应对品名、包装、标志、标记等进行核查,防止匿报、谎报危险品或在危货箱中夹带违禁物品。

(3)严禁在站内办理危货箱的装箱、掏箱作业。

(4)托运人应根据危险品类别在箱体上拴挂相应危险品包装标志。拴挂位置:箱门把手处各1枚,箱角吊装孔各1枚,共计6枚,需拴挂牢固,不得脱落。标志采用塑料双面彩色印刷,规格为100 mm×100 mm。

(5)危货箱装卸车作业前,货运员须向装卸工组说明货物性质及作业安全事项,作业时应做到轻起轻放,不得冲撞、拖拉、刮碰。

(6)收货人应负责危货箱的洗刷除污,并负责撤除危险品标志。无洗刷能力时,可委托铁路部门洗刷,费用由收货人负担。洗刷除污不符合规定要求的不得再次使用。

(7)收货人应负责危货箱的洗刷除污,并负责撤除危险品标志。无洗刷能力时,可委托铁路部门洗刷,费用由收货人负担。洗刷除污不符合规定要求的不得再次使用。

(8)罐式箱检修分临时检修和中修、大修。

①临时检修:对罐式箱使用状况的日常检修。包括对丢失、损坏及人孔盖、垫等配件进行补齐和更换,对缺少、污损的标志进行补齐和更换。

②中修:对罐体进行清洗置换和气密检查。包括更换安全阀附属配件并进行气密试验,对罐式箱框架强度进行安全可靠性检测。中修修程为1年。

③大修:除进行中修内容外,进行罐体腐蚀裕度测定、矫正变形、修补破损、除锈喷漆、焊缝探伤等。还需进行水压试验。大修修程为5年。

罐式箱临时检修、中修和大修由箱主委托原铁道部认定的具有检验资格的单位完成。检修后,应在箱体上标明检修单位、日期和下次检修时间,并填写危货箱检修证。凡检修过期的不得办理运输。罐式箱使用期限不得超过15年。

任务六　了解剧毒品运输

一、剧毒品的定义

剧毒品系指铁路危险品运输规则品名索引表中第 6 类一级毒性物质(编号 61001 ~ 61499)及铁路危险品运输品名表第 11 栏内注有特殊规定 67 号者,均实行铁路剧毒品运输跟踪管理,运输时须全程押运。

剧毒品运输采用剧毒品黄色专用运单,并在运单上印有骷髅图案。未列入剧毒品跟踪管理范围的剧毒品不采用剧毒品黄色专用运单,不实行全程押运,但仍按剧毒品分类管理。

二、剧毒品运输相关规定

(1)同一车辆只允许装运同一品名、铁危编号的剧毒品。装车前,货运员要认真核对剧毒品到站、品名是否符合《办理规定》,要检查品名填写是否正确,包装方式、包装材质、规格尺寸、车种车型、包装标志等是否符合本规则规定。

(2)各铁路局要根据专用线办理剧毒品运输的情况,配齐专用线货运员。装卸作业时,货运员要会同托运人确认品名、清点件数(罐车除外),监督托运人进行施封,并检查施封是否有效。须在车辆上门扣用加固锁加固并安装防盗报警装置。

(3)剧毒品运输过程须进行签认。在发站要签认铁路剧毒品发送作业签认单,途中作业时要签认铁路剧毒品途中作业签认单,在到站要签认铁路剧毒品到达作业签认单。

(4)剧毒品运输安全要作为重点纳入车站日班计划、阶段计划。车站编制日班计划、阶段计划时要重点掌握,优先安排改编和挂运。车站要根据作业情况建立剧毒品车辆登记、检查、报告和交接制度,值班站长要按技术作业过程对剧毒品车辆进行跟踪监控。

(5)各级调度部门要及时组织挂运,成组运输的不得拆解,无特殊情况不得保留,必须保留时,要通知公安等有关方面采取监护措施。各级调度部门要掌握每天 6 点和 18 点装车、接入、交出、到达的剧毒品运输情况。

(6)各级货运、运输等部门,要把剧毒品日常运输纳入每日交班内容,严格掌握发运、途中和交付的情况。

(7)车站货检人员对剧毒品车辆应作重点检查,用数码相机两侧拍照(如车号、施封、门窗状况),并存档保管至少三个月;运输过程中发现装有剧毒品的车辆或集装箱无封、封印无效以及有异状时,必须立即甩车,并通知公安部门共同清点,按规定进行处理。如发生丢失、被盗等问题,立即报告铁路局和铁道部调度、货运、公安管理部门。

三、剧毒品运输实行三级计算机跟踪管理

铁路剧毒品运输计算机跟踪管理是指以危险品办理站为基础,在铁道部、铁路局和车站,根据不同层次管理要求建立的信息管理系统。

(1)跟踪管理工作由原铁道部负责方案规划和监督指导,铁路局负责方案实施和日常管理,铁路信息技术部门负责软件维护、更新、完善等技术支持,保证系统正常运转。

(2)办理剧毒品运输的车站须与剧毒品计算机跟踪管理系统联网运行。需具备原始信

息及时发送和接收能力，要求配备相应的传输、通信、打印等信息跟踪管理设备。

(3)挂有剧毒品车辆的列车，应在“运统1”记事栏中注明“D”字样，并将剧毒品车辆的车种车号、发到站、货物品名、挂运日期、挂运车次等信息及时报告给铁路局行车确报系统和剧毒品运输跟踪管理系统。

(4)装车站要将剧毒品货票所载信息，及时生成剧毒品运输管理信息登记表，实时报告剧毒品运输跟踪管理系统。内容包括剧毒品车的车号(集装箱箱型、箱号及所装车号)、发到站、托运人资质证书编号、品名及编号、件数、重量和承运、装车日期等。

(5)中途站发现装有剧毒品的车辆或集装箱无封、封印无效以及有异状时，应立即甩车，报告所属铁路局，并通知公安部门共同清点。同时按规定及时以电报形式，向发到站及所属铁路局和铁道部报告有关情况。

(6)剧毒品到站后和卸车交付完毕后，立即将车种车号(集装箱箱型、箱号及所装车号)、发到站、托运人资质证书编号、托运人、收货人、品名及编号、件数、重量、到达日期、到达车次、交付日期等信息上网报告剧毒品运输跟踪管理系统，并在2小时内通知发站。

四、剧毒品运输作业要求

(1)列车出发作业要求

①车号员要认真编制列车编组顺序表(运统1)，并在剧毒品车辆记事栏内标记“D”符号。发车前认真核对现车，确保出发列车编组、货运票据和列车编组顺序表内容一致。发车后，要及时发出列车确报。

②车站调度员(车站值班员)于列车出发后，将剧毒品车辆的挂运车次、编挂位置等及时报告铁路局调度，并将信息登录到剧毒品运输信息跟踪系统。

(2)列车改编作业要求

①车站调度员(调车区长)要准确掌握剧毒品车辆信息，及时安排解编作业，正确编制调车作业计划，并在调车作业通知单上注明标记。严格执行剧毒品车辆限速连挂和禁止溜放规定。

②调车指挥人员要按调车作业计划，将剧毒品车辆的作业方法、注意事项直接向司机和调车作业人员传达清楚，严格按要求进行调车作业。作业完毕，及时将剧毒品车辆有关信息向调车领导人报告。

(3)列车到达作业要求

①车号员严格执行核对现车制度，发现列车编组、货运票据和列车编组顺序表(运统1)内容不一致时，及时记录并向调车领导人汇报。对剧毒品车辆要进行标记。

②货检人员对剧毒品车辆要重点进行检查。要认真检查剧毒品车辆状态，没有押运员的必须及时通知发站派人处理，同时通知公安部门采取监护措施。

③做好信息上网报告剧毒品运输跟踪管理系统工作。

五、剧毒品进出口运输规定

(1)出口剧毒品，办理站除按规定要求填写联运运单外，还需填写国内剧毒品专用运单两份(专用运单仅作为添附文件，连同联运运单装入封套内，并在封套外加盖剧毒品专用戳记)，一份发站留存，一份随联运运单到口岸站存查。

(2)出口剧毒品到达口岸站后,需撤出专用运单并将运单所载信息和口岸站作业信息输入剧毒品运输跟踪管理系统。

(3)进口剧毒品由口岸站填写剧毒品专用运单两份,一份口岸站留存,一份随联运运单到站存查。并将剧毒品专用运单所载信息和作业信息输入剧毒品运输跟踪管理系统。

(4)剧毒品专用运单由办理站保存1年。

❖ 练习与思考

一、判断题

1. 气体类危险品在充装前须对空罐车进行检衡。( )

2. 危险品罐车充装前,托运人应确认罐车状态是否良好。( )

3. 危险品罐车卸车作业后,必须盖好孔盖。( )

4. 危险品自备货车运输时须取得由所属铁路局签发的铁路危险品自备货车安全技术审查合格证。( )

5. 罐车产权单位办理铁路危险品自备货车安全技术审查合格证时,不需提交铁路罐车容积检定证书。( )

6. 新造铁路罐车不需进行罐体检测。( )

7. 国内铁路运输危险品禁止代理。( )

8. 托运人托运危险品时,应在货物运单"货物名称"栏内填写危险品品名索引表内列载的品名和编号。( )

9. 运输危险品必须按照铁路主管部门的规定办理,禁止以非危险品品名托运危险品。( )

10. 装运乙醇的危险品自备罐车可直接改装苯、甲苯等理化性质相似且消防方法不相抵触的物品。( )

11. 装运危险品的车辆,要求技术状态良好,不能使用扣修或定检过期的车辆。( )

12. 押运员应了解所押运货物的特性及防护急救措施,须持有铁路局核发的铁路危险品运输业务培训合格证。( )

13. 按照普通货物条件运输的危险品,托运人也必须取得铁路危险品托运人资质证书。( )

14. 经押运员同意,押运间内可以允许非押运人员短程随乘。( )

二、填空题

1. 危险品专用线(专用铁路)装卸设备应具备( )、( )功能,装卸能力、计量方式、消防设施、安全作业防护应符合规定要求。

2. 压缩或液化气体应急处置,如果是输气管道泄漏着火,应设法找到( )阀门关闭。

3. 承运危险品自备罐车时,应审核( )与《铁路危险品运输办理站(专用线、专用铁路)办理规定》中公布相统一。

4. 汽油罐车充装量上限不得大于罐体标记容积的( )。汽油罐车充装量下限不得小于罐体标记容积的( )。

5. 危险品罐车装卸作业必须在(　　)办理。

6. 装运危险品的罐车罐体本底色为(　　)色。

7. 轻油罐车罐体两侧纵向中部涂刷的水平环形色带的颜色为(　　)色。

8. 可使用铁路产权罐车装运的品名有(　　　　　　　　)。

9. 在购置危险品自备货车前,申请人须申请(　　　　　　　)。

10. 铁路危险品自备货车安全技术审查合格证实行(　　　　　　)。

11. 装运危险品的罐车重车重心限制高度为(　　　　　)m。

12. 既有的危险品办理站、专用线(专用铁路)每(　　)年须进行一次运输安全现状综合分析。

13. 铁路危险品运输业务培训合格证,有效期(　　)年。

三、不定项选择题

1. 申请办理铁路危险品托运人资质时,相关专业技术人员、(　　)应经过铁路危险品运输业务知识培训。

A. 单位负责人　B. 运输经办人员　C. 装卸人员　D. 押运人员　E. 驾驶人员

2. 托运人托运危险品时,应在货物运单"托运人记载事项"栏内填写(　　)和铁路危险品运输业务培训合格证号码。

A. 承运人资质号码　B. 托运人资质号码　C. 经办人身份证号码

D 经办人驾照号码　E. 包装号码

3. 装载液体类危险品不得超过罐车的(　　),严禁增载和超装。

A. 最大容量　B. 允许充装量　C. 最大充装量

4. 货检人员在签认时,发现押运备品及押运间状态不符合要求的要进行(　　)。

A. 扣押　B. 立即整顿　C. 甩车处理

5. 押运管理工作实行(　　)。

A. 车站签认负责制　B. 区间签认负责制　C. 区段签认负责制

6. 押运间内必须保持清洁,严禁存放(　　)以及与押运无关的物品。

A. 易燃易爆品　B. 对讲机　C. 灭火器　D. 证件

7. 押运时押运员应穿着印有红色"押运"字样的(　　)马甲。

A. 红色　B. 黄色　C. 白色　D. 蓝色

8. 罐车装运气体类危险品实行(　　)押运。

A. 全程随货　B. 全程随车　C. 不需

四、简答题

某站专用线使用液化气体罐车装运 1 车丁烯。装车后,专用线货运员应做哪些工作?

五、案例分析

1. 2014 年 8 月 8 日,华北 A 站承运发往 B 站的丁烯 5 车,托运人为 C 石化销售分公司,收货人为 D 石油化工有限责任公司。8 月 15 日 15 时 05 分,编挂该 6 车丁烯的 10055 次货物列车到达 E 站待避,计划于 16 时 30 分开行。外勤值班员在货物列车开车前检查时,发现编挂于机后第10位的丁烯自备罐车上部冒有烟雾。但当时该站所在地区正降中雨，且押运人也未按要求穿着押运防护服，致使车站未能立即找到押运人，无法确认罐车是否泄漏。在核实该泄漏罐车所装的货物为液化的易燃气体丁烯后，迅速逐级向上汇报。调度员接到报告后，果断取消该列车的开行计划，命令上下行客货列车禁行，隔离、扣留该货物列车，查找原因。该车站立即组织专业技术人员进行处理，两小时后止住泄漏。消防队使用专业检测仪器对空气中易燃气体的浓度进行检测，并重点对泄漏罐车上部检测，检测结果确认车体及车辆周边易燃气体浓度达到安全标准，经押运员签认泄漏点已修复完毕后，该车站上下行列车恢复运行。

请回答：此案例给我们什么教训？针对类似事故的防范措施有哪些？

2.2006 年 7 月 14 日零时 15 分，10124 次货物列车到达华北 A 站，停在 1 道。16 时 30 分，该车押运员发现机后第 47 位的液化石油气罐车（车号 0960651）发生泄漏，该车的发站为西北 B 站，到站为 C 站，托运人为某化工产品有限公司，收货人为某燃气有限责任公司。押运员发现泄漏后随即报告车站。车站立即向铁路局调度所报告，16 时 50 分，调度所通知各有关部门，17 时 21 分电网停电后，押运人上车处理事故。经检查，发现罐车液相阀盲板的连接螺栓松动，随即将其紧固，停止了泄漏，17 时 40 分处理完毕，17 时 50 分电网恢复送电，货物列车继运，未造成严重后果。

请回答：1. 阐述液化石油气的特性及运输注意事项。

2. 押运员的职责是什么？

3.1986 年 8 月 9 日，A 化工厂将 1 车液氯从华北 B 站发往华东 C 站，编挂该罐车的货物列车运行至中途 D 站时，氯气从液氯罐车压力表管的沙眼处大量向外泄漏，导致正在农田里劳动的农民数人中毒，并有 30 余亩农作物枯萎减产，造成经济损失 8 700 元人民币。

请回答：1. 液氯的特性有哪些？

2. 针对此类事故的防范措施有哪些？

项目六　航空危险品运输

❖ 学习目标

一、知识目标

1. 了解我国航空危险品运输发展状况；
2. 了解航空危险品运输法律法规；
3. 理解危险品航空运输的限制和豁免；
4. 清楚危险品航空运输许可规定；
5. 掌握航空危险品包装要求；
6. 掌握航空危险品运输托运人责任；
7. 熟知航空危险品运输经营人责任；
8. 掌握航空危险品运输经营人的代理人责任；
9. 熟知航空危险品运输进出口业务流程；
10. 掌握航空危险品运输相关文件；
11. 掌握锂电池的基础知识；
12. 熟知锂电池运输的危险性。

二、能力目标

1. 能够对航空危险品运输事故发生的过程进行事故原因分析；
2. 能够进行航空危险品安全运输；
3. 能够正确进行航空危险品运输进出口业务操作；
4. 能对航空危险品运输典型案例进行经验和教训总结。

❖ 学习重点

1. 航空危险品运输托运人和经营人及其代理人的责任；
2. 锂电池的基础知识；
3. 航空危险品运输相关文件。

模块一　航空危险品运输认知

☞ 案例导入

【案例1】 2006年2月8日，一架UPS的飞机（航班号5X1307）在接近费城时所载货物突然起火，飞机在0时22分降落，机身中冒出了火焰。费城的消防人员花了4个小时来扑灭大火。当时这架39年机龄的DC－8停留在机场的主跑道上，直到凌晨4时8分大火才得到控制。事故调查结果显示，造成飞机起火的原因可能就是锂电池。

【案例2】 2000年2月，大连某公司要将80桶八羟基喹啉化工产品从北京空运至印度马德拉斯。3月15日，航班从北京飞抵马来西亚吉隆坡梳邦机场，中转卸货过程中，工作人员发现货物泄漏，腐蚀性很强，飞机报废，5名工作人员吸入化学气体发生晕厥，送往医院紧急治疗后才避免了严重后果。其后，查知货物的真名是草酰氯，是强酸腐蚀性化学物品，属于危险品。马航向我国民航总局投诉，并将我国6家公司告上法庭。他们认为，大连化建瞒报空运物品的危险性是造成飞机损毁的主要原因。其中物流公司等中间环节机构没有尽到检查的义务，因此也应承担相应责任。北京市高院判决判决大连某公司赔偿5家境外保险公司6 000余万美元并支付相应利息。

资料来源：白燕主编，民航危险品运输基础知识，中国民航出版社，2010.03

任务一　认知航空危险品运输

一、航空危险品的定义

《中国民用航空危险品运输管理规定》定义的危险品，是指列在《危险品安全航空运输技术细则》（以下简称《技术细则》）危险品清单中或者根据该细则归类的能对健康、安全、财产或者环境构成危险的物品或者物质。

为进一步加大对危险品航空运输的管理力度，进一步明确危险品航空运输安全监管范围，国家民航局依据国际民航组织相关文件，2015年3月制定并公布了《航空运输危险品目录（2015版）》（以下简称《目录》），自4月1日起施行。《目录》依据《中国民用航空危险品运输管理规定》（民航局令216号）以及国际民航组织《危险物品安全航空运输技术细则》（2015—2016版）的相关内容编写，列出了航空运输中常见的3 436种危险品，包括爆炸品、易燃品、氧化性物质、放射性物质、毒性物质和感染性物质等。

根据航空运输的不同要求，《目录》所列危险品分为三类：一是在符合相关规定的情况下，可以进行航空运输的危险品，共3 153种；二是在正常情况下禁止航空运输，但满足相关要求后，航空运输时不受限制的危险品，共2种；三是在任何情况下均禁止航空运输的危险品，共281种。凡是《目录》中列出的危险品，在携带乘机或者作为货物托运时，都应当满足民航法规的相关要求。

二、航空危险品运输的相关定义

1. 经营人

其是指以营利为目的使用民用航空器从事旅客、行李、货物、邮件运输的公共航空运输企业,包括国内经营人和外国经营人。

2. 托运人

其是指为货物运输与承运人订立合同,并在航空货运单或者货物记录上署名的人。

3. 经营人的代理人

其是指位于中国境内的代表经营人从事危险品航空运输活动的企业,包括货运销售代理人、地面服务代理人,以及其他代表经营人从事危险品航空运输活动的企业。

(1)货运销售代理人

其是指经经营人授权,代表经营人从事货物航空运输销售活动的企业。

(2)地面服务代理人

其是指经经营人授权,代表经营人从事各项航空运输地面服务的企业。

三、我国航空危险品物流发展状况

航空危险品物流是危险品物流的一个重要分支和组成部分。我国危险品的航空运输可以追溯到20世纪50年代。那时,航空运输的危险品主要是农药和极少量的放射性同位素。当时的中国民航局为此先后拟定了《危险品载运暂行规定》和《放射性物质运输的规定》。60年代初期,中国民航仅通航苏联、缅甸、越南、蒙古和朝鲜等周边国家。国际国内货物运输量都非常有限。1961年后,为确保航空运输的安全,根据上级指示,规定民航客货班机一律不载运化工危险品和放射性同位素。改革开放之后,我国航空运输事业进入快速发展时期。随着电子商务和物流产业的快速发展,我国航空货物运输的市场需求不断增长,危险品航空运输年增长率已超过30%。工业、商业、科研、医疗卫生等生产的大量危险品很多需要经航空运输。从发展趋势看,危险品航空运输市场未来将是物流企业新的利润增长点。

随着我国进出口贸易的快速发展,危险品航空运输逐步与世界接轨,有着世界一流运作能力的航空物流服务公司应运而生。以上海浦东国际机场货运站有限公司为例。该公司成立于1999年,为中德合资企业,由上海机场(集团)有限公司(占51%的股份)、德国汉莎货运航空公司(占29%的股份)和上海锦海捷亚物流管理有限公司(占20%的股份)投资组建。货运站位于浦东国际机场内,公司的空侧可直通机坪。一期货运站货物作业区超过135 000平方米,包括有停车场、货物交接区、货物操作仓库以及一个危险品仓库。货运操作仓库面积约为50 000平方米。同时,货运站还提供特殊货物的储存设施,如冷藏冷冻货、鲜活货、贵重品、活体动物、邮件及其他。公司的陆侧和空侧各有34个装卸货平台以使货运的搬运能在短时间内完成。到2013年年底,上海浦东国际机场货运站有限公司已有45家客户,全年完成货物吞吐量129.4万吨,已成为行业的佼佼者。

随着我国航空危险品物流的快速发展,不可避免地出现一些问题。目前航空危险品物流运输面临的挑战和最大的问题就是“瞒报”现象。瞒报分为三类:无意瞒报(疏忽瞒报)、蓄意瞒报和恶意瞒报。有行业专业人士认为,仅通过物流行业的管理与努力,最多只能解决无意瞒报的现象。无意瞒报是指货物托运人在申报操作过程中出现的非故意的瞒报过失。针对这种现象,国际民航组织、国际航空协会和国家民航总局都有相应的培训措施来提高运输链各节点对危险品的识别能力来加以解决。上海浦东国际机场货运站有限公司是国内机场地面操作中仅有的获得国际航空运输协会和中国民航总局双重认证的培训机构。这使得上海浦东国际机场货运站有限公司具备向发货人、包装商、货运代理以及航空公司员工等提供危险品运输的初训和复训的资质。培训后通过测试的人员可以获得国际民航协会(IATA)危险品操作证书和中国民航总局(CAAC)的危险品操作证书,同时汉莎航空对以上证书予以接受并承认。对于蓄意瞒报和恶意瞒报,由于隐蔽性非常强,在收运环节予以检查识别并转送国家主管机构进行查处都是非常难的。而且,蓄意瞒报和恶意瞒报往往可能都伴随其他性质的犯罪。蓄意瞒报可能是由于想突破某些禁运限制来运输危险品(如有些危险品航空禁运、有些公司无危险品操作资质)或降低成本(普通货物运输比危险品运输成本低很多)。恶意瞒报危险品的运输,可能就涉及恐怖袭击等恶性事件。打击这两种违法犯罪行为的同时,更多的是需要国家管理部门(如司法部门)的强力管理和制裁。

总体来说,危险品航空物流操作具有很强的专业性和技术性,且整个流程经历环节多,链条长,监管和操作难度都很大。危险品的航空物流安全建设和行业进步需要所有从业者、监管者、各方技术人员共同作出努力,才能够持续繁荣发展。

☞ **案例**

1999 年 4 月,青岛至广州的航班在广州落地后,装卸工打开舱门卸货时,闻到一股浓烈的刺鼻味。一件货物破损并流出液体,此货为间氟苯酚(第 6.1 项毒性物质),未申报,使用的是饮水机的旧包装。该起事故造成 17 名工作人员不同程度的中毒。托运货物的代理人被处以 10 万元人民币罚款。

资料来源:白燕主编,民航危险品运输基础知识,中国民航出版社,2010.03

四、航空危险品运输法律法规

(一)国际公约

1.《关于危险货物运输的建议书——规章范本》

其是由联合国经济及社会理事会危险品运输专家委员会编写,目的是提出一套基本规定,使有关各种运输方式的国家和国际规章能够统一地发展。由于该《规章范本》的封面是橘黄色的,所以又称橙皮书或橘皮书。

2.《全球化学品统一分类标签制度》

其是由由国际劳工组织(ILO)、经济合作与发展组织(OECD)、联合国危险物品运输专家委员会(UNCETDG)共同于 1992 年制定,是一项统一危险化学品分类和标签的国际制度。

3.《放射性物质安全运输规程》

其是国际原子能机构(IAEA)对于放射性物品运输制定的规则。此规则规定了与放射性物质运输有关的安全要求。包括包装的设计、制造和维护,也包括货包的准备、托运、装卸、运载(包括中途储存),货包最终目的地的验收。

4.《危险品规则》

其是由国际航空运输协会(IATA)出版发行。这一规则在《危险品安全航空运输技术细则》基础上,附加民间行业技术标准作为补充,以便在本行业中具体地实施,

5.《危险品安全航空运输技术细则》

《危险品安全航空运输技术细则》是国际民用航空组织制定的文件,于1983年1月1日生效。文件中有详细的技术资料,提供了一整套完备的国际规定。它是掌管全球航空运输危险品的法规。该文件每两年发布一次。

(二)国内法律法规

1.《中华人民共和国刑法》
2.《中华人民共和国安全生产法》
3.《中华人民共和国放射性污染防治法》
4.《危险化学品安全管理条例》
5.《中华人民共和国民用航空法》
6.《中华人民共和国民用航空安全保卫条例》
7.《中国民用航空安全检查规则》
8.《中国民用航空危险品运输管理规定》
9.《危害环境物质危险品货物的运输指南》
10.《锂电池航空运输规范》

中国民用航空局对危险品航空运输活动实施监督管理;民航地区管理局依照授权,监督管理本辖区内的危险品航空运输活动。从事航空运输活动的单位和个人应当接受中国民用航空局关于危险品航空运输方面的监督检查,使用民用航空器载运危险品的运营人,应先行取得局方的危险品航空运输许可,没有获得危险品运输许可的运营人不得运输危险品。

国际民用航空组织发布的现行有效的《危险品安全航空运输技术细则》、中国民用航空局《中国民用航空危险品运输管理规定》适用于国内公共航空运输经营人(以下简称国内经营人)、在外国和中国地点间进行定期航线经营或者不定期飞行的外国公共航空运输经营人(以下简称外国经营人)以及与危险品航空运输活动有关的任何单位和个人。

五、危险品航空运输的豁免和限制

《中国民用航空危险品运输管理规定》对危险品航空运输的豁免和限制做了明确规定:

(一)豁免

(1)下列情况,民航局可以根据《技术细则》的规定批准运输:

①对于《技术细则》指明经批准可以运输禁止用客机和/或者货机运输的危险品;

②符合《技术细则》规定的其他目的的。

上述情况下,运输的总体安全水平必须达到相当于《技术细则》所规定的安全水平。如果《技术细则》没有明确提及允许给予某一批准,则可寻求豁免。

(2)在极端紧急或者不适宜使用其他运输方式或者完全遵照规定的要求与公共利益相违背的情况下,民航局对《技术细则》的规定可予以豁免,但在此情况下应当尽全力使运输

的总体安全水平达到与这些规定要求的同等安全水平。

(3)按照《技术细则》规定经始发国批准可以运输的情况。

(4)已分类为危险品的物品和物质,根据有关适航要求和运行规定,或者因《技术细则》列明的其他特殊原因需要装上航空器时。

(5)旅客或者机组成员携带的在《技术细则》规定范围内的特定物品和物质。

(二)禁止装上航空器的危险品

(1)《技术细则》中规定禁止在正常情况下运输的危险品。

(2)受到感染的活动物。

(3)禁止通过航空邮件邮寄危险品或者在航空邮件内夹带危险品,《技术细则》中另有规定的除外。

(4)禁止将危险品匿报或者谎报为普通物品作为航空邮件邮寄。邮政企业、快递企业收寄危险品的,依照《中华人民共和国邮政法》的规定处罚。

(5)任何航空器均不得载运《技术细则》中规定的在任何情况下禁止航空运输的物品和物质。

☞ 案例

2007年11月8日某航空公司浦东至法兰克福航班,到达目的站卸机时发现一件邮包泄漏,有白色粉末溢出,粉末误入搬运工眼睛,造成暂时失明,在该区域活动的其他人员也出现嗓子不适、咳嗽症状,伤者接受医护治疗。经调查,寄件人交给邮局的邮件中装入三氯苯乙酮的化工品,三氯苯乙酮具有腐蚀性和毒性。

资料来源:白燕主编,民航危险品运输基础知识,中国民航出版社,2010.03

六、危险品航空运输许可

(一)一般规定

(1)经营人从事危险品航空运输,应当取得危险品航空运输许可并根据许可内容实施。

(2)民航地区管理局应当告知申请人有关危险品航空运输的政策和规定,为申请人申请危险品航空运输许可提供咨询和申请书的标准格式。

(3)遇灾害运送救援人员或者物资等重大、紧急和特殊情况,民航地区管理局应当按照民航局的相关要求办理危险品航空运输许可。

(4)民航地区管理局作出的危险品航空运输许可应当包含下列内容:

①说明经营人应按本规定和《技术细则》的要求,在批准的经营范围内实施运行;

②批准运输的危险品类别;

③许可的有效期;

④必要的限制条件。

(二)国内经营人危险品航空运输的申请和许可

(1)国内经营人申请危险品航空运输许可的,应当符合下列条件:

①持有公共航空运输企业经营许可证;

②危险品航空运输手册符合危险品运输的要求；

③危险品培训大纲符合危险品运输的要求；

④按危险品航空运输手册建立了危险品航空运输管理和操作程序、应急方案；

⑤配备了合适的和足够的人员并按危险品培训大纲完成培训并合格；

⑥有能力按本规定、《技术细则》和危险品航空运输手册实施危险品航空运输。

(2)国内经营人首次申请危险品航空运输许可的，应当向民航地区管理局提交下列材料：

①申请书；

②公共航空运输企业经营许可证复印件；

③拟从事危险品航空运输的经营范围和危险品的类别；

④危险品航空运输手册；

⑤危险品培训大纲；

⑥符合《中国民用航空危险品运输管理规定》及《技术细则》培训要求的说明；

⑦危险品应急响应方案；

⑧符合性声明；

⑨民航局要求的其他材料。

(3)国内经营人应当确保所提交材料的真实有效。申请材料齐全、符合法定形式的，民航地区管理局应当受理国内经营人的申请。材料不齐全或者不符合法定形式的，民航地区管理局应当当场或者在5日内一次性通知需要补充的全部材料，逾期不通知的，自收到申请材料之日起即为受理。

(4)民航地区管理局对国内经营人的危险品航空运输手册、危险品培训大纲和相关文件进行审查。国内经营人按危险品航空运输手册建立相关管理和操作程序，按培训大纲进行培训。民航地区管理局对相关程序和培训质量进行检查，确保其符合《中国民用航空危险品运输管理规定》和《技术细则》的要求。

经过审查，确认国内经营人符合《中国民用航空危险品运输管理规定》第十八条要求的，由民航地区管理局为其颁发危险品航空运输许可。经审查不合格，民航地区管理局依法做出不予许可决定的，应当书面告知申请人，并说明理由。

(5)民航地区管理局应当自受理危险品航空运输许可的申请之日起20日内完成审查并做出是否许可的决定。需要进行专家评审的，民航地区管理局应当将所需的评审时间书面告知申请人，评审时间不计入作出许可的期限内。

七、危险品航空运输许可的期限、变更和延期

(1)危险品航空运输许可的有效期最长不超过两年。出现下列情形之一的，危险品航空运输许可失效：

①经营人书面声明放弃；

②许可依法被撤销或者吊销；

③许可有效期届满后未申请延期。

(2)危险品航空运输许可持有人要求变更许可事项的，应当向民航地区管理局提出申请；提交材料应当包括申请书和《中国民用航空危险品运输管理规定》第十九条、第二十四条中发生变更的材料。符合《中国民用航空危险品运输管理规定》要求的，民航地区管理局

应当依法办理变更手续。

(3)经营人依据本规定第十九条、第二十四条规定在申请危险品航空运输许可时所提交的材料,在许可有效期限内发生变化的,经营人应当将更新后的材料报民航地区管理局批准或认可。

(4)危险品航空运输许可持有人申请许可有效期延期的,应当在许可有效期届满前30日向民航地区管理局提出申请。提交的材料应当包括申请书和本规定第十九条、第二十四条中发生变更的材料。民航地区管理局应当在许可有效期届满前做出是否准予延期的决定;逾期未做出决定的,视为准予延期。

八、航空危险品包装要求

(1)托运人应当根据《技术细则》的规定对航空运输的危险品进行分类、识别、包装、标签和标记,提交正确填制的危险品运输文件。

(2)包装物应当构造严密,能够防止在正常运输条件下由于温度、湿度或者压力的变化,或者由于震动而引起渗漏。

(3)包装物应当与内装物相适宜,直接与危险品接触的包装物不能与该危险品发生化学反应或者其他反应。

(4)包装物应当符合《技术细则》中有关材料和构造规格的要求。

(5)包装物应当按照《技术细则》的规定进行测试。

(6)对用于盛装液体的包装物,应当能承受《技术细则》中所列明的压力而不渗漏。

(7)内包装应当以防止在正常航空运输条件下发生破损或者渗漏的方式进行包装、固定或者垫衬,以控制其在外包装物内的移动。垫衬和吸附材料不得与包装物的内装物发生危险反应。

(8)包装物应当在检查后证明其未受腐蚀或者其他损坏时,方可再次使用。再次使用包装物时,应当采取一切必要措施防止随后装入的物品受到污染。

(9)如果由于之前内装物的性质,未经彻底清洗的空包装物可能造成危害时,应当将其严密封闭,并按其构成危害的情况加以处理。

(10)包装件外部不得黏附构成危害数量的危险物质。

(11)每一危险品包装件应当标明其内装物的运输专用名称,《技术细则》另有规定的除外。如有指定的联合国编号,则需标明此联合国编号以及《技术细则》中规定的其他相应标记。每一按照《技术细则》的规格制作的包装物,应当按照《技术细则》中有关的规定予以标明,《技术细则》另有规定的除外;不符合《技术细则》中有关包装规格的包装物,不得在该包装物上标明包装物规格的标记。

(12)每一危险品包装件应当粘贴适当的标签,并且符合《技术细则》的规定,《技术细则》另有规定的除外。

(13)国际航空运输时,除始发国要求的文字外,标记应当加用英文。

任务二 认知锂电池航空运输

一、锂电池基础知识

(一)相关定义

1. 锂电池的定义及标签

锂电池是一类由锂金属或锂合金为负极材料、使用非水电解质溶液的电池。具有使用寿命长的特点。锂金属的化学特性非常活泼,使得锂金属的加工、使用、保存对环境要求非常高。随着科学技术的发展,现在锂电池广泛使用于手机、笔记本电脑、摄像机、电动汽车等产品中。优越的性能使锂电池的应用越来越广泛,全球电池生产行业中,锂电池所占的比重接近 90%。锂电池标签如图 6-1 所示。

(a)

(b)

图 6-1 锂电池标签

(a)仅限货机标签;(b)锂电池操作标签

2. 锂含量

用来表征锂金属电池中锂的量值,用克(g)为单位。

3. 额定能量

用来表示锂离子电池能量的量值,用瓦特小时(Wh)为单位。

电池上直接标记有 Wh 数,或者标记有标称电压(V)和额定容量(Ah),Wh = V × Ah。

(二)锂电池种类

1. 锂金属电池

锂金属电池是指以锂金属或锂合金作为阳极的电池。这些电池通常是不可充电的一次性电池,即无法重复使用。按照需求会制成纽扣形、圆柱形等形状。

2. 锂离子电池

锂离子电池不含有金属态的锂,一般采用含有锂元素的材料作为电极,是可以充电的二次电池,即可充电重复使用。手机和笔记本电脑使用的都是锂离子电池。

（三）锂电池与锂电池芯的区别

锂电池芯是由一个正极和一个负极组成且两个电极之间有电位差的单一的、封闭的电化学装置。锂电池是指用电路连接在一起的两个或多个电池芯，并安装有使用所必需的装置，如外壳、电极端子、标记和保护装置等。由此可见，锂电池与锂电芯的主要区别是锂电池有保护电路，为成品电池，锂电池芯无保护电路（如图 6－2 所示）。

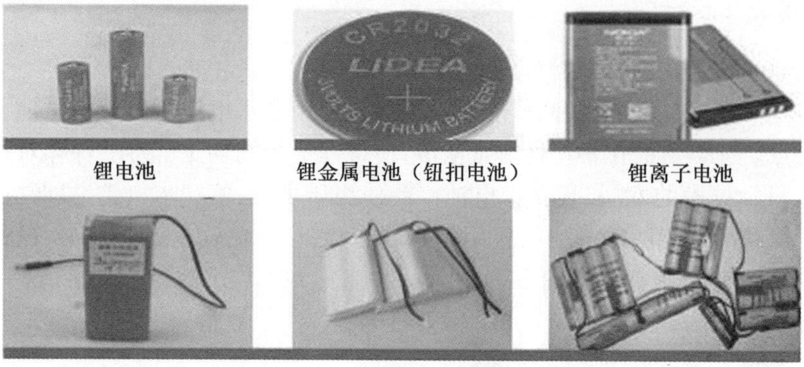

锂电池　锂金属电池（钮扣电池）　锂离子电池

锂电池芯

图 6－2　锂电池与锂电池芯

（四）锂电池运输的危险性

锂是极不稳定的金属，含锂的电池在摩擦或碰撞中很容易产生高温、火花，进而发生漏液、自燃或爆炸。锂电池属于第九类杂项危险品。根据运输时包装情况的不同，锂金属电池分为三种情况：单独包装的锂金属电池货物（联合国编号 UN3090），与设备包装在一起的锂金属电池货物和安装在设备中的锂金属电池货物（联合国编号均为 UN3091）。特别是单独包装的锂金属电池货物，由于单个包装件内运输的电池数量较多，如果在狭小的货舱空间中遭到挤压碰撞，极有可能着火爆炸。由于目前飞机货舱中使用的灭火剂不能将火扑灭，必须及时降落进行处理。如果在此之前火势蔓延到飞机的其他部分，那么后果将十分严重。近几年，在航空运输中不同程度地发生过一些关于锂电池的货物运输的不安全事故。此外，在旅客乘坐飞机出行的过程中，也发生过旅客携带的锂电池发生着火燃烧的事件，严重影响了航空运输的安全性。例如：2010 年 9 月 3 日，锂电池导致 UPS 迪拜坠机；2010 年 5 月 25 日，国航某航班空中客舱也发生过锂电池起火。

二、锂电池运输的安全管理

近些年来，随着锂电池航空运输量的不断增加，与锂电池有关的航空不安全事件频发。特别是单独包装的锂金属电池货物，由于单个包装件内运输的电池数量较多，目前飞机货舱的消防标准并没有充分考虑到锂金属电池的运输需求，配备的灭火剂对锂金属电池引起的火情无效，并且其燃烧产生的溶解锂会穿透货舱或产生足够压力冲破货舱壁板，使火势蔓延到飞机的其他部分。因此，美国要求锂金属电池应装载在货机上运输，以保证安全。

为了提升锂金属电池货物航空运输的安全水平，根据国际民航组织 2015—2016 版《危险物品安全航空运输技术细则》及其第1号更正，我国民航局2015年3月明确规定，今后除非获得国家豁免，将禁止使用客机运输单独包装的锂金属电池货物。根据规定，除非获得始发国、经营人所属国、过境国、飞越国和目的地国家豁免，单独包装的锂金属电池货物禁止使用客机运输，但可以按照《危险物品安全航空运输技术细则》的相关规定，使用货机运输。与设备包装在一起的锂金属电池和安装在设备中的锂金属电池，可以按照《危险物品安全航空运输技术细则》相关规定，使用客机和货机运输。

☞ 案例

【案例1】 2012年6月，某航空物流公司将31件锂离子电池换名称托运，在装卸过程中的碰撞可能造成内部短路起火，从而导致飞机货舱起火冒烟。

【案例2】 2012年7月，阿联酋航空从迪拜飞往北京的某航班在飞行途中货舱起火，在乌鲁木齐机场备降，后查明为一枚锂电池起火，造成货舱少量线路烧焦，引起火警告警。

资料来源：中国水运报

模块二 航空危险品运输托运人、经营人及其代理人的责任

☞ 案例导入

2014年3月10日18点51分从上海虹桥机场飞往北京首都机场的班机，晚间19点25分许在山东济南区域上空出现“前货舱烟雾警告”，机组按照操作手册要求实施货舱灭火程序，之后烟雾警告消失。机组为了安全起见申请紧急降落备降机场，晚间20点22分班机安全降落于济南遥墙机场。随后，民航相关单位检查了机上装载货物，该航班共承运三票货物，236件，1 689公斤。涉案货物是上海某快递有限公司的快件，托运人为上海B物流有限公司，收货人为北京市某公司。货运单上填写的货物品名为“标书、鞋子、连接线和轴承”，但实际货物中却含有危险品“二乙胺基三氟化硫”，运输专用名称为“腐蚀性液体，易燃”，联合国编号UN2920，主要危险性腐蚀性，次要危险性易燃液体。

经调查，上海某快递有限公司为揽货方，因与航空公司无销售代理协议，交由上海A物流有限公司运送；上海A也未与航空公司签订销售代理协议，将货物转交持有航空货运单的上海B物流有限公司进行托运。中航协方面称，鉴于这三家公司超出经营范围承揽危险品，采取隐瞒手法将危险品谎报为普通货物运输，性质十分恶劣，严重危及民航安全，根据《中国民用航空运输销售代理资格认可办法》中的有关规定，决定注销这三家公司的货运销售代理资质。

资料来源：中国经济网 http://www.ce.cn

任务　熟知航空危险品运输托运人、经营人及其代理人的责任

一、托运人责任

(1)托运人应当确保所有办理托运手续和签署危险品航空运输文件的人员已按《危险品安全航空运输技术细则》和《中国民用航空危险品运输管理规定》的要求接受相关危险品知识培训并合格。

(2)托运人托运危险品时正确如实填写托运人危险品申报单。确保表格内所填写的内容准确、清楚、易于辨识和耐久。

(3)确保货物按规定准备完毕,全部准备工作完全符合相关国家及承运人的有关规定。

(4)应当按照《中国民用航空危险品运输管理规定》和《技术细则》的规定,保证该危险品不是航空运输禁运的危险品,并正确地进行分类、包装、加标记、贴标签、提供真实准确的危险品运输相关文件。

(5)禁止在普通货物中夹带危险品或者将危险品匿报、谎报为普通货物进行托运。

(6)必要时,托运人应当提供物品安全数据说明书或者经营人认可的鉴定机构出具的符合航空运输条件的鉴定书。托运人应当确保危险品运输文件、物品安全数据说明书或者鉴定书所列货物与其实际托运的货物一致。

(7)托运人必须保留一份危险品运输相关文件至少 24 个月。上述文件包括危险品运输文件、航空货运单以及《中国民用航空危险品运输管理规定》和《技术细则》要求的补充资料和文件。

(8)托运人委托的代理人的人员应当按照《中国民用航空危险品运输管理规定》和《技术细则》的要求接受相关危险品知识的培训并合格。

(9)托运人托运危险品必须遵守货物运输始发站、过境和目的地国家的法律、政府规定、命令或要求及承运人的有关规定。

☞ 知识链接

(1)危险品事故征候:是指不同于危险品事故,但与危险品航空运输有关联,不一定发生在航空器上,但造成人员受伤、财产损坏或者破坏环境、起火、破损、溢出、液体渗漏、放射性渗漏或者包装物未能保持完整的其他情况。任何与危险品航空运输有关并严重危及航空器或者机上人员的事件也被认为构成危险品事故征候。

(2)包装件:是指包装作业的完整产品,包括包装物和准备运输的内装物。

(3)集合包装:是指为便于作业和装载,一个托运人用于装入一个或者多个包装件并组成一个操作单元的一个封闭物,此定义不包括集装器。

(4)集装器:是指任何类型的货物集装箱、航空器集装箱、带网的航空器托盘或者带网集装棚的航空器托盘,此定义不包括集合包装。

(5)托运物:是经营人一次在一个地址,从一个托运人处接收的,按一批和一个目的地地址的一个收货人出具收据的一个或者多个危险品包装件。

(6)危险品事故:是指与危险品航空运输有关联,造成致命或者严重人身伤害或者重大财产损坏或者破坏环境的事故。

二、经营人的责任

(1)经营人应当制定措施防止行李、货物、邮件及供应品中隐含危险品。

(2)经营人接收危险品进行航空运输至少应当符合下列要求:

①附有完整的危险品运输文件,《技术细则》另有要求的除外;

②按照《技术细则》的接收程序对包装件、集合包装件或者装有危险品的专用货箱进行检查;

③确认危险品运输文件的签字人已按《中国民用航空危险品运输管理规定》及《技术细则》的要求培训并合格。

(3)装有危险品的包装件、集合包装件和装有放射性物质的专用货箱在装上航空器或者装入集装器之前,应当检查是否有泄漏和破损的迹象。泄漏或者破损的包装件、集合包装件或者装有危险品的专用货箱不得装上航空器。

(4)集装器未经检查并证实其内装的危险品无泄漏或者无破损迹象之前不得装上航空器。

(5)装上航空器的任何危险品包装件出现破损或者泄漏,经营人应当将此包装件从航空器上卸下,或者安排有关机构从航空器上卸下。在此之后应当保证该托运物的其余部分符合航空运输的条件,并保证其他包装件未受污染。

(6)装有危险品的包装件、集合包装件和装有放射性物质的专用货箱从航空器或者集装器卸下时,应当检查是否有破损或者泄漏的迹象。如发现有破损或者泄漏的迹象,则应当对航空器上装载危险品或者集装器的部位进行破损或者污染的检查。

(7)危险品不得装在航空器驾驶舱或者有旅客乘坐的航空器客舱内,《技术细则》另有规定的除外。

(8)在航空器上发现由于危险品泄漏或者破损造成任何有害污染的,应当立即进行清除。受到放射性物质污染的航空器应当立即停止使用,在任何可接触表面上的辐射程度和非固着污染超过《技术细则》规定数值的,不得重新使用。

(9)装有可能产生相互危险反应的危险品包装件,不得在航空器上相邻放置或者装在发生泄漏时包装件可产生相互作用的位置上。

(10)毒性物质和感染性物质的包装件应当根据《技术细则》的规定装在航空器上。

(11)装在航空器上的放射性物质的包装件,应当按照《技术细则》的规定将其与人员、活动物和未冲洗的胶卷进行分离。

(12)经营人应当保护危险品不受损坏,应当将这些物品在航空器内加以固定以免在飞行时出现任何移动而改变包装件的指定方向。对装有放射性物质的包装件,应当充分固定以确保在任何时候都与人员、活动物和未冲洗的胶卷进行分离。

(13)贴有"仅限货机"标签的危险品包装件,按照《技术细则》的规定只能装载在货机上。

(14)经营人应当确保危险品的存储符合《技术细则》中有关危险品存储、分离与隔离的要求。

(15)经营人应当在载运危险品的飞行终止后,将危险品航空运输的相关文件至少保存

24个月。上述文件至少包括收运检查单、危险品运输文件、航空货运单和机长通知单。

(16)经营人委托货运销售代理人代表其从事货物航空运输销售活动的,应当同货运销售代理人签订包括危险品安全航空运输内容的航空货物运输销售代理协议,并确保所委托的货运销售代理人满足以下要求:

①拥有企业法人营业执照;

②从事危险品收运工作、货物或邮件(非危险品)收运工作的员工,从事货物或邮件的搬运、储存和装载工作的员工按照所代理的经营人认可的危险品培训大纲由符合本规定要求的培训机构培训合格;

③在货物、邮件收运处的醒目地点展示和提供数量充足、引人注目的关于危险品运输信息的布告,以提醒注意托运物可能含有的任何危险品以及危险品违规运输的相关规定和法律责任,这些布告必须包括危险品的直观示例;

④不得作为托运人或者代表托运人托运危险品;

⑤采取适当措施防止危险品被盗或者不正当使用而使人员或者财产受到损害;

⑥发生航空器事故、严重事故征候、事故征候时,向调查职能部门报告航空器上装载危险品的情况;

⑦其他在经营人授权范围内代表经营人从事的危险品航空运输活动符合本规定和《技术细则》的要求。

(17)经营人委托货运销售代理人和地面服务代理人从事货物航空运输相关业务,应当在代理协议中要求代理人对收运货物进行查验或者采取有效措施防止货物中隐含危险品。经营人应当对代理人的货物查验及相关措施进行认可并定期检查。

(18)经营人应当在运行手册中提供危险品航空运输信息,使机组成员能履行其对危险品航空运输的职责,同时应当提供在出现涉及危险品的紧急情况时采取的行动指南。

(19)经营人应当向旅客提供关于禁止航空运输危险品、携带危险品的限制要求的信息。

(20)当运输危险品货物的航空器发生航空器事故或事故征候,该经营人应当立即将机上危险品的信息提供给处理事故或事故征候的应急处置机构和事故征候发生所在国的有关当局。

☞ 资讯链接

2014年5月22日,中国民航局发布《关于2013年危险品航空运输违规行为处罚情况的公告》称,为进一步加强危险品航空运输管理,规范危险品航空运输秩序,发挥舆论监督作用,确保危险品航空运输安全,依据《中国民用航空危险品运输管理规定》有关规定,将2013年对违规航空运输危险品责任单位的处罚情况予以公告。

根据中国民航局公告,2013年2月19日,新疆某物流有限公司以非危险品品名托运危险品。2013年7月3日,某航空股份有限公司深圳分公司,未按规定收运和检查危险品包装件。2013年8月19日,某航空公司河南分公司未取得危险品航空运输许可,从事危险品航空运输。

中国民航局公告强调,此次公布的17起危险品航空运输违规行为中,因"以非危险品品名托运危险品""将危险品匿报为普通货物托运"及"在普通货物中夹带危险品"受到处罚的行为共计10起,约占违规总数量的60%。同时值得注意的是,成都某物流有限公司、成都某航空货运有限公司分别在2010年、2012年因存在“在普通货物中夹带危险品”的违规行为受到民航管理部门的行政处罚，这两家公司在2013年因相同的原因再次受到行政处罚。

资料来源：中国民用航空局网站 http://www.caac.gov.cn

三、经营人的代理人的责任

(1)货运销售代理人从事货物航空运输销售代理活动，应当同经营人签订包括危险品安全航空运输内容的航空货物运输销售代理协议。未与航空公司签订危险品运输销售代理协议的航空货运销售代理企业绝对不得从事相关危险品运输销售代理业务。

(2)在接收托运人托运的危险品时，必须经过X射线安全检查，对疑点和射线图像与危险品申报单所列品名不符的货物或邮件，必须进行开箱验视，进行再次核实。

(3)要严格对货物检查收验，确保托运的货物与货运单上的品名相符、包装符合运输要求。要按照IATA《危险品规则》中的规定进行危险品分类、包装，必须严格按照规则准许的数量托运危险品，做到绝对安全。

(4)严格禁止在普通货物中夹带、瞒报、自托运危险品的行为。

(5)货运销售代理人不得作为托运人或者代表托运人托运危险品。

(6)做好员工培训和应急处置工作。要对所有员工进行危险品基础知识普及并开展危险品安全自查自纠工作，切实把危险品航空运输安全管理工作落实到位，杜绝事故发生。

(7)地面服务代理人无论是否从事危险品航空运输活动，均应当满足以下要求：

①拥有企业法人营业执照；

②制定危险品培训大纲并获得民航地区管理局的批准；

③确保其人员已按本规定和《技术细则》的要求接受相关危险品知识的培训并合格；

④与经营人签订包括危险品航空运输在内的地面服务代理协议；

⑤制定危险品航空运输管理程序，其中应当包括地面应急程序和措施；

⑥拥有经营人提供或者认可的危险品航空运输手册。

地面服务代理人从事危险品航空运输活动的，除满足上述6条规定外，还应当满足以下要求：

①制定符合《技术细则》要求的危险品保安措施；

②危险品的储存管理符合《技术细则》中有关危险品存储、分离与隔离的要求；

③确保其人员在履行相关职责时，充分了解危险品运输手册中与其职责相关的内容，并确保危险品的操作和运输按照其危险品航空运输手册中规定的程序和要求实施。

(9)地面服务代理人应当报所在地民航地区管理局备案。自收到备案申请之日起20日内，民航地区管理局应当将地面服务代理人予以备案，并对外公布。

☞ 案例

2012年10月22日，南航CZ6524航班在辽宁大连落地后发生了货物燃烧事件。经大连机场公安分局对起火事件的调查认定，此次货物着火原因为包裹内耐风火柴(属禁运危险品)自燃引起。中国航空运输协会(以下简称中航协)对涉及该起事件货运操作的上海3家物流公司给予严厉处罚，注销这3家航空销售代理公司资格认证。在中航协的进一步调查中，发现在南航航班货物燃烧事件中，有2宗含有锂电池物品的实际托运人为上海某快递公司，根据中航协的通报材料显示，该快递公司在向南航交运该2宗货物前，未对货物进行核实并按照相关规定进行正确分类，也未按照规定在运输文件中附随检测报告。导致谎报为普通货物的危险品交运航空公司，严重影响了飞行安全，性质十分严重。中航协根据《中国民用航空运输销售代理资格认可办法》的规定，决定注销该快递公司的二类货运代理资质，并请各航空公司终止与该公司合作，不承运其揽收货物。

二类航空货运代理资格，是指经营国内航线除香港、澳门、台湾地区航线外的民用航空货物运输销售代理资格。资格认可证书的有效期为三年。

资料来源：东方网 http://www.eastday.com

模块三　航空危险品运输业务流程

☞ **资讯链接**

关于对华东地区违规货运销售代理企业的处理通告

中国航空运输协会网站于2015年2月10日在官网上公布了《关于对华东地区违规货运销售代理企业的处理通告》

根据民航华东局发明电〔2014〕1181号文件《关于进一步查处危险品违规运输事件相关责任人的通知》中通报的危险品违规运输事件，上海市×××物流有限公司、江苏××国际物流有限公司、上海××国际货运代理有限公司、厦门市××货运代理有限公司四家货运销售代理企业存在违规行为，中国航协销代分会立即给予核查。

经查：(一)2014年3月24日，上海市×××物流有限公司托运一票货物中，未提供真实准确的危险品运输文件，导致在上海浦东国际机场东航物流北货站货运仓库发生起火事件，造成危险品事故征候。经机场公安分局认定，起火事件由锂电池引起；(二)2014年4月7日，江苏××国际物流有限公司托运的一票货物在到达站被发现存在危险品运输文件中专用名称与联合国编号不符、货运单操作信息栏中缺少“仅限货机”的描述、部分包装件也未粘贴“仅限货机”标签等问题；(三)2014年5月9日，上海××国际货运代理有限公司在明知货物为锂电池的情况下，未如实申报，将危险品货物谎报为普通货物进行托运，导致在到达站被发现；(四)2014年5月19日，厦门市××货运代理有限公司在一票申报品名为“上衣、鞋、开关”的货物中被发现夹带有警用催泪瓦斯2支、瓦斯枪8支(内含催泪瓦斯8瓶)。

鉴于上海市×××物流有限公司未对其托运的货物按照操作规程查验货物，造成行业内危险品起火事故征候；上海××国际货运代理有限公司隐报、谎报危险品货物进行托运，严重影响了飞行安全；江苏××国际物流有限公司、厦门市××货运代理有限公司，未能规范揽收、操作托运货物且对员工缺乏业务培训，根据《中国民用航空运输销售代理资格认可办法》的有关规定决定：

给予上海市×××物流有限公司、上海××国际货运代理有限公司暂扣资质认可证书三个月的处罚；给予江苏××国际物流有限公司、厦门市××货运代理有限公司警告的处罚。

中国航协销代分会要求上述企业要认真整改，完善机制、落实责任。被暂扣资质认可证书的两家企业，销代分会将派人监督，落实整改要求。各航空货运销售代理企业要引以为戒，开展自查自纠，主动发现问题和隐患，尽快完善企业各项管理措施，特别是要建立企业货物运输的安保措施，严格按照规章制度操作业务，诚信守法经营，严禁一切瞒报、谎报、夹带危险品的违规行为，杜绝此类事件的再次发生，确保航空货运安全。

资料来源：中国航空运输协会 http://www.cata.org.cn

任务　清楚航空危险品进出口业务流程

一、航空危险品出口业务流程

（1）托运人需要对危险品进行分类、识别，出具物料安全说明书（我国称为 MSDS，Material Safety Data Sheet）。该分类、识别工作通常是到由国家民航总局认定的鉴定机构做产品鉴定并获得其鉴定报告。

（2）托运人依据货物属性，选取符合空运要求的包装材料进行包装。该包装材料必须获得国家质量监督检验检疫局的商检性能单，该性能单通常由包装材料的生产厂家提供。

（3）托运人到国家质量监督检验检疫局获得商检使用单，即要证明托运商品经检验符合国家规定的质量。包装材料的使用方法正确有效，保证托运产品包装件符合相关安全标准。

（4）托运人要到海关报关，通过海关的检查检验流程，获取报关单。

（5）托运人持 MSDS、鉴定报告、危险品申报单、报关单、商检单（性能/使用单）、托运人危险品物流操作资格证明至货运站交运货物，接受危险品收运检查。经货运站收运员工仔细检查、完成收运检查单后，就可以接受货物，把货物组装至指定集装器内，装机出运。

二、航空危险品进口业务流程

1. 进港航班预报

填写航班预报记录本，以当日航班进港预报为依据，在航班预报册中逐项填写航班号、机号、预计到达时间。预先了解货物情况，在每个航班到达之前，从查询部门拿取航班 FFM，CPM，LDM，SPC 等电报，了解到达航班的货物装机情况及特殊货物的处理情况。

2. 办理货物海关监管

收到业务袋后，首先检查业务袋的文件是否完备。业务袋中通常包括货运单、货邮舱单、邮件路单等运输文件。检查完后，将货运单送到海关办公室，由海关人员在货运单上加盖海关监管章。

3. 分单业务

在每份货运单的正本上加盖或书写到达航班的航班号和日期。认真审核货运单，注意运单上所列目的港、代理公司、品名和运输保管注意事项。联程货运单交中转部门。

4. 核对运单和舱单

若舱单上有分批货，则应把分批货的总件数标在运单号之后，并注明分批标志；把舱单上列出的特种货物、联程货物圈出。根据运单份数与舱单份数是否一致,做好多单、少单记录,将多单运单号码加在舱单上,多单运单交查询部门。

5. 电脑输入

根据标好的一套舱单,将航班号、日期、运单号、数量、重量、特种货物、代理商、分批货、不正常现象等信息输入电脑,打印出国际进口货物航班交接单。

6. 交接

中转货物和中转运单、舱单交出港操作部门,邮件和邮件路单交邮局。

☞ **案例**

2014 年 6 月 12 日深圳机场国际货站安检 9 号机发现可疑图像,该票货物一共 16 件,货单号为 406 - 81794112,申报品名为“维修工具”,航班号为 5x0127,由深圳运往哥本哈根。经开箱检查后发现该票货物内含:“丙酮 UN1090”2 罐 10 kg、除锈剂 6 罐 5 040 mL、清洗液 500 mL、润滑剂 7 罐约 7 kg、粉末 1 罐、其他不明液体 5 支、树脂 4 支共 800 mL。

该票货物是由深圳市 × × × 货运代理有限公司委托深圳 × × 物流有限公司托运至丹麦 METALOCK DENMARK 公司,深圳 × × 物流有限公司在收运货物时曾向托运人索要货物品名清单,但托运人以清单复杂为由拒绝提供,深圳 × × 物流有限公司在未开箱查验明确货物性质的情况下,将此票货物以普通货物申报运输。

中国航空运输协会做出关于对深圳 × × 物流有限公司的处理通告:鉴于深圳市 × × 物流有限公司在未查验货物性质的情况下,将危险品货物申报成普通货物进行运输,其行为已经危及航空运输安全。根据《中国民用航空运输销售代理资格认可办法》中的有关规定,决定给予深圳市 × × 物流有限公司停业整顿一个月的惩戒,日期由 9 月 15 日至 10 月 14 日。

资料来源:中国航空运输协会 http://www.cata.org.cn

三、航空危险品运输相关单证

(一)托运人危险品申报单

(1)托运人危险品申报单适用于所有的危险品运输。该表格可用黑色和红色印制在白纸上,或只用红色印制在白纸上。表格左、右两边的斜纹影线必须使用红色。其样式如图 6 - 3 所示。

(2)托运人危险品申报单各栏目内容

①Shipper:填写托运人的姓名全称、地址。

②Consignee:填写收货人的姓名全称、地址。

如果托运人托运传染性物质,还应填写发生事故时可与之联系并能够进行处理的负责人的姓名和电话号码。

③Air Waybill Number:填写所申报的危险品的货运单号码。

④Page…of…Pages:填写页号和总页数,如无续页均写为“1”。

SHIPPER'S DECLARATION FOR DANGEROUS GOODS

James Brolan Ltd
The New Orchard
New Road, Grantham
Dorset, SR47 4WF, UK

Page 1 of 1 pages
Shipper's reference number JP 10915

The Director/Chief Executive
Inst. For Pharmaceutical R&D
Ibadan
NIGERIA

Two completed and signed copies of this declaration must be handed to the operator.

TRANSPORT DETAILS

XXXXX
XXXXX CARGO AIRCRAFT ONLY
XXXXX

WARNING
Failure to comply in all respects with the applicable Dangerous Goods Regulations may be in breach of the applicable law, subject to legal penalties. This declaration must not, in any circumstances, be completed and/or signed by a consolidator, a forwarder or IATA cargo agent.

XXXXXXXXXXX
NON-RADIOACTIVE XXXXXXXXXXX

N,N-DIMETHYLFORMAMIDE // 3 // UN2265 // III // 2 FIBREBOARD BOX X 4L EACH // 309.

FLAMMABLE LIQUID, CORROSIVE, N.O.S. // 3 // UN2924 // III // 8 // 2 FIBREBOARD BOX X 4L EACH // 310.
(N,N-DIMETHYLFORMAMIDE, PIPERIDINE)

FLAMMABLE LIQUID, N.O.S. // 3 // UN1993 // II // 1 FIBREBOARD BOX X 1.8L // 305.
(N,N DIISOPROPYLETHYLAMINE)

ALL PACKED IN ONE RECONSTITUTED WOOD BOX
OVERPACK USED Q = 0.6

DIMENSIONS OF OVERPACK
GROSS WEIGHT: 58 KGS
SIZE: 92 X 64 X 61CMS

I hereby declare that the contents of this consignment are fully and accurately described above by proper shipping name, and are classified, packed, marked and labelled/placarded, and are in all respects in the proper condition for transport according to the applicable international and national governmental regulations.

O PIPE,
MANAGING DIRECTOR
POOLE, DORSET 1 July 2002

图 6－3　托运人危险品申报单

⑤Aircraft Limitations：填写危险品运输时对机型的限制。

如“客货机”或“仅限货机”等，应根据货物的情况而定。

⑥Airport of Departure：填写始发站机场或城市的全称。

⑦Airport of Destination：填写目的站机场或城市的全称。

⑧Shipment Type：填写危险品是否属于放射性物质。

⑨Nature and Quantity of Dangerous Goods：危险品的类别与数量。

⑩UN or ID NO.：填写危险品的联合国或国际航协的识别编号。

前面应缀上“UN”或“ID”。

⑪Proper Shipping Name：填写危险品运输专用名称，必要时填写技术名称及化学组名称。

⑫Class or Division（Subsidiary Risk）：填写危险品的类别或项别。

对于第1类爆炸品，应注明配装组。次要危险性应在主要危险性后的括号中表示。

⑬Packing Group：填写危险品的包装等级。

⑭Quantity and Type of Packing：填写危险品的数量和包装种类。

⑮Packing Instructions：包装说明。注明包装说明编号。

当使用限量条款时，填写对应于DGR4.2表中G栏的包装说明编号，此时编号前要加前缀“Y”。

⑯Authorizations：填写主管部门的批准或认可。

⑰Additional Handling Information：附加操作说明栏。填写货物有关的特殊操作信息。

⑱Name/Title of Signatory：签署人的姓名和职别。

可以使用打字机打印，也可以用印章。

⑲Place and Date：地点和日期。

⑳Signature：签字。

（二）航空货运单

航空货运单是航空货物运输合同订立和运输条件以及承运人接受货物的初步证据。

托运人应当对航空货运单上所填关于货物的说明和声明的正确性负责。当危险品进行航空运输时，货运单必须按照危险品规则的具体要求进行填写。货物的品名应如实申报，禁止以非危险品品名托运危险品。

航空货运单分为航空主运单和航空分运单

1. 航空主运单

航空主运单（MAWB，Master Air Waybill）是指由航空运输公司签发的航空运单（如图6-4所示）。它是航空运输公司据以办理货物运输和交付的依据，是航空公司和托运人订立的运输合同，每一批航空运输的货物都有自己相对应的航空主运单。

航空主运单的运输合同的当事人双方一方是航空公司（实际承运人），而另一方是航空货运代理公司（作为托运人）。

2. 航空分运单

航空分运单（HAWB，House Air Waybill）是航空货运代理签发给各委托人的货物收据及提货凭证（如图6-5所示）。为了节省运费，航空货运代理常以集中托运者（Consoli Dator）的身份，将各委托人的零星货物集中在一起向航空公司托运。但航空公司只签发一套航空运单，无法分给各委托人，因此航空代理就签发航空分运单发给各委托人。委托人可将此凭证寄给到达站收货人，收货人就凭分运单向到达站航空代理所委托的代理人提取货物。航空分运单的当事人双方一方是航空货运代理公司，另一方是发货人。

航空分运单有正本3份，副本若干份。正本的第1份交发货人，第2份航空货运代理公司留存，第3份随货物同行交收货人。副本分别作为报关、财务、结算及国外代理办理中转分拨等用。航空分运单与航空主运单的内容基本相同。

(1)

Shipper's Name and Address	Shipper's Account Number	Not Negotiable Air Waybill ISSUED BY	中国国际航空公司 AIR CHINA BEIJNG CHINA
(2)		Copies 1. 2 and 3 of this Air Waybill are originals and have the same validity.	
Consignee's Name and Address Number (3)	Consignee's Account	It is agreed that the goods described terein are accepted in apparent good order and condition (except as noted) for carriage SUBJECT TO THE CONDITIONS OF CONTRACT ON THE REVERSE HEREOF. ALL GOODS MAY BE CARRIED BY ANY OTHER MEANS INCLUDING ROAD OR ANY OTHER CARRIER UNLESS SPECIFIC CONTRARY IINSTRVCTIONS ARE GIVEN HEREON BY THE SHIPPER, AND SHIPPER AGREES THAT THE SHIPMENT MAY BE CARRIED VIA INTERMEDIATE STOPPING PLACES WHICH THE CARRIER DEEMS APPROPRIATE THE SHIPPER'S ATTENTION IS DRAWN TO THE NOTICE CONCERNING CARRIER'S LIMITATION OF LIABILITY. Shipper may icerease such limitation of liability by declaring a higher value for carriage and paying a supplemental charge if require.	
Issuing Carrier's Agent Name and City (4)		Accounting Information	
Agent's IATA Code	Account No.		
Airport of Departure (addr. Of First Carrier) and Requested Routing (5)		Reference Number	Optional Shipping Information

TO	By First Carrier	Routing and Destination	to	by	to	by	Currency	CHGS	WT/VAL PPD	WT/VAL COLL	OTHER PPD	OTHER COLL	Declared Value for Carriage NCD	Declare Value for Customs NVV

Airport of Destination	Flight/date	for Carriage UseOnly	Flight/date	Amount of insurance	INSURANCE If carrier offers insurance and such insurance is required in accordance with the conditions thereof, indicate amount to be insured in figures in box marked "amount of insurance".
(6)		(7)			

Handling Information

(8) (9)

No.of pieces RCP	Gross Weight	kg lb	Rate class Commodity Item No.	Changeable Weight	Rate Charge	Total	Nature and Quantity of Goods (incl. Dimensions or Volume)
4	53.8	k					

prepaid	Weight Charge	Collect	Other Charges
	Valuation Charge		
	Tax		
	Total Other Charges Due Agent		
	Total Other Charges Due Carrier 50		Shipper certify that the particulars on the face hereof are correct and that in so far as any part of the consignment contains dangerous goods, such part is properly described by name and is in proper condition for carriage by air according to the applicable dangerous goods Regulations. Signature of shipper or his Agent
Total Prepaid		Total Collect	(10)
Currency Conversion Rates		CC Charges in Dest Currency	Executed on (date) at (place) Signature of Issuing carrier or its Agent
For Carrier's use only at Destination	Charges at Destination	Total Collect Charges	

ORIGINAL 3 (FOR SHIPPER) A

图 6－4 航空主运单

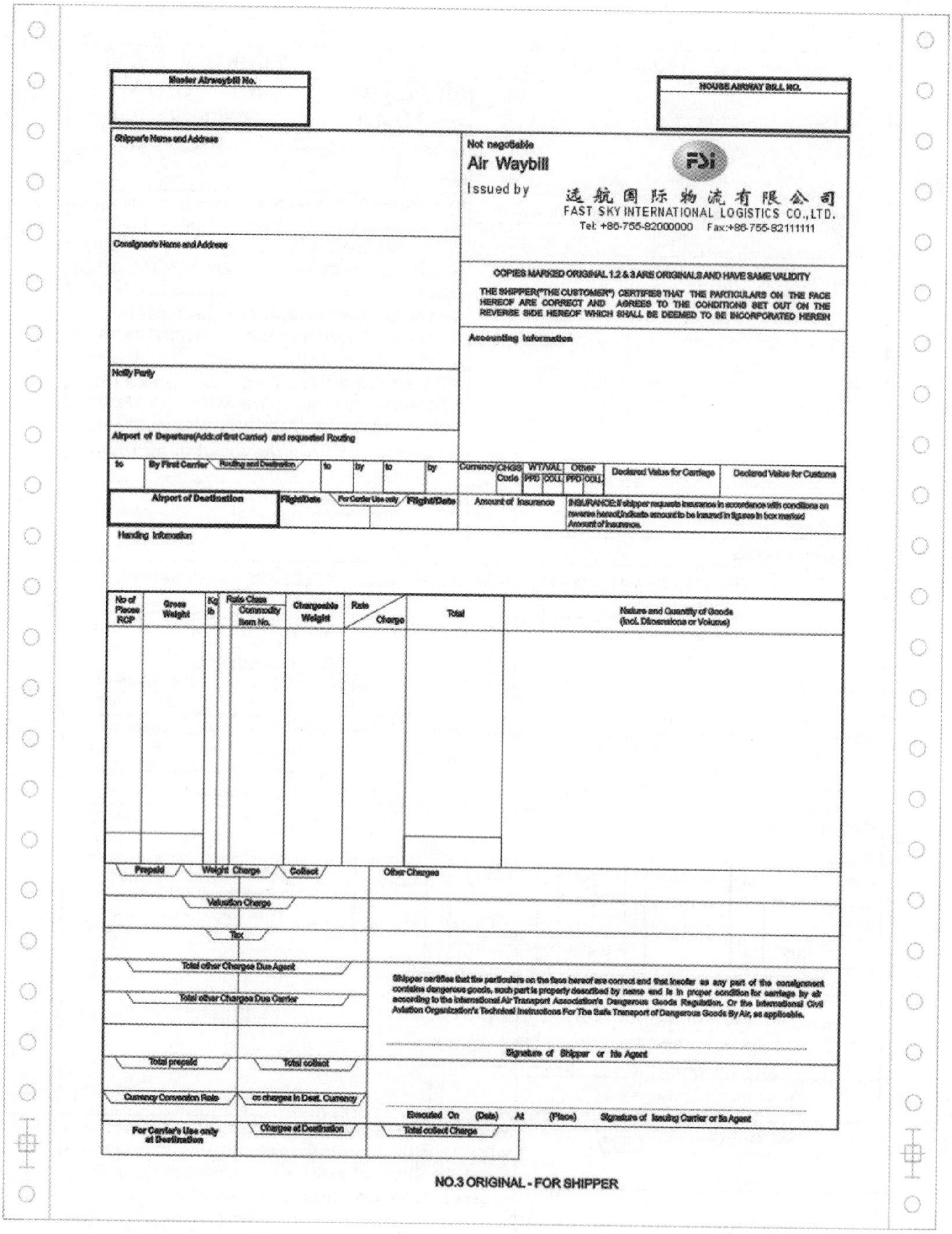

Master Airwaybill No.

HOUSE AIRWAY BILL NO.

Shipper's Name and Address

Not negotiable
Air Waybill
Issued by
FSi
远航国际物流有限公司
FAST SKY INTERNATIONAL LOGISTICS CO.,LTD.
Tel: +86-755-82000000 Fax:+86-755-82111111

Consignee's Name and Address

COPIES MARKED ORIGINAL 1.2 & 3 ARE ORIGINALS AND HAVE SAME VALIDITY

THE SHIPPER("THE CUSTOMER") CERTIFIES THAT THE PARTICULARS ON THE FACE HEREOF ARE CORRECT AND AGREES TO THE CONDITIONS SET OUT ON THE REVERSE SIDE HEREOF WHICH SHALL BE DEEMED TO BE INCORPORATED HEREIN

Accounting Information

Notify Party

Airport of Departure(Addr.of first Carrier) and requested Routing

to	By First Carrier / Routing and Destination	to	by	to	by	Currency	CHGS Code	WT/VAL PPD	WT/VAL COLL	Other PPD	Other COLL	Declared Value for Carriage	Declared Value for Customs

Airport of Destination	Flight/Date	For Carrier Use only	Flight/Date	Amount of Insurance	INSURANCE: If shipper requests insurance in accordance with conditions on reverse hereof, indicate amount to be insured in figures in box marked Amount of insurance.

Handling Information

No of Pieces RCP	Gross Weight	Kg lb	Rate Class / Commodity Item No.	Chargeable Weight	Rate / Charge	Total	Nature and Quantity of Goods (incl. Dimensions or Volume)

Prepaid	Weight Charge	Collect	Other Charges
	Valuation Charge		
	Tax		
	Total other Charges Due Agent		Shipper certifies that the particulars on the face hereof are correct and that insofar as any part of the consignment contains dangerous goods, such part is properly described by name and is in proper condition for carriage by air according to the International Air Transport Association's Dangerous Goods Regulation. Or the International Civil Aviation Organization's Technical Instructions For The Safe Transport of Dangerous Goods By Air, as applicable.
	Total other Charges Due Carrier		
Total prepaid		Total collect	Signature of Shipper or his Agent
Currency Conversion Rate		cc charges in Dest. Currency	Executed On (Date) At (Place) Signature of Issuing Carrier or its Agent
For Carrier's Use only at Destination		Charges at Destination	Total collect Charge

NO.3 ORIGINAL - FOR SHIPPER

图 6－5 航空分运单

❖ 练习与思考

一、填空题

1. 当在航空器上发现由于危险品泄漏或破损造成任何有害污染时，应当按照___________通报相关各方，由________人员立即进行清除。

2. 地面操作代理人是指代表运营人________、_______________________或以其他方式参与货物、旅客或行李作业服务的人。

3. 危险品航空运输许可有效期最长不超过________。

4. 危险品的包装件或合成包装件提交航空运输前，应当按照本规定和技术细则的规定，保证该危险品不是航空运输禁运的危险品，并正确地进行________、________、________、________、提交正确填制的________。

5. 装有性质不相容危险品的包装件，不得在航空器上________放置或装在发生________时可相互产生作用的位置上。

6. 机场在收运危险品的包装件、合成包装件时，必须核查托运人随货物提交的________，否则不予收运。

7. 收运过程中作业人员应严格落实________、________、证实、核对、检查等工作，确保不出现隐含的危险品。

8. 货站在收运处，应当向______提供足够的危险品安全运输的信息，告知危险品航空运输的_____和_____。

二、选择题

1. 机场对于危险品的信息提供包括(　　)。

A. 向机组成员提供信息与指示　　C. 向旅客提供信息

B. 向托运人提供信息　　D. 向其他人提供信息

2. 危险品航空运输相关文件至少应包括：(　　)。

A. 收运检查单　　B. 托运人危险品申报单

C. 航空货运单　　D. 特种货物机长通知单

3. 运营人应在载运危险品的飞行终止后，将危险品航空运输的相关文件保存(　　)以上。

A. 6 个月　　B. 12 个月　　C. 24 个月

4. 运营人接收危险品进行航空运输应当符合的要求为(　　)。

A. 除技术细则另有要求外，附有完整的危险品航空运输文件

B. 按照技术细则的接收程序对包装件、合成包装件或盛装危险品的专用货箱进行过检查

C. 确认危险品航空运输文件由托运人签字，并且签字人已按本规定的要求训练合格

三、思考题

1. 航空托运人托运危险品时. 通常须具备的文件有哪些？

2. 航空托运人的责任有哪些?

3. 经营人及其代理人的责任有哪些?

4. 国内经营人申请危险品航空运输许可的,应当符合什么条件?

5. 航空危险品包装要求有哪些?

6. 航空危险品运输进出口业务流程是什么。

7. 危险品申报单的填写要求是什么。

8. 简述锂电池的危险性。

9. 如何进行锂电池的安全运输。

10. 阐述航空主运单和分运单的定义和作用。

四、操作题

一票货共两件,货物的名称是 FLUOROANILINES,单件毛重 56 公斤,单件净重 49 公斤,托运过程中需要哪些文件?应如何填制?

五、案例分析

1. 1973 年,一架从纽约起飞的货机空中起火,在波士顿机场迫降时飞机坠毁,机组人员全部遇难。调查结果如下。

托运人签署了一份空白“托运人危险品申报单”给货运代理,供货商用卡车将货物送交货运代理,货运代理将货物交给包装公司做空运包装。包装公司不了解硝酸的包装要求,将装有 5 升硝酸的玻璃瓶放人一个用锯末作吸附和填充材料的木箱中。这样的包装共有 160 个,一些人在包装外粘贴了方向性标签,一些人则没有贴。货物在交运时,货运单上的品名被改成了电器,危险品文件在操作过程中也丢失了。这 160 个木箱在装集装器时,粘贴了方向性标签的木箱是按照向上的方向码放的,而未粘贴方向性标签的木箱被倾倒了。事后用硝酸与木屑接触做试验,证明硝酸与木屑接触后会起火:8 分钟后冒烟,16 分钟后木箱被烧穿,22 分钟后爆燃,32 分钟后变为灰烬。到达巡航高度时,因瓶子的内外压差,造成瓶帽松弛,硝酸流出与木屑接触后起火。实际起火的木箱可能不超过 2 个,但它导致了整架飞机的坠毁。

事故原因是货舱中的货物有未如实申报的危险品——硝酸。

请回答:此案例给我们什么教训和启示?

2. 2012 年 10 月 22 日,南航某航班落地后发生货物燃烧事件,起火原因为 A 货运公司违规运输的禁运品——耐风火柴自燃。在此次事件中,虽然 A 货运公司收货后用 X 光机对货物进行了安检,但由于其安检人员并非是具有航空安全检查资质的安检员,未查出此票货中有耐风火柴,失去了安检应有的安全关口作用。在补充调查中,调查人员发现 B 速递公司没有对交运的一块锂离子电池和一部含锂电池手机进行核实并按照相关规定进行正确分类,导致其谎报为普通货物交由航空公司运输,严重影响了飞行安全。事后,A 货运公司的航空销售代理人资格认可证书和 B 速递公司的二类航空货运代理资格被中国航协注销。

讨论:物流公司如何避免以后发生此类事故。

项目七　水路危险品运输

❖ 学习目标

一、知识目标

1. 了解我国水路危险品运输发展状况；
2. 掌握水路危险品运输的许可规定；
3. 熟知载运危险品的船舶管理；
4. 清楚载运危险品的船舶安全和防污染责任；
5. 熟知水路危险品运输业务；
6. 了解港口危险品作业场所要求；
7. 熟知港口危险品作业规定；
8. 掌握水路危险品托运相关单证；
9. 了解我国危险品海运集装箱运输现状；
10. 熟知危险品集装箱装箱单位资质条件；
11. 掌握危险品集装箱装箱作业要求；
12. 掌握堆存作业和拆箱作业的作业要求。

二、能力目标

1. 能够对水路危险品运输事故发生的过程进行事故原因分析；
2. 能够进行水路危险品安全运输；
3. 能够正确进行水路危险品集装箱装箱作业、堆存作业和拆箱作业；
4. 能对水路危险品运输典型案例进行经验和教训总结。

❖ 学习重点

1. 水路危险品运输的许可规定；
2. 载运危险品的船舶管理；
3. 水路危险品运输业务；
4. 相关单证格式和填写要求。

模块一　水路危险品运输认知

☞ 案例导入

2009年8月10日23时20分左右，重庆市丰都县一艘名为航龙518号集装箱船，下行至宜昌石牌水域时发生集装箱落水事故，12只装有危险化学品的集装箱落入长江。其中，6只装有高锰酸钾，1只装有高锰酸钠，5只装有氢氧化钾。据宜昌市政府新闻办介绍，以上化学品分属氧化剂、碱及化学中间体，均为非剧毒物品。事故未造成人员伤亡。

资料来源：中国化学品安全协会 http://www.chemicalsafety.org.cn

任务　认知水路危险品运输

一、我国水路危险品运输状况

我国正处在工业化发展的快速时期，对危化品需求无论是生产、销售、流通、仓储、运输都非常大，而且随着技术的发展，一些新的危险品种类也在不断地产生。近年来，随着沿江经济社会的发展，长江上危险品运输量迅速增加。据统计，目前长江海事辖区水域有各类危险品码头400余座（含水上加油站）、常年航行危险品船舶2 000余艘、常运危险品近80种，危险品运输量年均增长14%。危险品的运输带动了沿江经济社会的发展，长江黄金水道的作用日益彰显。但是，由于长江沿线涉及民生产业较多，城市取水口较多，长江水质的安全直接关系到沿江群众的生产、生活安全，危险品一旦在长江泄漏，很可能牵一发而动全身，因此，安全监管意义十分重大。目前长江航运已成为中国东西部危险品运输的主要方式的危险品事故的危害，通过三峡船闸的危险品运量增长迅速，从2008年的319万吨增加到2012年的654万吨，一级危险品运量从2008年的81万吨增加到2012年的200万吨。

危险品水运事故造成的危害甚于公路等运输方式，危险品一旦泄漏到水中，将严重危害生态环境和饮水安全。近几年全球发生了大大小小上百起危化品海上泄漏事故，和陆地运输泄漏相比，在海洋上发生危化品泄漏想要清理是难上加难，不仅要耗费大量的人力、物力、财力，还会对海洋生物造成污染，造成生物资源的破坏，最终会损害人体健康。

为确保长江危险品运输安全，长江海事局积极实施危险品分级、分类监管制度，将辖区常运的79种危险品按照其毒害性分为一、二、三、四类，并筛选出16种货物作为一类危险品进行全过程跟踪维护，对到港作业100%检查。他们深入推进危险品船舶分类监管，对危险品船舶安全状况评定A，B，C三类，实施差异化管理，全面推行危险品分类监管，探索长江危险品运输联合防控，并对有毒有害危险品运输船舶实施全程动态跟踪维护；同时完善污染应急体系，建设4个溢油应急设备库和2个溢油应急设备配置点，在三峡、武汉分别部署"三峡环保1号"和"海特311"两艘多功能溢油回收船；建立动态跟踪工作机制，强化危险品船舶动态跟踪管理，禁止单壳液货船装运一类危险品、禁止500总吨及以下载运一类危险品的船舶夜航。

二、水运危险品

1. 定义

其是指列入《危险货物品名表》(GB 12268)和《国际海运危险货物规则》(IMDG Code)危险品一览表中具有爆炸、易燃、毒害、腐蚀、放射性等危险特性,在水路运输过程中容易造成人身伤亡、财产毁损或环境污染而需要特别防护的物质、材料或物品。

2. 分类

据《危险货物分类和品名编号》(GB 6944)、《危险货物品名表》(GB 12268)和《国际海运危险货物规则》(IMDG Code),将危险品划分为以下9类:即第1类,爆炸品;第2类,气体;第3类,易燃液体;第4类,易燃固体、易于自燃的物质、遇水放出易燃气体的物质;第5类,氧化性物质和有机过氧化物;第6类,毒性物质和感染性物质;第7类,放射性物质;第8类,腐蚀性物质;第9类,杂项危险物质和物品,包括危害环境物质。

3. 分级

各类危险品根据其危险程度划分为一级和二级危险品。具体分级如下。

(1)一级危险品包括第1类、第2类、第7类、第5.2项和第6.2项的危险品以及第3类、第4类、第8类、第5.1项和第6.1项中包装类别Ⅰ和Ⅱ的危险品。

(2)二级危险品包括第3类、第4类、第8类、第5.1项、第6.1项中包装类别Ⅲ和第9类危险品。

三、水路危险品运输的许可

(1)从事水路危险品运输的承运人、港口经营人,应当按照有关规定取得相应的经营资质。未取得经营资质的,不得从事水路危险品运输相关业务。

(2)水路危险品托运人、承运人、港口经营人以及危险品运输技术服务机构等从业人员的培训和资格管理,按照交通运输部《水路危险品运输从业人员培训和从业资格管理办法》执行。

(3)通过内河运输的危险品新品种,应当进行内河适运性评估。经评估通过并满足有关运输条件和安全保障措施的方可运输。危险品内河适运性评估工作由服务机构负责组织实施。

(4)船舶运输或港口作业危险品品种种类发生变化,凡是增加同类或同项品种且危险性没有变化,应按原品种进行管理。

(5)内河封闭水域禁止运输剧毒化学品以及国家规定禁止通过内河运输的其他危险化学品;内河非封闭水域禁止运输交通运输部和其他相关部委联合发布的“内河危险化学品禁运目录”规定的危险化学品。

四、载运危险品的船舶管理

(1)载运危险品的船舶,其船体、构造、设备、性能和布置等方面应当符合国家船舶检验的法律、行政法规、规章和技术规范的规定,国际航行船舶还应当符合有关国际公约的规定,具备相应的适航、适装条件,经中华人民共和国海事局认可的船舶检验机构检验合格,取得相应的检验证书和文书,并保持良好状态。

载运危险品的船用集装箱、船用刚性中型散装容器和船用可移动罐柜，应当经中华人民共和国海事局认可的船舶检验机构检验合格后，方可在船上使用。

（2）船舶载运危险品，应当符合有关危险品积载、隔离和运输的安全技术规范，并只能承运船舶检验机构签发的适装证书中所载明的货种。国际航行船舶应当按照《国际海运危险货物规定》，国内航行船舶应当按照《水路危险货物运输规定》，对承载的危险品进行正确分类和积载，保障危险品在船上装载期间的安全。对不符合国际、国内有关危险品包装和安全积载规定的，船舶应当拒绝受载、承运。

（3）曾装运过危险品的未清洁的船用载货空容器，应当作为盛装有危险品的容器处理，但已经采取足够措施消除了危险性的除外。

（4）应当根据国家水上交通安全和防治船舶污染环境的管理规定，建立和实施船舶安全营运和防污染管理体系。

（5）载运危险品的船舶应当制定保证水上人命、财产安全和防治船舶污染环境的措施，编制应对水上交通事故、危险品泄漏事故的应急预案以及船舶溢油应急计划，配备相应的应急救护、消防和人员防护等设备及器材，并保证落实和有效实施。

（6）载运危险品的船舶应当按照国家有关船舶安全、防污染的强制保险规定，参加相应的保险，并取得规定的保险文书或者财务担保证明。载运危险品的国际航行船舶，按照有关国际公约的规定，凭相应的保险文书或者财务担保证明，由海事管理机构出具表明其业已办理符合国际公约规定的船舶保险的证明文件。

（7）船舶进行洗（清）舱、驱气或者置换，应当选择安全水域，远离通航密集区、船舶定线制区、禁航区、航道、渡口、客轮码头、危险品码头、军用码头、船闸、大型桥梁、水下通道以及重要的沿岸保护目标，并在作业之前报海事管理机构核准，核准程序和手续按《船舶载运危险货物安全监督管理规定》第十三条关于单航次海上危险品过驳作业的规定执行。要特别注意的是，在进行洗（清）舱等作业活动期间，不得检修和使用雷达、无线电发报机、卫星船站，不得进行明火、拷铲及其他易产生火花的作业，不得使用供应船、车进行加油、加水作业。

五、载运危险品的船舶安全和防污染责任

（1）载运危险品的船舶在中国管辖水域航行、停泊、作业，应当遵守交通部公布的以及海事管理机构在其职权范围内依法公布的水上交通安全和防治船舶污染的规定。对在中国管辖水域航行、停泊、作业的载运危险品的船舶，海事管理机构应当进行监督。

（2）载运危险品的船舶应当选择符合安全要求的通航环境航行、停泊、作业，并顾及在附近航行、停泊、作业的其他船舶以及港口和近岸设施的安全，防止污染环境。海事管理机构规定危险品船舶专用航道、航路的，载运危险品的船舶应当遵守规定航行。

（3）载运危险品的船舶通过狭窄或者拥挤的航道、航路，或者在气候、风浪比较恶劣的条件下航行、停泊、作业，应当加强瞭望，谨慎操作，采取相应的安全、防污措施。必要时，还应当落实辅助船舶待命防护等应急预防措施，或者向海事管理机构请求导航或者护航。

（4）载运爆炸品、放射性物品、有机过氧化物、闪点 28 ℃以下易燃液体和液化气的船，不得与其他驳船混合编队拖带。

（5）对操作能力受限制的载运危险品的船舶，海事管理机构应当疏导交通，必要时可实行相应的交通管制。

(6)载运危险品的船舶在航行、停泊、作业时应当按规定显示信号。其他船舶与载运危险品的船舶相遇,应当注意按照航行和避碰规则的规定,尽早采取相应的行动。

(7)在船舶交通管理(VTS)中心控制的水域,船舶应当按照规定向交通管理(VTS)中心报告,并接受该中心海事执法人员的指令。

对报告进入船舶交通管理(VTS)中心控制水域的载运危险品的船舶,海事管理机构应当进行标注和跟踪,发现违规航行、停泊、作业的,或者认为可能影响其他船舶安全的,海事管理机构应当及时发出警告,必要时依法采取相应的措施。

(8)在实行船舶定线制的水域,载运危险品的船舶应当遵守船舶定线制规定,并使用规定的通航分道航行。在实行船位报告制的水域,载运危险品的船舶应当按照海事管理机构的规定,加入船位报告系统。

(9)载运危险品的船舶排放压载水、洗舱水,排放其他残余物或者残余物与水的混合物,应当按照国家有关规定进行排放。禁止船舶在海事管理机构依法设定并公告的禁止排放水域内,向水体排放任何禁排物品。

(10)载运危险品的船舶发生水上险情、交通事故、非法排放事件,应当按照规定向海事管理机构报告,并及时启动应急计划和采取应急措施,防止损害、危害的扩大。海事管理机构接到报告后,应当启动相应的应急救助计划,支援当事船舶尽量控制并消除损害、危害的态势和影响。

模块二　水路危险品运输业务

☞ 案例导入

【案例1】 2004年5月14日,英华轮在由大连开往山东蓬莱港途中,汽车装载甲醇钠遇水燃烧起火。托运人恶意将甲醇钠藏在包装盒里,承运人未认真验货。停船,疏散旅客。封仓,施救(因不了解起火原因,施救困难,船舶在海上停泊3天),损失严重。

【案例2】 2004年11月16日,辽海轮由烟台驶往大连途中,汽车舱突然起火。从火灾的现场勘察和调查分析,极大可能是车辆夹带危险化学品所致。

案例1、2资料来源:中国化学品安全协会 http://www.chemicalsafety.org.cn

【案例3】 2001年4月17日清晨,从日本驶往宁波港的韩国籍化学品船舶A轮(装载了2 300吨苯乙烯)与上海驶往印度的香港籍货船B轮在长江口外相撞,事故导致泄漏苯乙烯达703吨,导致严重的环境污染。

【案例4】 1997年10月8日,某轮于南京装载散装纯苯463.4吨,在由南京驶往重庆途中,由于驾驶员操作失误导致触礁事故,造成右舷第2、4舱破损,149.4吨纯苯泄漏进长江。

案例3、4资料来源:李建民,基于耗散理论的海上危化品运输安全研究[D].大连海事大学,2014.06.

任务　熟知水路危险品运输业务

一、托运

(1)危险品的托运人或作业委托人应按照国家有关危险品运输的规定，分别同承运人或港口经营人签订运输、作业合同。

(2)托运人不得在托运的普通货物中夹带危险品，不得将危险品匿报或者谎报为普通货物托运。

(3)托运危险品时，应持有服务机构出具的危险品包装检验证明书(如表7－1所示)。盛装危险品的压力容器应持有有资质的压力容器检测机构出具的检验合格证书，放射性物品的包件应持有有资质的辐射监测机构出具的放射性物品包装件辐射水平检查证明书(如表7－2所示)。

表7－1　危险品包装检验证明书

编号：

包装生产单位				生产日期	
申请检验单位				报验数量	
包装名称及规格				标记及批号	
货物名称		危险类别		联合国编号	
货物密度		状　态		盛装日期	
货物单件毛重		单件净重		所需包装类	
检验单位意见	根据中华人民共和国《水路包装危险品运输规定》，经检验该包装符合＿＿＿＿类包装要求；该包装适合于＿＿＿＿货物的运输。				
货物分批核销栏	核销日期	承运船舶和航次	核销数量	结余数量	核销人
本证明书有效期：　　截止于　　年　　月　　日					

检验单位：　　　　　　　　　　检验人：

检验日期：　　年　　月　　日

表 7－2 放射性物品包装件辐射水平检查证明书

编号：

<table>
<tr><td colspan="7">申检单位：</td></tr>
<tr><td colspan="4">货物名称：</td><td colspan="3">件数：</td></tr>
<tr><td colspan="4">单件毛重：</td><td colspan="3">单件净重：</td></tr>
<tr><td colspan="4">射线类型： α；β；γ；中子</td><td colspan="3">物理状态： 块状；粉末；晶体；液体；气体</td></tr>
<tr><td colspan="7">放射性比活度： Bq/kg(Bq/l)</td></tr>
<tr><td rowspan="2">包件
号码</td><td rowspan="2">放射性
核素符号</td><td colspan="2">包件表面污染情况
Bq/cm²</td><td rowspan="2">包件表面
辐射水平
/(mSv/h)</td><td rowspan="2">运输
指数</td><td rowspan="2">包装
类型</td></tr>
<tr><td>α</td><td>β</td></tr>
<tr><td></td><td></td><td></td><td></td><td></td><td></td><td></td></tr>
<tr><td></td><td></td><td></td><td></td><td></td><td></td><td></td></tr>
<tr><td></td><td></td><td></td><td></td><td></td><td></td><td></td></tr>
<tr><td colspan="3">当容器破损时，安全距离不少于______米。</td><td colspan="4">半衰期：</td></tr>
</table>

检查单位： 检查人：

检查人： 签发日期： 年 月 日

检查日期： 年 月 日

（4）托运人、作业委托人应当向承运人、港口经营人提供完整准确的危险品名称、编号、危险性分类、包装、数量、应急措施等资料。办理危险品运输或港口作业手续时，应按以下要求提交单证和资料。

①托运人向承运人提交。

a. 危险品运输声明（如表 7－3 所示）或放射性物品运输声明（如表 7－4 所示）；

b. 集装箱载运危险品，应提交有效的集装箱装箱证明书（如表 7－5 所示）；

c. 可能危及运输安全，需要特殊说明的有关资料。

表 7－3 危险品运输声明

致：__________

下列货物已按货物性质正确包装，经得起装卸和水路运输的一般风险。包装件外部标有识别货物及其危险性的正确标志和标记，并处于良好的待运状态，符合《水路包装危险品运输规定》的规定。请将下列货物由__________船从__________港________泊位/码头运往港。

危规编号	货物名称	危险类别	包装方法	件数	单件净重	总毛重	联合国编号

声明人：

声明单位：

声明日期： 年 月 日

表 7－4　放射性物品运输声明

致：＿＿＿＿＿

下列货物已按货物性质正确包装，经得起装卸和水路运输的一般风险。包装件外部标有识别货物及其危险性的正确标志和标记，并处于良好的待运状态，符合《水路包装危险品运输规定》的规定。请将下列货物由＿＿＿＿＿船从＿＿＿＿＿港＿＿＿＿＿泊位/码头运往港。

危规编号	货物名称	射线类型	包装件表面辐射水平/(mSv/h)	运输指数	件数	单件净重	总毛重	联合国编号

声明人：

声明单位：

声明日期：　　年　　月　　日

表 7－5　集装箱装箱证明书

<table>
<tr><td colspan="2">船名</td><td colspan="3">航次</td><td colspan="2">目的港</td></tr>
<tr><td colspan="7">集装箱编号</td></tr>
<tr><td colspan="7">箱内所装危险品</td></tr>
<tr><td>正确运输名称</td><td>危规编号</td><td>危险品类别</td><td>包装</td><td>件数</td><td>箱数</td><td>总重</td></tr>
<tr><td></td><td></td><td></td><td></td><td></td><td></td><td></td></tr>
<tr><td></td><td></td><td></td><td></td><td></td><td></td><td></td></tr>
</table>

兹证明：装箱现场检查员已根据《水路包装危险货物运输规则》的要求，对上述集装箱和箱内所装危险品及货物在箱内的积载情况进行了检查。并声明如下：

1. 集装箱清洁、干燥、外观上适合装货。

2. 如果托运货物中包括除第 1.4 项外的第 1 类货物，集装箱在结构上符合《水路包装危险品运输规则》附件一中第 1 类引言的规定。

3. 集装箱内未装有不相容的物质。

4. 所有包装件均已经外观破损检查，装箱的包装件完好无损。

5. 所有包装件装箱正确，衬垫、加固合理。

6. 当散装危险品装入集装箱时，货物已均匀地分布在集装箱内。

7. 集装箱和所装入的包装件均已正确地加以标志和标记。

8. 当用固体二氧化碳（干冰）作冷却剂时，在集装箱外部门端明显处已显示标记或标志，注明："内有危险气体——二氧化碳（干冰），进入之前务必彻底通风"。

9. 对集装箱内所装的每票危险品，已按要求办理危险品申报。

以上各项准确无误。

装箱现场检查员签字：　　　　检查地点：

装箱现场检查员证书编号：　　　　装箱单位（公章）：

装箱日期：　　　　签发日期：

注：此证明书应由装箱现场检查员填写一式两份，一份于集装箱装船三天前向海事管理机构提交，另一份应在办理集装箱进港时交承运人。

②作业委托人向港口经营人提交

a. 危险品运输声明或放射性物品运输声明；

b. 集装箱载运危险品，应提交有效的“集装箱装箱证明书”；

c. 危险品包装检验证明书或压力容器检验合格证书或放射性物品包装件辐射水平检查证明书；

d. 可能危及装卸安全，需要特殊说明的有关资料。

(5)托运人托运危险性质不明及未另列名的危险品，应在托运前向启运港港口行政管理部门和海事管理机构提交经服务机构出具的危险品鉴定表，由港口行政管理部门和海事管理机构确定装卸、运输条件，并经服务机构评估、审核后办理托运。

(6)性质相抵触或消防方法不同的危险品应分票托运。

(7)托运装过有毒气体、易燃气体的空容器，按原装危险品条件办理。

(8)托运装过液体危险品、毒性物质(包括具有毒性次要危险性的货物)、有机过氧化物、放射性物质的空容器，如符合下列条件，并在运单和作业委托单中注明原装危险品名称、编号和“清洁无害”字样，可按普通货物办理：

①经倒净、清洗、消毒，并持有服务机构出具的检验证明书，证明清洁无害；

②盛装过放射性物品的空容器，其表面清洁无污染，或按可接近固定污染程度(β 或 γ 发射体及低毒性 α 发射体的单位面积活度限值低于 4 Bq/cm^2，所有其他 α 发射体的单位面积活度限值低于 0.4 Bq/cm^2)，并持有有资质的辐射监测机构出具的放射性物品包装件辐射水平检查证明书。

③托运装过其他危险品的空容器，经过倒净、清洗，并在运单中和作业委托单中注明原装危险品名称和编号、“清洁无害”字样，可按普通货物办理。

(9)托运装过危险品的集装箱空箱，经清洗、消毒，除去原危险品标志，在运单和作业委托单中注明原装危险品名称、编号，并持有检验证明书，证明空箱清洁无害，可按普通箱办理。

(10)符合下列条件之一的危险品，可按普通货物运输并管理：

①符合危险品有限数量或例外数量及包装要求国家标准的危险品；

②符合危险品运输豁免要求的危险品；

③交通运输部明确规定可予豁免的危险品。

二、承运

船载危险品的运输企业应严格按照相关法律法规要求，落实主要负责人的安全管理责任，建立安全生产规章制度，健全安全管理机构，配备符合规定要求的海务、机务专职管理人员。加大安全投入，按照《企业安全生产费用提取和使用管理办法》提取安全生产费用并专款专用。严格按照核定的水路运输经营资质、船舶种类合法经营，严禁非法挂靠。

危险品运输船舶应按规定持有船舶检验机构核发的船舶检验证书和危险品适装证书，严格按照国家有关危化品运输规定和安全技术规范进行配载和运输。

三、港口作业

（一）作业场所要求

（1）危险品作业现场应按消防和应急等规定要求配备相应的消防、防污染等应急设备和器材。

（2）危险品作业场所防爆、防雷、防静电接地及照明条件应符合相应国家标准或行业规范要求。

（二）作业规定

（1）从事危险品港口作业的码头、泊位和堆场（包括相关仓储设施），应按有关规定向港口行政管理部门办理申报手续。

（2）船舶在危险品货物作业前，船方应对照危险品船舶装卸船/岸安全检查项目表（如表7－6所示）进行安全检查，并与港口经营人共同确认。

表7－6　危险品船舶装卸船/岸安全检查项目表

船　名：＿＿＿＿＿＿＿＿　日　期：＿＿＿＿＿＿

港　口：＿＿＿＿＿＿＿＿　码　头：＿＿＿＿＿＿

泊位水深：＿＿＿＿＿＿＿　最小水上高度①：＿＿＿＿

到港吃水（读数/计算）：＿＿＿＿　水上高度：＿＿＿＿＿＿

计算出港吃水：＿＿＿＿＿＿　水上高度：＿＿＿＿＿＿

本表应由船长、港口经营人负责人或其代表共同填写。

操作安全要求所有问题做肯定回答并在方格内相应标记“√”，否则应标记“×”并写明原因，同时，船舶与港口经营人应就采用的预防措施达成协议。如其中有条目不适用，则填写“—”并注明原因。

序号	项目	船舶	港口经营人	备注
1.	泊位水深及水上高度是否适合货物装卸？	□	□	
2.	系泊设备是否适合当地所有潮汐、海流、天气、通航及船舶离靠港的情况？	□	□	
3.	紧急情况下船舶是否可以随时离开码头？	□	□	
4.	船舶与码头之间的通道是否安全？ 由船舶/码头（不适用者划去）负责	□	□	
5.	船舶/码头同意的通信系统是否有效？ 通信方式＿＿＿＿＿＿ 语言＿＿＿＿＿＿ 无线电话频道/电话号码	□	□	
6.	操作时通信联络人员是否可以识别？ 船舶联络人员＿＿＿＿＿＿ 岸上联络人员＿＿＿＿＿＿ 位置＿＿＿＿＿＿	□	□	

表 7-6(续)

序号	项目	船舶	港口经营人	备注
7.	船上及码头是否配备足够的处理紧急情况的人员?	□	□	
8.	是否准备或计划进行加油操作?	□	□	
9.	船舶靠港期间是否准备或计划对码头或船舶进行修理?	□	□	
10.	是否接受由于货物装卸操作所造成损坏的报告和记录程序?	□	□	
11.	船上是否备有港口和码头规定(包括安全和防污染要求及应急措施)的副本?	□	□	
12.	托运人是否向船长提供 SOLAS 第Ⅵ章要求所述的货物性质?	□	□	
13.	对于可能需要进入的货舱和围闭处所,其空气是否安全?熏蒸货物是否标明?船舶和码头对需要进行大气监控是否达成一致?	□	□	
14.	货物装卸能力和每台装卸机械运行限制是否已通知船舶/码头? 装货机____________ 装货机____________ 装货机____________	□	□	
15.	对于装货/卸压载或卸货/压载在各个阶段的装卸货操作计划是否已经计算? 计划副本持有人____________	□	□	
16.	装卸货计划中是否已经清楚地说明作业货舱,是否标明作业次序及每次作业货舱转移的货物等级和吨数?	□	□	
17.	是否已经讨论过货物需要平舱?其方法和范围是否已经取得一致?	□	□	
18.	船舶和码头是否理解并接受如果压载和货物作业失调,货物装卸将暂停直到压载操作调整正常?	□	□	
19.	船舶是否已经知道并同意卸货时去除遗留货物的预定程序?	□	□	
20.	船舶最终纵平衡程序是否已确立并取得一致意见?	□	□	
21.	码头传输系统传输记录的吨数是否已经通知码头,货物装卸完成后船舶准备开航所需的时间?	□	□	

注:① 水上高度应考虑船舶在内河或河口空船吃水状态时通过桥梁时最高桅杆的高度以及船舶靠泊和在泊时所要求安全避让的装卸机械的高度。

本表一式四份,港口经营人、船舶各留存一份,海事管理机构和港口行政管理部门备查各一份。

同意以上各项内容:

时间____________ 日期____________

船舶____________ 港口经营人____________

姓名及职务____________ 姓名及职务____________

(3)港口经营人应为船舶提供安全的靠泊作业环境。船方应配合港口经营人落实安全作业措施。船岸双方应对危险品的装卸作业信息进行交流检查,各自确认作业的安全状况和应急措施。

(4)危险品港口作业应在装卸管理人员指导下进行。作业前应详细了解危险品的性质、危险程度、应急处置和医疗急救等措施,并严格按照安全操作规程作业。

(5)危险品作业时,应根据货物性质选用合适的装卸机具。作业前应对装卸机械进行检查。爆炸品、有机过氧化物、一级毒性物质和放射性物质作业时,装卸机具应按额定负荷降低25%使用,确保安全。注意作业顺序,一级危险品作业顺序为最后装最先卸。

(6)装卸易燃、易爆危险品期间,作业船舶不得进行加油、船舶油污水排放以及易产生火花等影响安全的相关作业,禁止使用非防爆通信设备。不得使用或检修雷达、无线电通信设备。所使用的通讯设备应符合消防等规定。

(7)装卸易燃、易爆危险品,距装卸地点40 m范围内为禁火区。内河码头、泊位装卸上述货物应按消防规定要求并结合实际情况划定合适的禁火区。

(8)爆炸品、气体和放射性物质原则上以直装直取方式作业。特殊情况,需经港口行政管理部门批准,采取妥善的安全防护措施并在批准的时间内装船或提离港口。

(9)危险品船舶靠泊作业期间,其他船舶或设施不得靠近作业船舶或进入船舶安全作业范围。

☞ 案例

2013年5月3日,上海外高桥集装箱码头上的一个集装箱在开箱查验时发生闪爆,导致3名码头工人烧伤。爆燃让来自重庆的40岁搬运工费某头发被烧焦,面部熏得焦黑,双手从手掌到肘关节脱皮。据他回忆,事发时他在有关部门指挥下对该码头上一个没有任何危险品标识的集装箱货物进行搬运,以便抽查检验,“天气很热,集装箱里面的温度有五六十摄氏度,刚爬进4米就已经感到炙热难耐。我正打算把衣服敞开一点,就‘砰’的一下炸了。”而与他一起作业的侄子因站在集装箱口负责接货,被爆燃喷出的火花气浪打晕在地,另一名在场工人也受了轻伤。所幸爆燃没有引起火灾。事发后,伤者被迅速送到医院住院治疗。

经调查,该集装箱是以普通货物名义进入外四期港区的,拟配A轮第1320S航次,由上海港运往菲律宾马尼拉港,为货主自拼箱,向海关报关时申报的品名是“海绵百洁布”和“圆珠笔”。而实际上该箱装有20型点火器、打火机、SJ-168胶水、清洁球、笔和海绵6种货物。根据《国际海运危险品规则》,“打火机”“点火器”和“胶水”分别属于2.1类和3类易燃危险品。据分析,此次爆炸极有可能是箱内的打火机、点火器里充装的易燃气体泄漏积聚在箱内,而查验场没有遮蔽,阳光照射箱体,箱内温度上升导致爆炸。

事故发生后,上海海事部门已暂停了该集装箱的装船作业,加强了与辖区有关部门对涉案货物托运人出运货物的联合布控。据统计,上海外高桥每年进出口危险品集装箱数量巨大,海事部门不可能对每个集装箱都进行开箱检查,只能从每天近2万个进出口集装箱中大海捞针般进行抽查。此次危险品集装箱瞒报事件,再一次为集装箱载运危险品货物敲响警钟,作为海上安全运输的重要一环,货主、货物托运人和代理人都需要加强危险品运输依法申报意识。

资料来源:中国水运报

(三)过驳作业要求

(1)载运危险品的船舶从事水上过驳作业,应当符合国家水上交通安全和防止船舶污染环境的管理规定和技术规范,选择缓流、避风、水深、底质等条件较好的水域,尽量远离人口密集区、船舶通航密集区、航道、重要的民用目标或者设施、军用水域,制定安全和防治污染的措施和应急计划并保证有效实施。

(2)载运危险品的船舶在港口水域内从事危险品过驳作业,应当根据交通部有关规定向港口行政管理部门提出申请。港口行政管理部门在审批时,应当就船舶过驳作业的水域征得海事管理机构的同意。

(3)载运散装液体危险性货物的船舶在港口水域外从事海上危险品过驳作业,应当由船舶或者其所有人、经营人或者管理人依法向海事管理机构申请批准。

(4)船舶从事水上危险品过驳作业的水域,由海事管理机构发布航行警告或者航行通告予以公布。

(5)申请从事港口水域外海上危险品单航次过驳作业的,申请人应当提前24小时向海事管理机构提出申请;申请在港口水域外特定海域从事多航次危险品过驳作业的,申请人应当提前7日向海事管理机构提出书面申请。

船舶提交上述申请,应当申明船舶的名称、国籍、吨位,船舶所有人或者其经营人或者管理人、船员名单,危险品的名称、编号、数量,过驳的时间、地点等,并附表明其业已符合规定的相应材料。

(6)海事管理机构收到齐备、合格的申请材料后,对单航次作业的船舶,应当在24小时内做出批准或者不批准的决定,对在特定水域多航次作业的船舶,应当在7日内做出批准或者不批准的决定。海事管理机构经审核,对申请材料显示船舶及其设备、船员、作业活动及安全和环保措施、作业水域等符合国家水上交通安全和防治船舶污染环境的管理规定和技术规范的,应当予以批准并及时通知申请人。对未予批准的,应当说明理由。

☞ **案例**

【案例1】 2003年,中国籍华顶山轮从上海港装载集装箱后,航经厦门港时发生大火,船舶沉没、货物尽损。这起事故的原因是托运人冒用普通货物氧化铁名义装箱的危险品连二亚硫酸钠自燃。

资料来源:中国水运报

【案例2】 2015年7月11日凌晨,日本丸龟Imabari造船厂1999年建造的29 277吨、可装运2011个标准集装箱的某集装箱货船,在装运包含危险化学品集装箱的796个集装箱离开印尼泗水驶往韩国蔚山途中,行驶到韩国济州岛以南约204千米的东中国海时,船上若干集装箱突然起火。1艘过路船向日本海岸警卫队转发了求救信号。因天气恶劣,韩国海岸警卫队救援船无法靠近遇险船舶,用水炮灭火。最终大火得到控制。

资料来源:国家安监总局化学品登记中心 http://www.nrcc.com.cn

四、船舶运输

(1)载运危险品时,承运人应选用符合相应技术规范的适载船舶。禁止客船载运危险品。载运危险品的船舶不得搭乘旅客和无关人员。

（2）内河船舶运输散装危险品时，应符合《内河散装运输危险化学品船舶法定检验技术规则》的要求。

（3）单船运输危险品时，承运人应按照主管机关确认的名称、数量及配积载要求运输。

（4）客滚船载运危险品须经主管部门批准，并在当地交通运输管理部门、港口行政管理部门和海事管理机构等相关部门监管下，实行专船专运。

（5）船舶载运危险品前，承运人应当检查核对托运人提交的有关单证。

（6）载运危险品的船舶，应当严格遵守避碰规则，内河航行装卸或者停泊时，应当悬挂专用的警示标志，按照规定显示专用信号。

（7）船舶载运危险品进出港口，应当将危险品的名称、理化性质、包装和进出港口的时间等事项，在预计到、离港24小时前向海事管理机构报告。但对于定船舶、定航线、定货种的船舶可以按照有关规定向海事管理机构定期申报。海事管理机构接到上述报告后应当及时将上述信息通报港口所在地港口行政管理部门。

（8）载运危险品的船舶通过过船建筑物时，应当提前向过船建筑物管理部门申报，并接受其管理。载运爆炸品、一级易燃液体和有机过氧化物的船、驳，不得与其他船、驳混合编队、拖带或进入同一船闸闸室。如必须混合编队、拖带时，船舶所有人或经营人要制定切实可行的安全措施，经船闸管理部门批准后执行。

（9）装载易燃、易爆危险品的船舶，不得动火作业。如有特殊情况，应采取相应的安全措施。

（10）滚装船载运“只限舱面”积载的危险品，不得装载在全封闭的车辆甲板上。

（11）危险品装船后，应编制危险品清单和货物积载图，在货物积载图上应标明所装危险品名称、编号、分类、数量和积载位置。

（12）发生危险品落水、包装破损或溢漏等事故时，船舶应立即采取有效措施并向就近的海事管理机构报告并做好记录。

（13）承运人应按规定做好船舶的预、确报工作，并向港口经营人提供卸货所需的有关资料。

（14）对于装有爆炸品的船舶，在中途港挂靠时不应加载其他货物。确需加载时，应经海事管理机构批准并按爆炸品的有关规定作业。

（15）在航行过程中，船舶应根据所装载危险品的特性和航行区域特点制定货舱巡查计划，并将巡查情况记入航海日志。

（16）船舶应当根据所载运危险品的要求，制定操作规程、监测和检测要求以及应急预案，建立定期演练制度，完善各项处置措施。

（17）散装液体船舶载运液体危险品以及舱室清洗及清洗污水排放等应当符合国家相关规定。

（18）载运危险品船舶抵港前，承运人或其代理人应至少提前2小时通知收货人做好接运准备，并发出提货通知。交付时按货物运单（提单）所列危险品名称、编号、数量、标记核对后交付。对残损和撒漏的地脚货应由收货人提货时一并提离港口。

☞ 案例

2011年8月26日，由广州驶往上海张华浜码头的集装箱船A轮，在计划进入吴淞口6号锚地途中与同向行驶拟进入长江的散货船B轮在外高桥航道发生碰擦。事故造成B轮右舷船壳板凹陷,A 轮船首左舷受损,船体向右严重倾斜。上海海事局吴淞海事处接报后,立即启动应急预案。因 A 轮载有 7 只第三类危险品集装箱,为防止危险品集装箱因船体倾斜坠入江中造成泄漏,海事部门组织打捞船对 A 轮甲板集装箱实施紧急卸载,并指挥清污船在 A 轮周围布设围油栏以防止机舱燃油溢出,在拖轮协助下 A 轮在吴淞口 2 号锚地抛下左锚并成功抢滩。

资料来源:国家安监总局化学品登记中心 http://www.nrcc.com.cn

☞ **知识链接**

抢滩(beaching)又称冲滩,是指船舶破损时,有意识地把船驶向浅滩搁浅的应急措施。当船壳遭到较大破坏,出现大裂缝或大破洞时,海水会大量涌进船舱,堵漏无效,即使开动船上的全部动力泵仍无法排出积水,船舶的稳性和浮力遭受到严重破坏,就会有倾覆沉没的危险,应立即设法把船迅速驶到近处的浅滩,使船搁浅,防止事故扩大。

模块三 水路危险品集装箱运输

☞ **案例导入**

宾夕法尼亚号船是韩国韩进重工集团为德国船东建造的一艘巴拿马型 4 389 箱集装箱运输船。该船 2001 年开始建造,2002 年下半年下水。2002 年 11 月 11 日,满载 4 389 箱集装箱的韩进·宾夕法尼亚号船自中国满载着各种货物开航不久途经新加坡海域时,突然一声巨响,紧接着火光冲天,火势迅速蔓延。虽经船员奋力扑救,但仍无济于事,船长见火势已经无法控制,只得下令弃船逃生。4 389 个集装箱的货物大部分损坏,经济损失逾亿元。据报道,爆炸原因是韩进·宾夕法尼亚轮在中国装载的不明集装箱危险品发生爆炸,导致 4 389 个集装箱的货物大部分损坏,经济损失逾亿元,更有三名船员丧生。该轮由韩国最大的班轮公司——韩进海运株式会社承租,并与六大国际知名船东分享舱位,受损方众多,涉及中国、香港、德国、韩国、新加坡等 5 个国家或地区。此次事故国际影响巨大,引起国际航运业界普遍关注。这起因瞒报危险品酿成的事故不仅震惊了全球航运界,也使我国出口贸易的良好声誉蒙上阴影。

资料来源:中国水运报

任务 熟知危险品海运集装箱运输

一、我国危险品海运集装箱运输现状

随着世界经济和国际贸易的发展,海运需求量的不断增大,集装箱运输方式在国际海上运输发展中的地位和作用越来越突出,其中危险品集装箱的运量也在逐年增加。考虑到集装箱运输的封闭性和危险品的特殊物理化学性质,世界各国和国际组织对危险品集装箱海上运输制定了严格的规定,以保证运输安全,达到货物交易的目的。

我国危险品海运集装箱蓬勃发展的同时,也暴露出许多问题,例如托运人和承运人瞒

报、谎报、漏报危险品，载运危险品集装箱船舶的船员未经特殊培训，没有制订事故应急预案，缺乏相应的应急设备等等。针对这些问题，专家学者建议政府部门采取以下一些措施。

(1)进一步完善法规。从法规层面提高对隐瞒危险品行为的处罚力度。

(2)加强危险品申报管理。

(3)落实船员的特殊培训。凡在载运包装危险品船舶上任职的船长及甲板部船员，必须强制完成船员特殊培训，并取得培训合格证。

(4)加强监管。要加大现场检查力度，重点为"五查"，即一查集装箱箱内货物清单，二查危险品装箱记录，三查承运船舶的适装证书、危险品箱的配载图和危险品应急措施，四查港口集装箱装卸作业记录，五查进行适当的开箱检查。

(5)加大科技投入，装备集装箱透视检查系统等方便快捷的现代化检查设备。

(6)应尽快完善电子申报系统。

☞ 案例

2004 年 1 月 7 日，澳大利亚海事局通过外交途径发函称，在中国籍船舶瑞云河轮上发现两只装有危险品的集装箱上无任何危险品标志，也未经任何危险品申报，要求中国海事部门调查处理并反馈结果。

资料来源：中国水运网 http://www.zgsyb.com

二、装箱作业

(一)危险品集装箱装箱单位资质条件

(1)拥有固定的装箱检查场所，其储存的危险品种类或品种符合公安消防安全规定。

(2)经工商管理部门注册批准，具有装箱作业相关经营项目。

(3)具有 2 名稳定的装箱检查员。

(4)配备相应的装箱设备、标志牌和危险性标志，有关装箱设备及用具等应符合相应货物的防火、防爆要求。

(5)配备有效的应急通信联络设备，具备相应的应急报告、联络、处置能力。

(6)建立有效的危险品装箱安全管理制度，配备有效的《国际海运危险货物规则》或《水路危险货物运输管理规定》等技术资料手册，切实保障相应危险品规则的执行和装箱安全措施的落实。装箱安全管理制度应包括：

①装箱检查管理制度；

②装箱现场检查员岗位职责；

③装箱单证(申报单证、装箱声明单、装箱证明书、月报表)查验、签发、报送制度；

④装箱查验工作通知、操作制度；

⑤装箱档案(装箱记录簿、装箱声明单发放登记)记录、登记、存档制度；

⑥危险品安全应急报告、联络制度；

(7)公共性装箱单位应经地方管理部门审核同意；

(8)从事爆炸品类危险品装箱的装箱单位，还须具备下述条件：

①具备符合国家有关爆炸品安全规定的包件储存条件；

②具有国家规定在港口从事水路货运、装箱业务的资质；

③当地政府管理部门安全审核意见;

④经主管机关对相关装箱检查事项审核批准。

(二)装箱作业要求

1. 资质要求

(1)凡从事港口出口危险品集装箱装箱的装箱单位,具备相应符合资质条件的装箱现场检查人员,满足相应的装箱资质条件,经主管机关登记认可后,办妥水路运输危险品集装箱装箱单位登记证明,方可按相应范围和危险品种类装箱并签发相关的集装箱装箱证明书。

(2)持有水运危险品集装箱装箱单位登记证明的装箱单位,必须按申办程序规定向主管机关申请办理换证或年审手续,经审核通过后,方可继续签发集装箱装箱证明书。

2. 装箱前检查

(1)箱体状况:危险品装箱前,装箱单位应对集装箱和待运危险品进行认真检查。拟装危险品的集装箱必须符合国际海事组织《1972 年国际集装箱安全公约》的要求,并经有关检验部门检验合格。不得使用有明显的实质性损坏的集装箱装运危险品。

(2)包件检查:危险品的包装必须经有关部门检验合格。对于有任何损坏、撒漏、渗漏的货物或有过多的外来物黏附的包件,均不得装入集装箱。

(3)标志检查:装入集装箱内的危险品以及集装箱外表,应按规定张贴经主管机关统一监制的与货物危险特性相符的标记、标志。集装箱外表不得残留其他无关的危险品标志。

3. 装箱作业

(1)对于经主管机关核定查验的危险品集装箱,装箱单位须按规定于装箱前通知主管机关,在相关监督员到达装箱现场后,方可进行装箱作业。

(2)危险性质不相容的货物不得同箱装运。

(3)集装箱内货物的装载应做到堆装紧密牢固、有足够的支撑和加固,适应海上航行。

(4)包件的装箱应做到在运输中尽量减少对集装箱装置损坏的可能性,用于包件上的相关装置应得到充分的保护。

(5)装箱单位应如实按相应要求将装箱情况记入装箱记录簿,做好危险品集装箱装箱情况的档案保存工作。并于每月 5 日前将上月装箱检查情况报表送交主管机关核备。

4. 签发单证

(1)装箱单位应落实集装箱安全运输的装箱要求,认真审核危险品集装箱的相关单证,在已经登记且符合安全作业条件的场所,经装箱现场检查员现场检查合格后,签发符合规定要求的集装箱装箱证明书,并加盖装箱单位危险品集装箱装箱专用章。装箱检查员须在装箱证明书上签字。装箱单位应按规定时限将装箱证明书送交主管机关查验。

(2)遇有特殊情况,不能在办理危险品申报时提交装箱证明书的,装箱单位应在采取相应安全措施的前提下,向托运人出具相应的装箱声明单,作为其办理申报手续的凭证,装箱完毕后,装箱单位应及时将有关的装箱证明书送交主管机关核销。

5. 查验

(1)主管机关对装箱单位所装危险品集装箱、箱内装载情况以及装箱检查记录档案实施抽查监督制度。

(2)主管机关认为必要时,将对拟装船的集装箱进行抽样开箱监督检查。

三、装卸船作业要点

(1)当装卸危险品箱时,码头交接员要通知安全生产指导员,安全生产指导员应在现场监督,并严格按危险品箱作业规程进行装卸作业。

(2)在码头前沿作业时,危险品集装箱在装船或卸船前,作业方应会同船方对集装箱外观进行检查,重点检查集装箱结构是否有损坏、有无撒漏或渗漏现象,确认箱体是否贴有危险品标志。

(3)进舱内作业前,工作人员要先开舱通风,确保无误后,由装卸作业指挥人员佩戴明显标志,根据危险品的性质、配装要求及船方确认的配载图进行装载。其中,装卸易燃易爆危险品集装箱期间,一定不能进行加油、加水(岸上管道加水除外)等作业。

四、堆存作业

(1)危险品集装箱运送到堆场后,要在专门区域内存放。其中硝酸铵类物质的危险品集装箱,应实行直装直取。

(2)熏蒸作业也不能在危险品堆场进行。

(3)危货集装箱堆码限制。在堆存过程中,易燃易爆危险品集装箱,最高只许堆码二层,其他危险品集装箱不超过三层,并根据危险品的不同性质,做好有效隔离。对于装有遇潮湿易产生易燃气体的货物集装箱和需敞门运输的易产生易燃气体的集装箱,宜在最上层堆码。液化天然气罐式集装箱不能相互叠放,如果一定要与其他非易燃易爆危险品集装箱叠放,应放置在最上层。对于装有毒性物质中包装类别的危险品集装箱要箱门对箱门,集中堆放。

五、拆箱作业

(1)在进行拆箱作业时,作业人员要穿戴好必需的防护用品,禁止穿带铁掌、铁钉鞋和易产生静电的工作服。拆箱作业时,要事先检查施封是否完好,先开启一扇箱门通风并确认无危险后,进行拆箱作业。

(2)轻拿轻放。在拆、装箱时,工作人员要使用防爆型电器设备和不会摩擦产生火花的、工属具,并有专人负责现场监护。对于装有爆炸品、有机过氧化物、毒害气体等的集装箱,拆、装箱时所有机具应按额定负荷降低25%使用。

(3)在有遮蔽、通风良好的环境下进行拆箱,保证货物不在阳光直射处存放。如果遇到闪电、雷雨或附近发生火灾时,要立即停止作业并关闭箱门,妥善处理箱外货物。如果遇到雨雪天、大雾天,禁止露天拆、装遇水放出易燃气体物质的集装箱。

☞ 案例

2011年6月21日一艘利比里亚籍集装箱船和一艘德国籍集装箱轮在洋山港附近发生碰撞,造成德国籍集装箱轮5号舱甲板上所载集装箱整体倾斜,部分集装箱变形损坏,5号舱货舱左舷破损进水,舱内3只装载连二亚硫酸钠的集装箱遇水后发生自燃反应,令人担忧的是,附近的4号舱甲板上一只集装箱内装载了硝化纤维棉。事情发生后上海市相关部门立即启动应急处理机制,在事故船附近水域设置警戒区,实施临时交通管制,采取卸载相关危险品集装箱等紧急处置措施,避免了危险品泄漏爆炸等重大事故发生。

资料来源:国家安监总局化学品登记中心 http://www.nrcc.com.cn

❖ 练习与思考

一、思考题

1. 阐述水路危险品运输的许可规定。
2. 如何进行载运危险品的船舶管理?
3. 载运危险品的船舶安全和防污染责任有哪些?
4. 简述水路危险品运输业务。
5. 港口危险品作业场所要求是什么?
6. 港口危险品作业规定有哪些?
7. 水路危险品托运相关单证的作用是什么?
8. 危险品集装箱装箱单位资质条件是什么?
9. 危险品集装箱装箱作业要求有哪些?
10. 危险品集装箱堆存作业的要求是什么?
11. 危险品集装箱拆箱作业的作业要求是什么?

二、案例分析

1. 某航次,我国轮船受载一只20英尺(1英尺合0.304 8 m)拼箱,内有两票危险品货:一是1003,2.2类,副标志5.1类,别一票是1017,2.3类,副标志8类,申报都是未清洗的空瓶。如果按7.2.1.6.1条的要求,应选择适合副危险性的隔离,5.1类与8类之间采取“远离”,那么这两票货不能混装于一个20英尺箱内。但以笔者当时的理解,这两票货可同一箱内混装,原因有二:①按7.2.1.11条规定,同类物质可积载在一起,这两票货都是2类此时不必考虑副危险标志的隔离要求;②按英版5.1.3.3条的规定,装有未经清洁的放射性货物空包装的空货物运输组件,须遵守对原装放射性危险品组件或包件的有关规定,而对除7类以外的其他危险品,并无明文规定。但是,鹿特丹港检查官在与上司联系之后,对笔者的这两条理由一一否决:①2.2类和2.3类应视为不同的类别,不能视为同一类,所以应考虑副危险标志的隔离要求;②所有危险品,而不只是7类放射品,其未经清洁的货物空包装的空货物运输组件须遵守对原装危险品组件或包件的有关规定。最后这个箱子在鹿特丹港被倒下,拆箱后再运往目的港。实际上,下一港安特卫普就是它的目的港了。可见如同避碰规则中的“如有怀疑应假设存在”一样,对危规的理解如有疑问则应从严,以做到“尽量安全”。

请回答:我们中国船员应从这次危险品集装箱运输中吸取什么教训?

2. 2004年9月6日东方鹿特丹轮由上海驶往捷克的途中,船上装载的一只集装箱因箱内货物外泄造成两名船员中毒。为彻底清洗舱内残留物,将被污染舱内所有集装箱翻舱至码头,造成劳务装卸等额外费用产生,并延误了船期。该集装箱在中转港英国南安普顿港被强制卸载,经开箱检查,发现箱内货物之一为甲萘胺,系联合国规定的第6类危险品。由于货物托运人在托运过程中瞒报危险品名称,没有向承运人说明该类危险化学品的危害性质，导致此票货物在船方不知情的情况下，被不当积载于加热燃油舱上，因温度高而导致发生泄漏事故。

请回答：如何加强水上危险品运输安全管理？

3.2015 年 1 月 11 日下午，锚泊在韩国东南部港口蔚山港的一艘装载 1 553 吨化学品的运输船，在装运硝酸和硫酸期间，甲板上发生爆炸，有毒气体泄漏，造成船上 14 名船员中 4 名船员受伤，被送往医院救治，其中 1 人被烧伤，3 人吸入有毒气体中毒。爆炸原因不明。4 名伤者都没有生命危险，该船建造于 1996 年，总吨位 2 618 吨。

结合此案例，阐述在装运危险品期间，船员如何做好自身防护措施。

项目八　常见危险品安全要求及事故应急措施

❖ 学习目标

一、知识目标

1. 熟知甲烷、天然气的安全要求及事故应急措施；
2. 熟知液化石油气的安全要求及事故应急措施；
3. 熟知原油的安全要求及事故应急措施；
4. 熟知汽油的安全要求及事故应急措施；
5. 熟知一氧化碳的安全要求及事故应急措施；
6. 熟知二氧化硫的安全要求及事故应急措施；
7. 熟知硫化氢的安全要求及事故应急措施；
8. 熟知氯的安全要求及事故应急措施；
9. 熟知氨的安全要求及事故应急措施；
10. 熟知氢的安全要求及事故应急措施。

二、能力目标

1. 能够正确进行常见危险品的安全作业；
2. 能对常见危险品的事故进行正确有效的处置。

❖ 学习重点

1. 常见危险品的安全要求；
2. 常见危险品事故应急措施。

模块一　甲烷、天然气的安全要求及事故应急措施

☞ 资讯链接

为了进一步突出重点、强化监管，指导安全监管部门和危险化学品单位切实加强危险化学品安全管理工作，国家安全监管总局组织对现行《危险化学品名录》中的 3 800 余种危险化学品进行了筛选，编制了《首批重点监管的危险化学品名录》，并于 2011 年 6 月 21 日予以公布，国家安全监管总局要求：第一，涉及重点监管的危险化学品的生产、储存装置，原则上须由具有甲级资质的化工行业设计单位进行设计。第二，地方各级安全监管部门应当

将生产、储存、使用、经营重点监管的危险化学品的企业，优先纳入年度执法检查计划，实施重点监管。第三，生产重点监管的危险化学品的企业，应针对产品特性，按照有关规定编制完善的、可操作性强的危险化学品事故应急预案，配备必要的应急救援器材、设备，加强应急演练，提高应急处置能力。第四，各省级安全监管部门可根据本辖区危险化学品安全生产状况，补充和确定本辖区内实施重点监管的危险化学品类项及具体品种。在安全监管工作中如发现重点监管的危险化学品存在问题，请认真研究提出处理意见，并及时报告国家安全监管总局。第五，地方各级安全监管部门在做好危险化学品重点监管工作的同时，要全面推进本地区危险化学品安全生产工作，督促企业落实安全生产主体责任，切实提高企业本质安全水平，有效防范和坚决遏制危险化学品重特大事故发生，促进全国危险化学品安全生产形势持续稳定好转。

国家安全监管总局随后公布了《首批重点监管的危险化学品安全措施和事故应急处置原则》。2013 年 2 月 5 日，国家安全监管总局公布了《第二批重点监管的危险化学品名录》和《第二批重点监管的危险化学品安全措施和应急处置原则》。要求生产、储存、使用重点监管的危险化学品的企业，应当积极开展涉及重点监管危险化学品的生产、储存设施自动化监控系统改造提升工作，高度危险和大型装置要依法装备安全仪表系统（紧急停车或安全连锁），并确保于2014 年底前完成。地方各级安全监管部门应当按照有关法律法规和本通知的要求，对生产、储存、使用、经营重点监管的危险化学品的企业实施重点监管。

资料来源：国家安全生产监督管理总局：http://www.chinasafety.gov.cn

任务　熟知甲烷、天然气的安全要求及事故应急措施

一、甲烷、天然气的危害性

（1）极易燃，与空气混合能形成爆炸性混合物，遇热源和明火有燃烧爆炸危险。与五氧化溴、氯气、次氯酸、三氟化氮、液氧、二氟化氧及其他强氧化剂剧烈反应。

（2）健康危害：纯甲烷对人基本无毒，只有在极高浓度时成为单纯性窒息剂。皮肤接触液化气体可致冻伤。天然气主要组分为甲烷，其毒性因其他化学组成的不同而异。

二、安全要求

（一）一般要求

（1）生产、储存区域应设置安全警示标志。

（2）操作人员必须经过专门培训，严格遵守操作规程，熟练掌握操作技能，具备应急处置知识。

（3）密闭操作，严防泄漏，工作场所全面通风，远离火种、热源，工作场所严禁吸烟。

（4）在生产、使用、储存场所设置可燃气体监测报警仪，使用防爆型的通风系统和设备，配备两套以上重型防护服。穿防静电工作服，必要时戴防护手套，接触高浓度时应戴化学安全防护眼镜，佩带供气式呼吸器。

（5）进入罐或其他高浓度区作业，须有人监护。

(6)储罐等压力容器和设备应设置安全阀、压力表、液位计、温度计,并应装有带压力、液位、温度远传记录和报警功能的安全装置,重点储罐需设置紧急切断装置。

(7)避免与氧化剂接触。

(8)在传送过程中,钢瓶和容器必须接地和跨接,防止产生静电。搬运时轻装轻卸,防止钢瓶及附件破损。

(9)禁止使用电磁起重机和用链绳捆扎,禁止将瓶阀作为吊运着力点。配备相应品种和数量的消防器材及泄漏应急处理设备。

(二)特殊要求

1. 操作安全要求

(1)天然气系统运行时,不准敲击,不准带压修理和紧固,不得超压,严禁负压。

(2)生产区域内,严禁明火和可能产生明火、火花的作业(固定动火区必须距离生产区30 m以上)。生产需要或检修期间需动火时,必须办理动火审批手续。配气站严禁烟火,严禁堆放易燃物,站内应有良好的自然通风并应有事故排风装置。

(3)天然气配气站中,不准独立进行操作。非操作人员未经许可,不准进入配气站。

(4)含硫化氢的天然气生产作业现场应安装硫化氢监测系统。进行硫化氢监测,应符合以下要求:

①含硫化氢作业环境应配备固定式和携带式硫化氢监测仪;

②重点监测区应设置醒目的标志;

③硫化氢监测仪报警值设定:阈限值为1级报警值,安全临界浓度为2级报警值,危险临界浓度为3级报警值;

④硫化氢监测仪应定期校验,并进行检定。

(5)充装时,使用万向节管道充装系统,严防超装。

2. 储存安全要求

(1)储存于阴凉、通风的易燃气体专用库房。远离火种、热源。库房温度不宜超过30 ℃。

(2)应与氧化剂等分开存放,切忌混储。采用防爆型照明、通风设施。禁止使用易产生火花的机械设备和工具。储存区应备有泄漏应急处理设备。

(3)天然气储气站中:

①与相邻居民点、工矿企业和其他公用设施安全距离及站场内的平面布置,应符合国家现行标准;

②天然气储气站内建(构)筑物应配置灭火器,其配置类型和数量应符合建筑灭火器配置的相关规定;

③注意防雷、防静电,应按《建筑物防雷设计规范》(GB 50057)的规定设置防雷设施,工艺管网、设备、自动控制仪表系统应按标准安装防雷、防静电接地设施,并定期进行检查和检测。

3. 运输安全要求

(1)运输车辆应有危险品运输标志、安装具有行驶记录功能的卫星定位装置。未经公安机关批准,运输车辆不得进入危险化学品运输车辆限制通行的区域。

(2)槽车和运输卡车要有导静电拖线;槽车上要备有2只以上干粉或二氧化碳灭火器

和防爆工具。

(3)车辆运输钢瓶时,瓶口一律朝向车辆行驶方向的右方,堆放高度不得超过车辆的防护栏板,并用三角木垫卡牢,防止滚动。不准同车混装有抵触性质的物品和让无关人员搭车。运输途中远离火种,不准在有明火地点或人多地段停车,停车时要有人看管。发生泄漏或火灾时要把车开到安全的地方进行灭火或堵漏。

(4)采用管道输送时:

①输气管道不应通过城市水源地、飞机场、军事设施、车站、码头。因条件限制无法避开时,应采取保护措施并经国家有关部门批准;

②输气管道沿线应设置里程桩、转角桩、标志桩和测试桩;

③输气管道采用地上敷设时,应在人员活动较多和易遭车辆、外来物撞击的地段,采取保护措施并设置明显的警示标志;

④输气管道管理单位应设专人定期对管道进行巡线检查,及时处理输气管道沿线的异常情况,并依据天然气管道保护的有关法律法规保护管道。

三、事故应急措施

1. 急救措施

(1)吸入:迅速脱离现场至空气新鲜处。保持呼吸道通畅。如呼吸困难,给氧。如呼吸停止,立即进行人工呼吸。就医。

(2)皮肤接触:如果发生冻伤,将患部浸泡于保持在 38 ~ 42 ℃的温水中复温。不要涂擦。不要使用热水或辐射热。使用清洁、干燥的敷料包扎。如有不适感,就医。

2. 泄漏应急处置

(1)消除所有点火源。根据气体的影响区域划定警戒区,无关人员从侧风、上风向撤离至安全区。

(2)应急处理人员戴正压自给式空气呼吸器,穿防静电服。作业时使用的所有设备应接地。禁止接触或跨越泄漏物。尽可能切断泄漏源。若可能翻转容器,使之逸出气体而非液体。喷雾状水抑制蒸气或改变蒸气云流向,避免水流接触泄漏物。禁止用水直接冲击泄漏物或泄漏源。防止气体通过下水道、通风系统和密闭性空间扩散。隔离泄漏区直至气体散尽。

(3)作为一项紧急预防措施,泄漏隔离距离至少为 100 m。如果为大量泄漏,下风向的初始疏散距离应至少为 800 m。

3. 灭火方法

切断气源。若不能切断气源,则不允许熄灭泄漏处的火焰。喷水冷却容器,尽可能将容器从火场移至空旷处。

可以采用的灭火剂有:雾状水、泡沫、二氧化碳、干粉。

模块二　液化石油气的安全要求及事故应急措施

任务一　熟知液化石油气的安全要求及事故应急措施

一、液化石油气的危害性

(1)极易燃,与空气混合能形成爆炸性混合物,遇热源或明火有燃烧爆炸危险。比空气重,能在较低处扩散到相当远的地方,遇点火源会着火回燃。与氟、氯等接触会发生剧烈的化学反应。

(2)健康危害:主要侵犯中枢神经系统。急性液化气轻度中毒主要表现为头昏、头痛、咳嗽、食欲减退、乏力、失眠等;重者失去知觉、小便失禁、呼吸变浅变慢。

二、安全要求

(一)一般要求

(1)生产、储存区域应设置安全警示标志。

(2)操作人员必须经过专门培训,严格遵守操作规程,熟练掌握操作技能,具备应急处置知识。

(3)密闭操作,避免泄漏,工作场所提供良好的自然通风条件。远离火种、热源,工作场所严禁吸烟。

(4)生产、储存、使用液化石油气的车间及场所应设置泄漏检测报警仪,使用防爆型的通风系统和设备,配备两套以上重型防护服。穿防静电工作服,工作场所浓度超标时,建议操作人员应该佩戴过滤式防毒面具。

(5)可能接触液体时,应防止冻伤。

(6)储罐等压力容器和设备应设置安全阀、压力表、液位计、温度计,并应装有带压力、液位、温度远传记录和报警功能的安全装置,设置整流装置与压力机、动力电源、管线压力、通风设施或相应的吸收装置的连锁装置。储罐等设置紧急切断装置。

(7)避免与氧化剂、卤素接触。

(8)在传送过程中,钢瓶和容器必须接地和跨接,防止产生静电。搬运时轻装轻卸,防止钢瓶及附件破损。

(9)禁止使用电磁起重机和用链绳捆扎、或将瓶阀作为吊运着力点。配备相应品种和数量的消防器材及泄漏应急处理设备。

(二)特殊要求

1. 操作安全要求

(1)充装液化石油气钢瓶,必须在充装站内按工艺流程进行。禁止槽车、贮灌或大瓶向小瓶直接充装液化气。禁止漏气、超重等不合格的钢瓶运出充装站。

(2)用户使用装有液化石油气钢瓶时:不准擅自更改钢瓶的颜色和标记;不准把钢瓶放

在曝日下、卧室和办公室内及靠近热源的地方；不准用明火、蒸气、热水等热源对钢瓶加热或用明火检漏；不准倒卧或横卧使用钢瓶；不准摔碰、滚动液化气钢瓶；不准钢瓶之间互充液化气；不准自行处理液化气残液。

(3)液化石油气的储罐在首次投入使用前，要求罐内含氧量小于3%。首次灌装液化石油气时，应先开启气相阀门待两罐压力平衡后，进行缓慢灌装。

(4)液化石油气槽车装卸作业时，凡有以下情况之一时，槽车应立即停止装卸作业，并妥善处理：

①附近发生火灾；

②检测出液化气体泄漏；

③液压异常；

④其他不安全因素。

(5)充装时，使用万向节管道充装系统，严防超装。

2. 储存安全要求

(1)储存于阴凉、通风的易燃气体专用库房。远离火种、热源。库房温度不宜超过30 ℃。

(2)应与氧化剂、卤素分开存放，切忌混储。照明线路、开关及灯具应符合防爆规范，地面应采用不产生火花的材料或防静电胶垫，管道法兰之间应用导电跨接。压力表必须有技术监督部门有效的检定合格证。

(3)储罐站必须加强安全管理。站内严禁烟火。进站人员不得穿易产生静电的服装和穿带钉鞋。入站机动车辆排气管出口应有消火装置，车速不得超过5 km/h。

(4)液化石油气供应单位和供气站点应设有符合消防安全要求的专用钢瓶库；建立液化石油气实瓶入库验收制度，不合格的钢瓶不得入库；空瓶和实瓶应分开放置，并应设置明显标志。储存区应备有泄漏应急处理设备。

(5)液化石油气储罐、槽车和钢瓶应定期检验。

(6)注意防雷、防静电，厂(车间)内的液化石油气储罐应按《建筑物防雷设计规范》(GB 50057)的规定设置防雷、防静电设施。

3. 运输安全要求

(1)运输车辆应有危险品运输标志、安装具有行驶记录功能的卫星定位装置。未经公安机关批准，运输车辆不得进入危险化学品运输车辆限制通行的区域。

(2)槽车运输时要用专用槽车。槽车安装的阻火器(火星熄灭器)必须完好。槽车和运输卡车要有导静电拖线；槽车上要备有2只以上干粉或二氧化碳灭火器和防爆工具。

(3)车辆运输钢瓶时，瓶口一律朝向车辆行驶方向的右方，堆放高度不得超过车辆的防护栏板，并用三角木垫卡牢，防止滚动。

(4)不准同车混装有抵触性质的物品和让无关人员搭车。

(5)运输途中远离火种，不准在有明火地点或人多地段停车，停车时要有人看管。发生泄漏或火灾要开到安全地方进行灭火或堵漏。

(6)输送液化石油气的管道不应靠近热源敷设；

(7)管道采用地上敷设时，应在人员活动较多和易遭车辆、外来物撞击的地段，采取保护措施并设置明显的警示标志；

(8)液化石油气管道架空敷设时，管道应敷设在非燃烧体的支架或栈桥上。在已敷设的液化石油气管道下面，不得修建与液化石油气管道无关的建筑物和堆放易燃物品；

(9)液化石油气管道外壁颜色、标志应执行《工业管道的基本识别色、识别符号和安全标识》(GB 7231)的规定。

三、事故应急措施

1. 急救措施

(1)吸入：迅速脱离现场至空气新鲜处。保持呼吸道通畅。如呼吸困难，立即输氧。如呼吸停止，立即进行人工呼吸并就医。

(2)皮肤接触：如果发生冻伤，将患部浸泡于保持在38～42 ℃的温水中复温。不要涂擦。不要使用热水或辐射热。使用清洁、干燥的敷料包扎。如有不适感，就医。

2. 泄漏应急处置

(1)消除所有点火源。根据气体的影响区域划定警戒区，无关人员从侧风、上风向撤离至安全区。

(2)静风泄漏时，液化石油气沉在底部并向低洼处流动，无关人员应向高处撤离。建议应急处理人员戴正压自给式空气呼吸器，穿防静电、防寒服。作业时使用的所有设备应接地。

(3)禁止接触或跨越泄漏物。尽可能切断泄漏源。

(4)若可能翻转容器，使之逸出气体而非液体。喷雾状水抑制蒸气或改变蒸气云流向，避免水流接触泄漏物。禁止用水直接冲击泄漏物或泄漏源。防止气体通过下水道、通风系统和密闭性空间扩散。隔离泄漏区直至气体散尽。

(5)作为一项紧急预防措施，泄漏隔离距离至少为100 m。如果为大量泄漏，下风向的初始疏散距离应至少为800 m。

3. 灭火方法

切断气源。若不能切断气源，则不允许熄灭泄漏处的火焰。喷水冷却容器，尽可能将容器从火场移至空旷处。

可以采用的灭火剂有：泡沫、二氧化碳、雾状水。

模块三　原油的安全要求及事故应急措施

任务　熟知原油的安全要求及事故应急措施

一、原油的危害性

(1)原油，又称石油，易燃，遇明火或热源有燃烧爆炸危险。

(2)健康危害：石油对健康的危害取决于石油的组成成分，对健康危害最典型的是苯及其衍生物，含苯的新鲜石油对人体危害的急性反应症状有味觉反应迟钝、昏迷、反应迟缓、头痛、眼睛流泪等，长期接触可引起白血病发病率的增加。

二、安全要求

(一)一般要求

(1)生产、储存区域应设置安全警示标志。

(2)操作人员必须经过专门培训,严格遵守操作规程,熟练掌握操作技能,具备应急处置知识。

(3)严加密闭,防止泄漏,工作场所提供充分的局部排风和全面通风,远离火种、热源,工作现场严禁吸烟。

(4)在可能泄漏原油的场所内,应该设置可燃气体报警仪,使用防爆型的通风系统和设备,配备两套以上重型防护服。戴安全防护眼镜。穿相应的防护服。戴防护手套。高浓度环境中,应该佩戴防毒口罩。必要时应佩戴自给式呼吸器。储罐等压力设备应设置液位计、温度计,并应带有远传记录和报警功能的安全装置。

(5)避免与强氧化剂接触。

(6)搬运时要轻装轻卸,防止包装及容器损坏。

(7)配备相应品种和数量的消防器材及泄漏应急处理设备。

(8)倒空的容器可能存在残留有害物时应及时处理。

(二)特殊要求

1. 操作安全要求

(1)往油罐或油罐汽车装油时,输油管要插入油面以下或接近罐的底部,以减少油料的冲击和与空气的摩擦。

(2)当进行灌装原油时,邻近的汽车、拖拉机的排气管要戴上防火帽后才能发动,存原油地点附近严禁检修车辆。

(3)注意仓库及操作场所的通风,使油蒸气容易逸散。

2. 储存安全要求

(1)储存于阴凉、通风的仓库内。远离火种、热源。库房内温度不宜超过 30 ℃。

(2)保持容器密闭。应与氧化剂、酸类物质分开存放。储存间采用防爆型照明、通风等设施。

(3)禁止使用产生火花的机械设备和工具。

(4)储存区应备有泄漏应急处理设备。

(5)灌装时,注意流速不超过 3 m/s,且有接地装置,防止静电积聚。

(6)注意防雷、防静电,厂(车间)内的储罐应按《建筑物防雷设计规范》(GB 50057)的规定设置防雷、防静电设施。

3. 运输安全要求

(1)运输车辆应有危险品运输标志。

(2)安装具有行驶记录功能的卫星定位装置。

(3)未经公安机关批准,运输车辆不得进入危险化学品运输车辆限制通行的区域。

(4)严禁与氧化剂、食用化学品等混装混运。

(5)运输时所用的槽(罐)车应有导静电拖线,槽内可设孔隔板以减少震荡产生静电。

(6)装运该物品的车辆排气管必须配备阻火装置,禁止使用易产生火花的机械设备和工具装卸。

(7)运输时运输车辆应配备相应品种和数量的消防器材。

(8)运输途中应防曝晒、防雨淋、防高温。中途停留时应远离火种、热源、高温区,勿在居民区和人口稠密区停留。

(9)输油管道地下铺设时,沿线应设置里程桩、转角桩、标志桩和测试桩,并设警示标志。运行应符合有关法律法规规定。

三、事故应急措施

1. 急救措施

(1)吸入:将中毒者移到空气新鲜处,观察呼吸。如果出现咳嗽或呼吸困难,考虑呼吸道刺激、支气管炎或局部性肺炎。必要时给吸氧,帮助通气。

(2)食入:禁止催吐。可给予 1 ~2 杯水稀释。尽快就医。

(3)皮肤接触:脱去污染的衣物,用大量水冲洗皮肤或淋浴。

(4)眼睛接触:用大量清水冲洗至少 15 分钟,尽快就医。冲洗之前应先摘除隐形眼镜。

2. 泄漏应急处置

(1)根据液体流动和蒸气扩散的影响区域划定警戒区,无关人员从侧风、上风向撤离至安全区。

(2)消除所有点火源(泄漏区附近禁止吸烟,消除所有明火、火花或火焰)。作业时所有设备应接地。

(3)禁止接触或跨越泄漏物。

(4)在保证安全的情况下堵漏。防止泄漏物进入水体、下水道、地下室或密闭空间。用泡沫覆盖抑制蒸气产生。用干土、沙或其他不燃性材料吸收或覆盖并收集于容器中。用洁净非火花工具收集吸收材料。

(5)大量泄漏时,在液体泄漏物前方筑堤堵截以备处理。雾状水能抑制蒸气的产生,但在密闭空间中的蒸气仍能被引燃。

(6)作为一项紧急预防措施,泄漏隔离距离至少为 50 m。如果为大量泄漏,下风向的初始疏散距离应至少为 300 m。

3. 灭火方法

消防人员须佩戴防毒面具、穿全身消防服,在上风向灭火。尽可能将容器从火场移至空旷处。喷水保持火场容器冷却,直至灭火结束。处在火场中的容器若已变色或从安全泄压装置中产生声音,必须马上撤离。可以采用泡沫、干粉、二氧化碳、沙土灭火。

模块四　汽油（含甲醇汽油、乙醇汽油）、石脑油的安全要求及事故应急措施

任务　熟知汽油（含甲醇汽油、乙醇汽油）、石脑油的安全要求及事故应急措施

一、汽油（含甲醇汽油、乙醇汽油）、石脑油的危害性

（1）高度易燃，蒸气与空气能形成爆炸性混合物，遇明火、高热能引起燃烧爆炸。高速冲击、流动、激荡后可因产生静电火花放电引起燃烧爆炸。蒸气比空气重，能在较低处扩散到相当远的地方，遇火源会着火回燃和爆炸。

（2）健康危害：汽油为麻醉性毒物，高浓度吸入出现中毒性脑病，极高浓度吸入引起意识突然丧失、反射性呼吸停止。误将汽油吸入呼吸道可引起吸入性肺炎。

二、安全要求

（一）一般要求

（1）生产、储存区域应设置安全警示标志。

（2）操作人员必须经过专门培训，严格遵守操作规程，熟练掌握操作技能，具备应急处置知识。

（3）密闭操作，防止泄漏，工作场所全面通风。

（4）远离火种、热源，工作场所严禁吸烟。

（5）配备易燃气体泄漏监测报警仪，使用防爆型通风系统和设备，配备两套以上重型防护服。操作人员穿防静电工作服，戴耐油橡胶手套。

（6）储罐等容器和设备应设置液位计、温度计，并应装有带液位、温度远传记录和报警功能的安全装置。

（7）避免与氧化剂接触。

（8）灌装时应控制流速，且有接地装置，防止静电积聚。

（9）搬运时要轻装轻卸，防止包装及容器损坏。

（10）配备相应品种和数量的消防器材及泄漏应急处理设备。

（二）特殊要求

1. 操作安全要求

（1）油罐及储存桶装汽油附近要严禁烟火。

（2）往油罐或油罐汽车装油时，输油管要插入油面以下或接近罐的底部，以减少油料的冲击和与空气的摩擦。

（3）沾油料的布、油棉纱头、油手套等不要放在油库、车库内，以免自燃。

(4)不要用铁制工具敲击汽油桶,特别是空汽油桶。因为桶内充满汽油与空气的混合气,而且经常处于爆炸极限之内,一遇明火,就能引起爆炸。

(5)当进行灌装汽油时,邻近的汽车、拖拉机的排气管要戴上防火帽后才能发动。

(6)存汽油地点附近严禁检修车辆。

(7)汽油油罐和储存汽油区的上空,不应有电线通过。油罐、库房与电线的距离要为电杆长度的1.5倍以上。

(8)注意仓库及操作场所的通风,使油蒸气容易逸散。

2.储存安全要求

(1)储存于阴凉、通风的库房。远离火种、热源。库房温度不宜超过30 ℃。炎热季节应采取喷淋、通风等降温措施。

(2)应与氧化剂分开存放,切忌混储。

(3)用储罐、铁桶等容器盛装,不要用塑料桶来存放汽油。盛装时,切不可充满,要留出必要的安全空间。

(4)采用防爆型照明、通风设施。

(5)禁止使用易产生火花的机械设备和工具。

(6)储存区应备有泄漏应急处理设备和合适的收容材料。

(7)罐储时要有防火防爆技术措施。对于1 000 m^3及以上的储罐顶部应有泡沫灭火设施等。

(8)禁止将汽油与其他易燃物放在一起。

3.运输安全要求

(1)运输车辆应有危险品运输标志。

(2)安装具有行驶记录功能的卫星定位装置。

(3)未经公安机关批准,运输车辆不得进入危险化学品运输车辆限制通行的区域。

(4)汽油装于专用的槽车(船)内运输,槽车(船)应定期清理;用其他包装容器运输时,容器须用盖密封。

(5)运送汽油的油罐汽车,必须有导静电拖线。

(6)对有每分钟0.5 m^3以上的快速装卸油设备的油罐汽车,在装卸油时,除了保证铁链接地外,更要将车上油罐的接地线插入地下并不得浅于100 mm。

(7)运输时运输车辆应配备相应品种和数量的消防器材。

(8)装运该物品的车辆排气管必须配备阻火装置。

(9)禁止使用易产生火花的机械设备和工具装卸。

(10)汽车槽罐内可设孔隔板以减少震荡产生静电。

(11)严禁与氧化剂等混装混运。

(12)夏季最好早晚运输,运输途中应防曝晒、防雨淋、防高温。中途停留时应远离火种、热源、高温区及人口密集地段。

(13)输送汽油的管道不应靠近热源敷设;管道采用地上敷设时,应在人员活动较多和易遭车辆、外来物撞击的地段,采取保护措施并设置明显的警示标志。

(14)汽油管道架空敷设时,管道应敷设在非燃烧体的支架或栈桥上。在已敷设的汽油管道下面,不得修建与汽油管道无关的建筑物和堆放易燃物品。

(15)汽油管道外壁颜色、标志应执行《工业管道的基本识别色、识别符号和安全标识》

(GB 7231)的规定。

(16)输油管道地下铺设时,沿线应设置里程桩、转角桩、标志桩和测试桩,并设警示标志。运行应符合有关法律法规规定。

三、事故应急措施

1. 急救措施

(1)吸入:迅速脱离现场至空气新鲜处。保持呼吸道通畅。如呼吸困难,给氧。如呼吸停止,立即进行人工呼吸。就医。

(2)食入:给饮牛奶或用植物油洗胃和灌肠。就医。

(3)皮肤接触:立即脱去污染的衣着,用肥皂水和清水彻底冲洗皮肤。就医。

(4)眼睛接触:立即提起眼睑,用大量流动清水或生理盐水彻底冲洗至少 15 分钟。就医。

2. 泄漏应急处置

(1)消除所有点火源。

(2)根据液体流动和蒸气扩散的影响区域划定警戒区,无关人员从侧风、上风向撤离至安全区。

(3)建议应急处理人员戴正压自给式空气呼吸器,穿防毒、防静电服。作业时使用的所有设备应接地。

(4)禁止接触或跨越泄漏物。尽可能切断泄漏源。防止泄漏物进入水体、下水道、地下室或密闭性空间。

(5)小量泄漏时,用沙土或其他不燃材料吸收。使用洁净的无火花工具收集吸收材料。大量泄漏时,构筑围堤或挖坑收容。用泡沫覆盖,减少蒸发。喷水雾能减少蒸发,但不能降低泄漏物在受限制空间内的易燃性。用防爆泵转移至槽车或专用收集器内。

(6)作为一项紧急预防措施,泄漏隔离距离至少为 50 m。如果为大量泄漏,下风向的初始疏散距离应至少为 300 m。

3. 灭火方法

喷水冷却容器,尽可能将容器从火场移至空旷处。

可以采用的灭火剂有:泡沫、干粉、二氧化碳。注意:用水灭火无效。

模块五　一氧化碳的安全要求及事故应急措施

任务　熟知一氧化碳的安全要求及事故应急措施

一、一氧化碳的危害性

(1)极易燃,与空气混合能形成爆炸性混合物,遇明火、高热能引起燃烧爆炸。

(2)健康危害:

①一氧化碳在血中与血红蛋白结合而造成组织缺氧。

②急性中毒:轻度中毒者出现剧烈头痛、头晕、耳鸣、心悸、恶心、呕吐、无力,轻度至中

度意识障碍但无昏迷,血液碳氧血红蛋白浓度可高于10%;中度中毒者除上述症状外,意识障碍表现为浅至中度昏迷,但经抢救后恢复且无明显并发症,血液碳氧血红蛋白浓度可高于30%;重度患者出现深度昏迷或去大脑强直状态、休克、脑水肿、肺水肿、严重心肌损害、锥体系或锥体外系损害、呼吸衰竭等,血液碳氧血红蛋白可高于50%。部分中毒者意识障碍恢复后,约经2~60天的"假愈期",又可能出现迟发性脑病,以意识精神障碍、锥体系或锥体外系损害为主。

③慢性影响:能否造成慢性中毒,是否对心血管有影响,无定论。

二、安全要求

(一)一般要求

(1)操作人员必须经过专门培训,严格遵守操作规程,熟练掌握操作技能,具备应急处置知识。

(2)密闭隔离,提供充分的局部排风和全面通风。远离火种、热源,工作场所严禁吸烟。

(3)生产、使用及储存场所应设置一氧化碳泄漏检测报警仪,使用防爆型的通风系统和设备。空气中浓度超标时,操作人员必须佩戴自吸过滤式防毒面具(半面罩),穿防静电工作服。紧急事态抢救或撤离时,建议佩戴正压自给式空气呼吸器。

(4)储罐等压力容器和设备应设置安全阀、压力表、温度计,并应装有带压力、温度远传记录和报警功能的安全装置。

(5)生产和生活用气必须分路。防止气体泄漏到工作场所空气中。

(6)避免与强氧化剂接触。

(7)在可能发生泄漏的场所设置安全警示标志。

(8)配备相应品种和数量的消防器材及泄漏应急处理设备。

(9)患有各种中枢神经或周围神经器质性疾患、明显的心血管疾患者,不宜从事一氧化碳作业。

(二)特殊要求

1.操作安全要求

(1)配备便携式一氧化碳检测仪。进入密闭受限空间或一氧化碳有可能泄漏的空间之前应先进行检测,并进行强制通风,其浓度达到安全要求后进行操作,操作人员佩戴自吸过滤式防毒面具,要求同时有2人以上操作,万一发生意外,能及时互救,并派专人监护。

(2)充装容器应符合规范要求,并按期检测。

2.储存安全要求

(1)储存于阴凉、通风的库房。远离火种、热源,防止阳光直晒。库房内温不宜超过30 ℃。

(2)禁止使用易产生火花的机械设备和工具。

(3)储存区应备有泄漏应急处理设备。

(4)搬运储罐时应轻装轻卸,防止钢瓶及附件破损。

(5)注意防雷、防静电,厂(车间)内的储罐应按《建筑物防雷设计规范》(GB 50057)的规定设置防雷设施。

3. 运输安全要求

(1)运输车辆应有危险品运输标志,安装具有行驶记录功能的卫星定位装置。

(2)未经公安机关批准,运输车辆不得进入危险化学品运输车辆限制通行的区域。

(3)装运该物品的车辆排气管必须配备阻火装置。

(4)禁止使用易产生火花的机械设备和工具装卸。

(5)在传送过程中,钢瓶和容器必须接地和跨接,防止产生静电。槽车上要备有 2 只以上干粉或二氧化碳灭火器和防爆工具。

(6)高温季节应早晚运输,防止日光曝晒。

(7)车辆运输钢瓶时,瓶口一律朝向车辆行驶方向的右方,堆放高度不得超过车辆的防护栏板,并用三角木垫卡牢,防止滚动。

(8)不准同车混装有抵触性质的物品和让无关人员搭车。

(9)中途停留时应远离火种、热源。禁止在居民区和人口稠密区停留。

三、事故应急措施

1. 急救措施

吸入:迅速脱离现场至空气新鲜处。保持呼吸道通畅。如呼吸困难,给氧。呼吸心跳停止时,立即进行人工呼吸和胸外心脏按压术。就医。

2. 泄漏应急处置

(1)消除所有点火源。

(2)根据气体的影响区域划定警戒区,无关人员从侧风、上风向撤离至安全区。

(3)建议应急处理人员戴正压自给式空气呼吸器,穿防静电服。作业时使用的所有设备应接地。尽可能切断泄漏源。喷雾状水抑制蒸气或改变蒸气云流向。防止气体通过下水道、通风系统和密闭性空间扩散。隔离泄漏区直至气体散尽。

(4)隔离与疏散距离应为:小量泄漏时,初始隔离 30 m,下风向疏散白天 100 m、夜晚 100 m;大量泄漏时,初始隔离 150 m,下风向疏散白天 700 m、夜晚 2 700 m。

3. 灭火方法

切断气源。若不能切断气源,则不允许熄灭泄漏处的火焰。喷水冷却容器,尽可能将容器从火场移至空旷处。

可以采用的灭火剂有:雾状水、泡沫、二氧化碳、干粉。

模块六　二氧化硫的安全要求及事故应急措施

任务　熟知二氧化硫的安全要求及事故应急措施

一、二氧化硫的危害性

二氧化硫是有刺激性气味的气体,不燃烧,但对健康危害比较大。二氧化硫对眼及呼吸道黏膜有强烈的刺激作用,大量吸入可引起肺水肿、喉水肿、声带痉挛而致窒息。液体二氧化硫可引起皮肤及眼灼伤,溅入眼内可立即引起角膜浑浊,浅层细胞坏死。严重者角膜形成瘢痕。

二、安全要求

（一）一般要求

（1）生产、储存区域应设置安全警示标志。

（2）操作人员必须经过专门培训，严格遵守操作规程，熟练掌握操作技能，具备应急处置知识。

（3）严加密闭，防止气体泄漏到工作场所空气中，提供充分的局部排风和全面通风。提供安全淋浴和洗眼设备。

（4）生产、使用及储存场所设置二氧化硫泄漏检测报警仪，配备两套以上重型防护服。空气中浓度超标时，操作人员应佩戴自吸过滤式防毒面具（全面罩）。紧急事态抢救或撤离时，建议佩戴正压自给式空气呼吸器。建议操作人员穿聚乙烯防毒服、戴橡胶手套。

（5）储罐等压力容器和设备应设置安全阀、压力表、液位计、温度计，并应装有带压力、液位、温度远传记录和报警功能的安全装置，设置整流装置与压力机、动力电源、管线压力、通风设施或相应的吸收装置的连锁装置。重点储罐、输入输出管线等设置紧急切断装置。

（6）避免与氧化剂、还原剂接触，远离易燃、可燃物。

（7）工作现场禁止吸烟，进食或饮水。

（8）搬运时轻装轻卸，防止钢瓶及附件破损。

（9）禁止使用电磁起重机和用链绳捆扎、或将瓶阀作为吊运着力点。

（10）配备相应品种和数量的消防器材及泄漏应急处理设备。

（11）倒空的容器可能存在残留有害物时应及时处理。

（12）支气管哮喘和肺气肿等患者不宜接触二氧化硫。

（二）特殊要求

1. 操作安全要求

（1）在生产企业设置必要紧急排放系统及事故通风设施。设置碱池，进行废气处理。

（2）根据职工人数及巡检需要配置便携式二氧化硫浓度检测报警仪。进入密闭受限空间或二氧化硫有可能泄漏的空间之前应先进行检测，并进行强制通风，其浓度达到安全要求后进行操作，操作人员应佩戴防毒面具，并派专人监护。

2. 储存安全要求

（1）储存于阴凉、通风的库房。远离火种、热源。库房内温不宜超过 30 ℃。

（2）应与易（可）燃物、氧化剂、还原剂、食用化学品分开存放，切忌混储。

（3）储存区应备有泄漏应急处理设备。

3. 运输安全要求

（1）运输车辆应有危险品运输标志，安装具有行驶记录功能的卫星定位装置。

（2）未经公安机关批准，运输车辆不得进入危险化学品运输车辆限制通行的区域。

（3）车辆运输钢瓶，立放时，车厢高度应在瓶高的 2/3 以上；卧放时，瓶阀端应朝向车辆行驶的右方，用三角木垫卡牢，防止滚动，垛高不得超过 5 层且不得超过车厢高度。

（4）不准同车混装有抵触性质的物品和让无关人员搭车。

(5)禁止在居民区和人口稠密区停留。

(6)高温季节应早晚运输,防止日光曝晒。

(7)搬运人员必须注意防护,按规定穿戴必要的防护用品;搬运时,管理人员必须到现场监卸监装;夜晚或光线不足时、雨天不宜搬运。若遇特殊情况必须搬运时,必须得到部门负责人的同意,还应有遮雨等相关措施。

(8)严禁在搬运时吸烟。

三、事故应急措施

1. 急救措施

(1)吸入:迅速脱离现场至空气新鲜处。保持呼吸道通畅。如呼吸困难,给氧。如呼吸停止,立即进行人工呼吸。就医。

(2)皮肤接触:立即脱去污染的衣着,用大量流动清水冲洗。就医。

(3)眼睛接触:提起眼睑,用流动清水或生理盐水冲洗。就医。

2. 泄漏应急处置

(1)根据气体的影响区域划定警戒区,无关人员从侧风、上风向撤离至安全区。

(2)建议应急处理人员穿内置正压自给式空气呼吸器的全封闭防化服。如果是液化气体泄漏,还应注意防冻伤。

(3)禁止接触或跨越泄漏物。尽可能切断泄漏源。防止气体通过下水道、通风系统和密闭性空间扩散。若可能翻转容器,使之逸出气体而非液体。喷雾状水抑制蒸气或改变蒸气云流向,避免水流接触泄漏物。禁止用水直接冲击泄漏物或泄漏源。隔离泄漏区直至气体散尽。

(4)隔离与疏散距离:小量泄漏,初始隔离 60 m,下风向疏散白天 300 m、夜晚 1 200 m;大量泄漏,初始隔离 400 m,下风向疏散白天 2 100 m、夜晚 5 700 m。

3. 灭火方法

二氧化硫不燃,但周围起火时应切断气源。喷水冷却容器,尽可能将容器从火场移至空旷处。消防人员必须佩戴正压自给式空气呼吸器,穿全身防火防毒服,在上风向灭火。由于火场中可能发生容器爆破的情况,消防人员须在防爆掩蔽处操作。有二氧化硫泄漏时,使用细水雾驱赶泄漏的气体,使其远离未受波及的区域。

根据周围着火原因选择适当灭火剂灭火。可以采用的灭火剂有:二氧化碳、水(雾状水)或泡沫。

模块七　硫化氢的安全要求及事故应急措施

任务　熟知硫化氢的安全要求及事故应急措施

一、硫化氢的危害性

(1)极易燃,与空气混合能形成爆炸性混合物,遇明火、高热能引起燃烧爆炸。气体比空气重,能在较低处扩散到相当远的地方,遇火源会着火回燃。与浓硝酸、发烟硝酸或其他强氧化剂剧烈反应可发生爆炸。

(2)健康危害：

①本品是强烈的神经毒物，对黏膜有强烈刺激作用。

②急性中毒：高浓度(1 000 mg/m^3以上)吸入可发生闪电型死亡。严重中毒可留有神经、精神后遗症。急性中毒出现眼和呼吸道刺激症状，急性气管－支气管炎或支气管周围炎，支气管肺炎，头痛，头晕，乏力，恶心，意识障碍等。重者意识障碍程度达深昏迷或呈植物状态，出现肺水肿、多脏器衰竭。对眼和呼吸道有刺激作用。

③慢性影响：长期接触低浓度的硫化氢，可引起神经衰弱综合征和植物神经功能紊乱等。

二、安全要求

(一)一般要求

(1)生产、储存区域应设置安全警示标志。

(2)操作人员必须经过专门培训，严格遵守操作规程，熟练掌握操作技能，具备应急处置知识。

(3)严加密闭，防止泄漏，工作场所建立独立的局部排风和全面通风，远离火种、热源。工作场所严禁吸烟。

(4)硫化氢作业环境空气中硫化氢浓度要定期测定，并设置硫化氢泄漏检测报警仪，使用防爆型的通风系统和设备，配备两套以上重型防护服。戴化学安全防护眼镜，穿防静电工作服，戴防化学品手套，工作场所浓度超标时，操作人员应该佩戴过滤式防毒面具。

(5)储罐等压力设备应设置压力表、液位计、温度计，并应装有带压力、液位、温度远传记录和报警功能的安全装置。设置整流装置与压力机、动力电源、管线压力、通风设施或相应的吸收装置的连锁装置。重点储罐等设置紧急切断设施。

(6)避免与强氧化剂、碱类接触。

(7)防止气体泄漏到工作场所空气中。

(8)搬运时轻装轻卸，防止钢瓶及附件破损。

(9)配备相应品种和数量的消防器材及泄漏应急处理设备。

(二)特殊要求

1. 操作安全要求

(1)产生硫化氢的生产设备应尽量密闭。

(2)对含有硫化氢的废水、废气、废渣，要进行净化处理，达到排放标准后方可排放。

(3)进入可能存在硫化氢的密闭容器、坑、窑、地沟等工作场所，应首先测定该场所空气中的硫化氢浓度，采取通风排毒措施，确认安全后方可操作。操作时做好个人防护措施，佩戴正压自给式空气呼吸器，使用便携式硫化氢检测报警仪，作业工人腰间缚以救护带或绳子。要设监护人员做好互保，发生异常情况立即救出中毒人员。

(4)脱水作业过程中操作人员不能离开现场，防止脱出大量的酸性气。脱出的酸性气要用氢氧化钙或氢氧化钠溶液中和，并有隔离措施，防止过路行人中毒。

2. 储存安全要求

(1)储存于阴凉、通风仓库内,库房温度不宜超过 30 ℃。

(2)储罐远离火种、热源,防止阳光直射,保持容器密封。

(3)采用防爆型照明、通风设施。

(4)禁止使用易产生火花的机械设备和工具。

(5)储存区应备有泄漏应急处理设备。

3. 运输安全要求

(1)运输车辆应有危险品运输标志,安装具有行驶记录功能的卫星定位装置。

(2)未经公安机关批准,运输车辆不得进入危险化学品运输车辆限制通行的区域。

(3)夏季应早晚运输,防止日光曝晒。

(4)运输时运输车辆应配备相应品种和数量的消防器材。

(5)装运该物品的车辆排气管必须配备阻火装置。

(6)禁止使用易产生火花的机械设备和工具装卸。

(7)采用钢瓶运输时必须戴好钢瓶上的安全帽。钢瓶一般平放,瓶口一律朝向车辆行驶方向的右方,堆放高度不得超过车辆的防护栏板,并用三角木垫卡牢,防止滚动。

(8)严禁与氧化剂、碱类、食用化学品等混装混运。

(9)运输途中远离火种,不准在有明火地点或人多地段停车,停车时要有人看管。

(10)输送硫化氢的管道不应靠近热源敷设;管道采用地上敷设时,应在人员活动较多和易遭车辆、外来物撞击的地段,采取保护措施并设置明显的警示标志。

(11)硫化氢管道架空敷设时,管道应敷设在非燃烧体的支架或栈桥上。在已敷设的硫化氢管道下面,不得修建与硫化氢管道无关的建筑物和堆放易燃物品。

(12)硫化氢管道外壁颜色、标志应执行《工业管道的基本识别色、识别符号和安全标识》(GB 7231)的规定。

三、事故应急措施

1. 急救措施

吸入:迅速脱离现场至空气新鲜处。保持呼吸道通畅。如呼吸困难,给氧。呼吸心跳停止时,立即进行人工呼吸和胸外心脏按压术。就医。

2. 泄漏应急处置

(1)根据气体扩散的影响区域划定警戒区,无关人员从侧风、上风向撤离至安全区。

(2)消除所有点火源(泄漏区附近禁止吸烟,消除所有明火、火花或火焰)。

(3)作业时所有设备应接地。应急处理人员戴正压自给式空气呼吸器,泄漏、未着火时应穿全封闭防化服。在保证安全的情况下堵漏。隔离泄漏区直至气体散尽。

(4)隔离与疏散距离:小量泄漏,初始隔离 30 m,下风向疏散白天 100 m、夜晚 100 m;大量泄漏,初始隔离 600 m,下风向疏散白天 3 500 m、夜晚 8 000 m。

3. 灭火方法

切断气源。若不能切断气源,则不允许熄灭泄漏处的火焰。喷水冷却容器,尽可能将容器从火场移至空旷处。

可以采用的灭火剂有:雾状水、泡沫、二氧化碳、干粉。

模块八　氯的安全要求及事故应急措施

任务　熟知氯的安全要求及事故应急措施

一、氯的危害性

(1)氯又称为液氯、氯气,被列入《剧毒化学品目录》。氯不燃,但可助燃。一般可燃物大都能在氯气中燃烧,一般易燃气体或蒸气也都能与氯气形成爆炸性混合物。受热后容器或储罐内压增大,泄漏物质可导致中毒。

(2)氯是强氧化剂,与水反应,生成有毒的次氯酸和盐酸。与氢氧化钠、氢氧化钾等碱反应生成次氯酸盐和氯化物,可利用此反应对氯气进行无害化处理。液氯与可燃物、还原剂接触会发生剧烈反应。与汽油等石油产品、烃、氨、醚、松节油、醇、乙炔、二硫化碳、氢气、金属粉末和磷接触能形成爆炸性混合物。接触烃基磷、铝、锑、砷、铋、硼、黄铜、碳、二乙基锌等物质会导致燃烧、爆炸,释放出有毒烟雾。潮湿环境下,严重腐蚀铁、钢、铜和锌。

(3)健康危害:

①氯是一种强烈的刺激性气体,经呼吸道吸入时,与呼吸道黏膜表面水分接触,产生盐酸、次氯酸,次氯酸再分解为盐酸和新生态氧,产生局部刺激和腐蚀作用。

②急性中毒:轻度者有流泪、咳嗽、咳少量痰、胸闷,出现气管－支气管炎或支气管周围炎的表现;中度中毒发生支气管肺炎、局限性肺泡性肺水肿、间质性肺水肿或哮喘样发作,病人除有上述症状的加重外,还会出现呼吸困难、轻度紫绀等;重者发生肺泡性水肿、急性呼吸窘迫综合征、严重窒息、昏迷或休克,可出现气胸、纵隔气肿等并发症。吸入极高浓度的氯气,可引起迷走神经反射性心跳骤停或喉头痉挛而发生"电击样"死亡。眼睛接触可引起急性结膜炎,高浓度氯可造成角膜损伤。皮肤接触液氯或高浓度氯,在曝露部位可有灼伤或急性皮炎。

③慢性影响:长期低浓度接触,可引起慢性牙龈炎、慢性咽炎、慢性支气管炎、肺气肿、支气管哮喘等。可引起牙齿酸蚀症。

二、安全要求

(一)一般要求

(1)生产、储存区域应设置安全警示标志。

(2)操作人员必须经过专门培训,严格遵守操作规程,熟练掌握操作技能,具备应急处置知识。

(3)严加密闭,提供充分的局部排风和全面通风,工作场所严禁吸烟。提供安全淋浴和洗眼设备。

(4)生产、使用氯气的车间及贮氯场所应设置氯气泄漏检测报警仪,配备两套以上重型防护服。戴化学安全防护眼镜,穿防静电工作服,戴防化学品手套。工作场所浓度超标时,操作人员必须佩戴防毒面具,紧急事态抢救或撤离时,应佩戴正压自给式空气呼吸器。

(5)液氯汽化器、储罐等压力容器和设备应设置安全阀、压力表、液位计、温度计,并应装有带压力、液位、温度带远传记录和报警功能的安全装置。设置整流装置与氯压机、动力电源、管线压力、通风设施或相应的吸收装置的连锁装置。氯气输入、输出管线应设置紧急切断设施。

(6)避免与易燃或可燃物、醇类、乙醚、氢接触。

(7)搬运时轻装轻卸,防止钢瓶及附件破损。吊装时,应将气瓶放置在符合安全要求的专用筐中进行吊运。

(8)禁止使用电磁起重机和用链绳捆扎、或将瓶阀作为吊运着力点。

(9)配备相应品种和数量的消防器材及泄漏应急处理设备。

(10)倒空的容器可能存在残留有害物时应及时处理。

(二)特殊要求

1. 操作安全要求

(1)氯化设备、管道处、阀门的连接垫料应选用石棉板、石棉橡胶板、氟塑料、浸石墨的石棉绳等高强度耐氯垫料,严禁使用橡胶垫。

(2)采用压缩空气充装液氯时,空气含水应$\leqslant 0.01\%$。采用液氯汽化器充装液氯时,只许用温水加热汽化器,不准使用蒸汽直接加热。

(3)液氯汽化器、预冷器及热交换器等设备,必须装有排污装置和污物处理设施,并定期分析三氯化氮含量。如果操作人员未按规定及时排污,并且操作不当,易发生三氯化氮爆炸、大量氯气泄漏等危害。

(4)严禁在泄漏的钢瓶上喷水。

(5)充装量为 50 kg 和 100 kg 的气瓶应保留 2 kg 以上的余量,充装量为 500 kg 和 1 000 kg的气瓶应保留 5 kg 以上的余量。充装前要确认气瓶内无异物。

(6)充装时,使用万向节管道充装系统,严防超装。

2. 储存安全要求

(1)储存于阴凉、通风仓库内,库房温度不宜超过 30 ℃,相对湿度不超过 80%,防止阳光直射。

(2)应与易(可)燃物、醇类、食用化学品分开存放,切忌混储。

(3)储罐远离火种、热源。保持容器密封,储存区要建在低于自然地面的围堤内。气瓶储存时,空瓶和实瓶应分开放置,并应设置明显标志。

(4)储存区应备有泄漏应急处理设备。

(5)对于大量使用氯气钢瓶的单位,为及时处理钢瓶漏气,现场应备应急堵漏工具和个体防护用具。

(6)禁止将储罐设备及氯气处理装置设置在学校、医院、居民区等人口稠密区附近,并远离频繁出入处和紧急通道。

(7)应严格执行剧毒化学品“双人收发,双人保管”制度。

3. 运输安全要求

(1)运输车辆应有危险品运输标志,安装具有行驶记录功能的卫星定位装置。

(2)未经公安机关批准,运输车辆不得进入危险化学品运输车辆限制通行的区域。

(3)不得在人口稠密区和有明火等场所停靠。

(4)夏季应早晚运输,防止日光曝晒。

(5)运输液氯钢瓶的车辆不准从隧道过江。

(6)汽车运输充装量 50 kg 及以上钢瓶时,应卧放,瓶阀端应朝向车辆行驶的右方,用三角木垫卡牢,防止滚动,垛高不得超过 2 层且不得超过车厢高度。

(7)不准同车混装有抵触性质的物品和让无关人员搭车。

(8)严禁与易燃物或可燃物、醇类、食用化学品等混装混运。

(9)车上应有应急堵漏工具和个体防护用品,押运人员应会使用。

(10)搬运人员必须注意防护,按规定穿戴必要的防护用品;搬运时,管理人员必须到现场监卸监装;夜晚或光线不足时、雨天不宜搬运。若遇特殊情况必须搬运时,必须得到部门负责人的同意,还应有遮雨等相关措施;严禁在搬运时吸烟。

(11)采用液氯气化法向储罐压送液氯时,要严格控制汽化器的压力和温度,釜式汽化器加热夹套不得包底,应用温水加热,严禁用蒸汽加热,出口水温不应超过 45 ℃,汽化压力不得超过 1 MPa。

三、事故应急措施

1. 急救措施

(1)吸入:迅速脱离现场至空气新鲜处。保持呼吸道通畅。如呼吸困难,给氧,给予 2% 至 4% 的碳酸氢钠溶液雾化吸入。呼吸、心跳停止,立即进行心肺复苏术。就医。

(2)眼睛接触:立即分开眼睑,用流动清水或生理盐水彻底冲洗。就医。

(3)皮肤接触:立即脱去污染的衣着,用流动清水彻底冲洗。就医。

2. 泄漏应急处置

(1)根据气体扩散的影响区域划定警戒区,无关人员从侧风、上风向撤离至安全区。

(2)建议应急处理人员穿内置正压自给式空气呼吸器的全封闭防化服,戴橡胶手套。如果是液体泄漏,还应注意防冻伤。

(3)禁止接触或跨越泄漏物。勿使泄漏物与可燃物质(如木材、纸、油等)接触。

(4)尽可能切断泄漏源。喷雾状水抑制蒸气或改变蒸气云流向,避免水流接触泄漏物。禁止用水直接冲击泄漏物或泄漏源。若可能翻转容器,使之逸出气体而非液体。防止气体通过下水道、通风系统和限制性空间扩散。构筑围堤堵截液体泄漏物。喷稀碱液中和、稀释。隔离泄漏区直至气体散尽。泄漏场所保持通风。

(5)不同泄漏情况下的具体措施:

①瓶阀密封填料处泄漏时,应查压紧螺帽是否松动或拧紧压紧螺帽;瓶阀出口泄漏时,应查瓶阀是否关紧或关紧瓶阀,或用铜六角螺帽封闭瓶阀口。

②瓶体泄漏点为孔洞时,可使用堵漏器材(如竹签、木塞、止漏器等)处理,并注意对堵漏器材紧固,防止脱落。上述处理均无效时,应迅速将泄漏气瓶浸没于备有足够体积的烧碱或石灰水溶液吸收池进行无害化处理,并控制吸收液温度不高于 45 ℃、pH 不小于 7,防止吸收液失效分解。

(6)隔离与疏散距离:小量泄漏,初始隔离 60 m,下风向疏散白天 400 m、夜晚 1 600 m;大量泄漏,初始隔离 600 m,下风向疏散白天 3 500 m、夜晚 8 000 m。

3. 灭火方法

氯虽然不燃,但周围起火时应切断气源。喷水冷却容器,尽可能将容器从火场移至空旷处。消防人员必须佩戴正压自给式空气呼吸器,穿全身防火防毒服,在上风向灭火。由于火场中可能发生容器爆破的情况,消防人员须在防爆掩蔽处操作。有氯气泄漏时,使用细水雾驱赶泄漏的气体,使其远离未受波及的区域。

根据周围着火原因选择适当灭火剂灭火。可以采用的灭火剂有:干粉、二氧化碳、水(雾状水)或泡沫。

模块九　氨的安全要求及事故应急措施

任务　熟知氨的安全要求及事故应急措施

一、氨的危害性

(1)氨又称为液氨、氨气,极易燃,能与空气形成爆炸性混合物,遇明火、高热引起燃烧爆炸。与氟、氯等接触会发生剧烈的化学反应。

(2)健康危害:对眼、呼吸道黏膜有强烈刺激和腐蚀作用。急性氨中毒引起眼和呼吸道刺激症状,支气管炎或支气管周围炎,肺炎,重度中毒者可发生中毒性肺水肿。高浓度氨可引起反射性呼吸和心搏停止。可致眼和皮肤灼伤。

二、安全要求

(一)一般要求

(1)操作人员必须经过专门培训,严格遵守操作规程,熟练掌握操作技能,具备应急处置知识。

(2)严加密闭,防止泄漏,工作场所提供充分的局部排风和全面通风,远离火种、热源,工作场所严禁吸烟。

(3)生产、使用氨气的车间及贮氨场所应设置氨气泄漏检测报警仪,使用防爆型的通风系统和设备,应至少配备两套正压式空气呼吸器、长管式防毒面具、重型防护服等防护器具。戴化学安全防护眼镜,穿防静电工作服,戴橡胶手套。工作场所浓度超标时,操作人员应该佩戴过滤式防毒面具。可能接触液体时,应防止冻伤。

(4)储罐等压力容器和设备应设置安全阀、压力表、液位计、温度计,并应装有带压力、液位、温度远传记录和报警功能的安全装置,设置整流装置与压力机、动力电源、管线压力、通风设施或相应的吸收装置的连锁装置。重点储罐需设置紧急切断装置。

(5)避免与氧化剂、酸类、卤素接触。

(6)生产、储存区域应设置安全警示标志。在传送过程中,钢瓶和容器必须接地和跨接,防止产生静电。搬运时轻装轻卸,防止钢瓶及附件破损。禁止使用电磁起重机和用链绳捆扎、或将瓶阀作为吊运着力点。配备相应品种和数量的消防器材及泄漏应急处理设备。

（二）特殊要求

1. 操作安全要求

（1）严禁利用氨气管道做电焊接地线。严禁用铁器敲击管道与阀体，以免引起火花。

（2）在含氨气环境中作业应采用以下防护措施：

①根据不同作业环境配备相应的氨气检测仪及防护装置，并落实人员管理，使氨气检测仪及防护装置处于备用状态；

②作业环境应设立风向标；

③供气装置的空气压缩机应置于上风侧；

④进行检修和抢修作业时，应携带氨气检测仪和正压式空气呼吸器。

（3）充装时，使用万向节管道充装系统，严防超装。

2. 储存安全要求

（1）储存于阴凉、通风的专用库房。远离火种、热源。库房温度不宜超过 30 ℃。

（2）与氧化剂、酸类、卤素、食用化学品分开存放，切忌混储。储罐远离火种、热源。采用防爆型照明、通风设施。

（3）禁止使用易产生火花的机械设备和工具。

（4）储存区应备有泄漏应急处理设备。

（5）液氨气瓶应放置在距工作场地至少 5 m 以外的地方，并且通风良好。

（6）注意防雷、防静电，厂（车间）内的氨气储罐应按《建筑物防雷设计规范》（GB 50057）的规定设置防雷、防静电设施。

3. 运输安全要求

（1）运输车辆应有危险品运输标志，安装具有行驶记录功能的卫星定位装置。

（2）未经公安机关批准，运输车辆不得进入危险化学品运输车辆限制通行的区域。

（3）槽车运输时要用专用槽车。槽车安装的阻火器（火星熄灭器）必须完好。槽车和运输卡车要有导静电拖线；槽车上要备有 2 只以上干粉或二氧化碳灭火器和防爆工具；防止阳光直射。

（4）车辆运输钢瓶时，瓶口一律朝向车辆行驶方向的右方，堆放高度不得超过车辆的防护栏板，并用三角木垫卡牢，防止滚动。

（5）不准同车混装有抵触性质的物品和让无关人员搭车。

（6）运输途中远离火种，不准在有明火地点或人多地段停车，停车时要有人看管。发生泄漏或火灾时要把车开到安全地方进行灭火或堵漏。

（7）输送氨的管道不应靠近热源敷设；管道采用地上敷设时，应在人员活动较多和易遭车辆、外来物撞击的地段，采取保护措施并设置明显的警示标志。

（8）氨管道架空敷设时，管道应敷设在非燃烧体的支架或栈桥上。在已敷设的氨管道下面，不得修建与氨管道无关的建筑物和堆放易燃物品。

（9）氨管道外壁颜色、标志应执行《工业管道的基本识别色、识别符号和安全标识》（GB 7231）的规定。

三、事故应急措施

1. 急救措施

(1)吸入:迅速脱离现场至空气新鲜处。保持呼吸道通畅。如呼吸困难,给氧。如呼吸停止,立即进行人工呼吸。就医。

(2)皮肤接触:立即脱去污染的衣着,应用2%硼酸液或大量清水彻底冲洗。就医。

(3)眼睛接触:立即提起眼睑,用大量流动清水或生理盐水彻底冲洗至少 15 分钟。就医。

2. 泄漏应急处置

(1)消除所有点火源。

(2)根据气体的影响区域划定警戒区,无关人员从侧风、上风向撤离至安全区。

(3)建议应急处理人员穿内置正压自给式空气呼吸器的全封闭防化服。如果是液化气体泄漏,还应注意防冻伤。禁止接触或跨越泄漏物。尽可能切断泄漏源。防止气体通过下水道、通风系统和密闭性空间扩散。若可能翻转容器,使之逸出气体而非液体。构筑围堤或挖坑收容液体泄漏物。用醋酸或其他稀酸中和。也可以喷雾状水稀释、溶解,同时构筑围堤或挖坑收容产生的大量废水。如有可能,将残余气或漏出气用排风机送至水洗塔或与塔相连的通风橱内。如果钢瓶发生泄漏,无法封堵时可浸入水中。储罐区最好设水或稀酸喷洒设施。隔离泄漏区直至气体散尽。漏气容器要妥善处理,修复、检验后再用。

(4)隔离与疏散距离:小量泄漏,初始隔离 30 m,下风向疏散白天 100 m、夜晚 200 m;大量泄漏,初始隔离 150 m,下风向疏散白天 800 m、夜晚 2 300 m。

3. 灭火方法

消防人员必须穿全身防火防毒服,在上风向灭火。切断气源。若不能切断气源,则不允许熄灭泄漏处的火焰。喷水冷却容器,尽可能将容器从火场移至空旷处。

可以采用的灭火剂有:雾状水、抗溶性泡沫、二氧化碳、沙土。

模块十　氢的安全要求及事故应急措施

任务　熟知氢的安全要求及事故应急措施

一、氢的危害性

(1)氢又称为氢气,极易燃,与空气混合能形成爆炸性混合物,遇热或明火即发生爆炸。比空气轻,在室内使用和储存时,漏气上升滞留屋顶不易排出,遇火星会引起爆炸。在空气中燃烧时,火焰呈蓝色,不易被发现。与氟、氯、溴等卤素会剧烈反应。

(2)健康危害:为单纯性窒息性气体,仅在高浓度时,由于空气中氧分压降低才引起缺氧性窒息。在很高的分压下,呈现出麻醉作用。

二、安全要求

（一）一般要求

（1）生产、储存区域应设置安全警示标志。

（2）操作人员必须经过专门培训，严格遵守操作规程，熟练掌握操作技能，具备应急处置知识。

（3）密闭操作，严防泄漏，工作场所加强通风。

（4）远离火种、热源，工作场所严禁吸烟。

（5）生产、使用氢气的车间及储氢场所应设置氢气泄漏检测报警仪，使用防爆型的通风系统和设备。建议操作人员穿防静电工作服。储罐等压力容器和设备应设置安全阀、压力表、温度计，并应装有带压力、温度远传记录和报警功能的安全装置。

（6）避免与氧化剂、卤素接触。

（7）在传送过程中，钢瓶和容器必须接地和跨接，防止产生静电。

（8）搬运时轻装轻卸，防止钢瓶及附件破损。

（9）配备相应品种和数量的消防器材及泄漏应急处理设备。

（二）特殊要求

1. 操作安全要求

（1）氢气系统运行时，不准敲击，不准带压修理和紧固，不得超压，严禁负压。

（2）制氢和充灌人员工作时，不可穿戴易产生静电的服装及带钉的鞋作业，以免产生静电和撞击起火。

（3）当氢气作焊接、切割、燃料和保护气等使用时，每台（组）用氢设备的支管上应设阻火器。

（4）因生产需要，必须在现场（室内）使用氢气瓶时，其数量不得超过 5 瓶，并且氢气瓶与盛有易燃、易爆、可燃物质及氧化性气体的容器或气瓶的间距不应小于 8 m，与空调装置、空气压缩机和通风设备等吸风口的间距不应小于 20 m。

（5）管道、阀门和水封装置冻结时，只能用热水或蒸汽加热解冻，严禁使用明火烘烤。

（6）不准在室内排放氢气。吹洗置换，应立即切断气源，进行通风，不得进行可能发生火花的一切操作。

（7）使用氢气瓶时注意以下事项：

①必须使用专用的减压器，开启时，操作者应站在阀口的侧后方，动作要轻缓；

②气瓶的阀门或减压器泄漏时，不得继续使用。阀门损坏时，严禁在瓶内有压力的情况下更换阀门；

③气瓶禁止敲击、碰撞，不得靠近热源，夏季应防止曝晒；

④瓶内气体严禁用尽，应留有 0.5 MPa 的剩余压力。

2. 储存安全要求

（1）储存于阴凉、通风的易燃气体专用库房。远离火种、热源。库房温度不宜超过 30 ℃。

（2）应与氧化剂、卤素分开存放，切忌混储。

(3)采用防爆型照明、通风设施。

(4)禁止使用易产生火花的机械设备和工具。

(5)储存区应备有泄漏应急处理设备。

(6)储存室内必须通风良好,保证空气中氢气最高含量不超过1%(体积比)。储存室建筑物顶部或外墙的上部设气窗或排气孔。排气孔应朝向安全地带,室内换气次数每小时不得小于3次,事故通风每小时换气次数不得小于7次。

(7)氢气瓶与盛有易燃、易爆、可燃物质及氧化性气体的容器或气瓶的间距不应小于8 m;与空调装置、空气压缩机或通风设备等吸风口的间距不应小于20 m;与明火或普通电气设备的间距不应小于10 m。

3. 运输安全要求

(1)运输车辆应有危险品运输标志,安装具有行驶记录功能的卫星定位装置。

(2)未经公安机关批准,运输车辆不得进入危险化学品运输车辆限制通行的区域。

(3)槽车运输时要用专用槽车。槽车安装的阻火器(火星熄灭器)必须完好。槽车和运输卡车要有导静电拖线;槽车上要备有2只以上干粉或二氧化碳灭火器和防爆工具;要有遮阳措施,防止阳光直射。

(4)在使用汽车、手推车运输氢气瓶时,应轻装轻卸。严禁抛、滑、滚、碰。

(5)严禁用电磁起重机和链绳吊装搬运。

(6)装运时,应妥善固定。汽车装运时,氢气瓶头部应朝向同一方向,装车高度不得超过车厢高度,直立排放时,车厢高度不得低于瓶高的2/3。不能和氧化剂、卤素等同车混运。

(7)夏季应早晚运输,防止日光曝晒。中途停留时应远离火种、热源。

(8)氢气管道输送时,管道敷设应符合下列要求:

①氢气管道宜采用架空敷设,其支架应为非燃烧体。架空管道不应与电缆、导电线敷设在同一支架上;

②氢气管道与燃气管道、氧气管道平行敷设时,中间宜有不燃物料管道隔开,或净距不小于250 mm。分层敷设时,氢气管道应位于上方。氢气管道与建筑物、构筑物或其他管线的最小净距可参照有关规定执行;

③室内管道不应敷设在地沟中或直接埋地,室外地沟敷设的管道,应有防止氢气泄漏、积聚或窜入其他沟道的措施。埋地敷设的管道埋深不宜小于0.7 m。含湿氢气的管道应敷设在冰冻层以下;

④管道应避免穿过地沟、下水道及铁路汽车道路等,必须穿过时应设套管保护;

⑤氢管道外壁颜色、标志应执行《工业管道的基本识别色、识别符号和安全标识》(GB 7231)的规定。

三、事故应急措施

1. 急救措施

吸入:迅速脱离现场至空气新鲜处。保持呼吸道通畅。如呼吸困难,给氧。如呼吸停止,立即进行人工呼吸。就医。

2. 泄漏应急处置

(1)消除所有点火源。

(2)根据气体的影响区域划定警戒区,无关人员从侧风、上风向撤离至安全区。

(3)建议应急处理人员戴正压自给式空气呼吸器,穿防静电服。作业时使用的所有设备应接地。尽可能切断泄漏源。喷雾状水抑制蒸气或改变蒸气云流向。防止气体通过下水道、通风系统和密闭性空间扩散。若泄漏发生在室内,宜采用吸风系统或将泄漏的钢瓶移至室外,以避免氢气四处扩散。隔离泄漏区直至气体散尽。

(4)作为一项紧急预防措施,泄漏隔离距离至少为 100 m。如果为大量泄漏,下风向的初始疏散距离应至少为 800 m。

3. 灭火方法

(1)切断气源。若不能切断气源,则不允许熄灭泄漏处的火焰。喷水冷却容器,尽可能将容器从火场移至空旷处。

(2)氢火焰肉眼不易察觉,消防人员应佩戴自给式呼吸器,穿防静电服进入现场,注意防止外露皮肤烧伤。

可以采用的灭火剂有:雾状水、泡沫、二氧化碳、干粉。

❖ 练习与思考

1. 阐述甲烷、天然气安全要求及事故应急措施。
2. 阐述液化石油气的安全要求及事故应急措施。
3. 阐述原油的安全要求及事故应急措施。
4. 阐述汽油的安全要求及事故应急措施。
5. 阐述一氧化碳的安全要求及事故应急措施。
6. 阐述二氧化硫的安全要求及事故应急措施。
7. 阐述硫化氢的安全要求及事故应急措施。
8. 阐述氯的安全要求及事故应急措施。
9. 阐述氨的安全要求及事故应急措施。
10. 阐述氢的安全要求及事故应急措施。

参 考 文 献

[1] 白燕. 民航危险品运输基础知识[M]. 北京:中国民航出版社,2010.

[2] 王益友. 航空危险品运输[M]. 北京:化学工业出版社,2013.

[3] 孙文红. 铁路危险货物运输安全技术与管理[M]. 北京:中国铁道出版社,2012.

[4] 周晶洁. 危险品运输与仓储[M]. 大连:大连海事大学出版社,2009.

[5] 蔡梦贤,李世华. 铁路危险货物运输培训教程[M]. 成都:西南交通大学出版社,2006.

[6] 段明山. 黑龙江省道路危险货物运输从业人员培训教材[M]. 哈尔滨:黑龙江人民出版社,2006.

[7] 刘敏文,等. 危险货物运输管理教程[M]. 北京:人民交通出版社,2002.

[8] 中国铁道企业管理协会运输委员会. 铁路危险货物运输与安全[M]. 北京:中国铁道出版社,2011.

[9] 西安铁路局. 铁路危险货物运输培训读本[M]. 北京:中国铁道出版社,2010.

[10] 刘浩学,严季,沈小燕. 道路运输危险货物从业人员必读[M]. 北京:化学工业出版社,2011.

[11] 中国铁道企业管理协会运输委员会. 铁路危险货物运输事故案例[M]. 北京:中国铁道出版社,2009.

[12] 本书编写组. 危险货物道路运输安全管理手册(法规篇)(2014 年版)[K]. 北京:人民交通出版社,2014.

[13] 王海燕. 危险品物流安全与事故应急管理[M]. 北京:中国物资出版社,2011.

[14] 高建刚,陈宏云,郑昊. 危险货物道路运输事故统计分析[J]. 中国安全科学学报,2007,17(8):160 - 166.

[15] 沈小燕,等. 886 起危险品罐式车辆道路运输事故统计分析研究[J]. 中国安全生产科学技术,2012,8(11):43 - 48.

[16] 吴海杰. 我国道路危险品运输管理问题剖析及解决对策[J]. 污染防治技术,2013,26(5):97 - 100.

[17] 本书编委会. 道路危险货物运输从业人员培训教材[M]. 北京:人民交通出版社,2001.

[18] 熊天文,帅斌. 铁路危险货物运输[M]. 成都:西南交通大学出版社,2009.

[19] 张建霞,许乐平,何建海. 从几起案例谈危险品水运事故原因及对策[J]. 航海技术,2013(5):27 - 29.

[20] 交通运输部职业资格中心. 道路危险货物运输从业人员从业资格培训教材[M]. 北京:人民交通出版社,2014.

[21] 中华人民共和国中央政府网站 http://www. gov. cn

[22] 辽阳出入境检验检疫局 http://ly. lnciq. gov. cn

[23] 浙江省交通运输厅网站 http://www. zjt. gov. cn

[24] 四川省交通运输厅网站 http://www. scjt. gov. cn

[25] 中华人民共和国交通运输部 http://www. moc. gov. cn

[26] 安徽省交通运输厅网站 http://www. ahjt. gov. cn
[27] 国家安全生产监督管理总局:http://www. chinasafety. gov. cn
[28] 国际先驱导报网站 http://ihl. cankaoxiaoxi. com
[29] 中国民航报
[30] 中国民用航空局网站 http://www. caac. gov. cn
[31] 中国民用航空局政府信息公开网站 sqgk. caac. gov. cn
[32] 中国物通网 http://www. chinawutong. com
[33] 中国化学品安全协会 http://www. chemicalsafety. org. cn
[34] 中国安防行业网 http://www. 21csp. com. cn
[35] 中国危运网 http://www. weiyun5. com
[36] 安全科普网 http://www. aqkpw. com
[37] 辽宁出入境检验检疫局网站 http://www. lnciq. gov. cn
[38] 安全管理网 http://www. safehoo. com
[39] 中国标准物质网 http://www. gbw114. com
[40] 博安网 http://www. bosafe. com
[41] 太原市人民政府网站 http://www. taiyuan. gov. cn
[42] 国家铁路局网站 http://www. nra. gov. cn
[43] 航空网 http://www. hangkong. com
[44] 中国民航网 http://www. caacnews. com. cn
[45] 中国安全生产网 http://www. aqsc. cn
[46] 新华网 http://www. xinhuanet. com
[47] 搜狐新闻 http://news. sohu. com
[48] 中国安全生产网 http://www. aqsc. cn
[49] 国务院法制办 http://fgk. chinalaw. gov. cn
[50] 中国人大网 http://www. npc. gov. cn
[51] 艾特贸易 http://www. aitmy. com
[52] 中国危化品物流 http://www. hcls. org. cn
[53] 中国危运网 http://www. weiyun5. com
[54] 国家标准化管理委员会 http://www. sac. gov. cn
[55] 中国国际海运网 http://info. shippingchina. com
[56] 新民网 http://house. xinmin. cn
[57] 中国质量新闻网 http://www. cqn. com. cn
[58] 中国交通新闻网 http://www. zgjtb. com
[59] 央广网 http://news. cnr. cn
[60] 中国集装箱行业协会 http://www. chinaccia. com
[61] 东方网 http://www. eastday. com
[62] 航运在线 http://www. sol. com. cn
[63] 中国港口网 http://www. chinaports. com
[64] 国家安监总局化学品登记中心 http://www. nrcc. com. cn

附录一 首批重点监管的危险化学品名录

（2011 年）

序号	化学品名称	别名	CAS 号
1	氯	液氯、氯气	7782－50－5
2	氨	液氨、氨气	7664－41－7
3	液化石油气		68476－85－7
4	硫化氢		7783－06－4
5	甲烷、天然气		74－82－8（甲烷）
6	原油		
7	汽油（含甲醇汽油、乙醇汽油）、石脑油		8006－61－9（汽油）
8	氢	氢气	1333－74－0
9	苯（含粗苯）		71－43－2
10	碳酰氯	光气	75－44－5
11	二氧化硫		7446－09－5
12	一氧化碳		630－08－0
13	甲醇	木醇、木精	67－56－1
14	丙烯腈	氰基乙烯、乙烯基氰	107－13－1
15	环氧乙烷	氧化乙烯	75－21－8
16	乙炔	电石气	74－86－2
17	氟化氢、氢氟酸		7664－39－3
18	氯乙烯		75－01－4
19	甲苯	甲基苯、苯基甲烷	108－88－3
20	氰化氢、氢氰酸		74－90－8
21	乙烯		74－85－1
22	三氯化磷		7719－12－2
23	硝基苯		98－95－3
24	苯乙烯		100－42－5
25	环氧丙烷		75－56－9
26	一氯甲烷		74－87－3
27	1,3－丁二烯		106－99－0
28	硫酸二甲酯		77－78－1
29	氰化钠		143－33－9

序号	化学品名称	别名	CAS 号
30	1-丙烯、丙烯		115-07-1
31	苯胺		62-53-3
32	甲醚		115-10-6
33	丙烯醛、2-丙烯醛		107-02-8
34	氯苯		108-90-7
35	乙酸乙烯酯		108-05-4
36	二甲胺		124-40-3
37	苯酚	石炭酸	108-95-2
38	四氯化钛		7550-45-0
39	甲苯二异氰酸酯	TDI	584-84-9
40	过氧乙酸	过乙酸、过醋酸	79-21-0
41	六氯环戊二烯		77-47-4
42	二硫化碳		75-15-0
43	乙烷		74-84-0
44	环氧氯丙烷	3-氯-1,2-环氧丙烷	106-89-8
45	丙酮氰醇	2-甲基-2-羟基丙腈	75-86-5
46	磷化氢	膦	7803-51-2
47	氯甲基甲醚		107-30-2
48	三氟化硼		7637-07-2
49	烯丙胺	3-氨基丙烯	107-11-9
50	异氰酸甲酯	甲基异氰酸酯	624-83-9
51	甲基叔丁基醚		1634-04-4
52	乙酸乙酯		141-78-6
53	丙烯酸		79-10-7
54	硝酸铵		6484-52-2
55	三氧化硫	硫酸酐	7446-11-9
56	三氯甲烷	氯仿	67-66-3
57	甲基肼		60-34-4
58	一甲胺		74-89-5
59	乙醛		75-07-0
60	氯甲酸三氯甲酯	双光气	503-38-8

附录二　第二批重点监管的危险化学品安全措施和应急处置原则

（2013 年）

1　氯酸钠

风险提示	与易燃物、可燃物混合或急剧加热会发生爆炸。
理化特性	无色无味结晶，味咸而凉，有潮解性。易溶于水，微溶于乙醇。分子量 106.44，熔点 248 ℃，沸点 300 ℃（分解），相对密度（水 =1）2.5。 主要用途：用于生产二氧化氯、亚氯酸盐、高氯酸盐及其他氯酸盐，还用于印染、冶金、造纸、皮革行业。
危害信息	【燃烧和爆炸危险性】 助燃。与易（可）燃物混合或急剧加热会发生爆炸。如被有机物等污染，对撞击敏感。 【活性反应】 强氧化剂，与还原剂、强酸、铵盐、有机物、易燃物如硫、磷或金属粉末等混合可形成爆炸性混合物。 【健康危害】 粉尘对呼吸道、眼及皮肤有刺激性。口服急性中毒，表现为高铁血红蛋白血症，肠胃炎，肝肾损伤，甚至发生窒息。
安全措施	【一般要求】 操作人员必须经过专门培训，严格遵守操作规程，熟练掌握操作技能，具备应急处置知识。 生产过程密闭，加强通风。使用防爆型的通风系统和设备，提供安全淋浴和洗眼设备。可能接触其粉尘时，建议佩戴自吸过滤式防尘口罩。戴化学安全防护眼镜，戴橡胶手套。作业现场禁止吸烟、进食和饮水。 远离火种、热源。应与禁配物分开存放，切忌混储。 生产、储存区域应设置安全警示标志。禁止震动、撞击和摩擦。配备相应品种和数量的消防器材及泄漏应急处理设备。 输送装置应有防止固体物料黏结器壁的技术保障措施，并应结合工艺特点和生产情况制定定期清扫的管理制度。严禁轴承设置在粉状危险物料中混药、输送等；输送螺旋和混药设备应有应急消防雨淋装置，输送螺旋和混药设备应选择有利于泄爆、清扫、应急处理的封闭方式。 采用湿法粉碎工艺时，应待物料全部浸湿后方可开机；当采用金属球和金属球磨筒方式进行粉碎时，宜用水或含水溶剂作为介质。粉碎混合加工过程中应设置自动导出静电的装置，出料时应将接料车和出料器用导线可靠连接并整体接地。 生产过程中易引起燃烧爆炸的机械化作业应设置自动报警、自动停机、自动泄爆、自动雨淋等安全自控装置；自动化生产线的单机设备除有自动控制系统监控外，在现场还应设置应急控制操作装置。生产过程中产生的不合格品和废品应隔离存放、及时处理；内包装材料应统一回收存放在远离热源的场所，并及时销毁。

安全措施	【特殊要求】 【操作安全】 （1）可能接触粉尘时，操作人员佩戴自吸过滤式防尘口罩，戴化学安全防护眼镜，穿防静电工作服，戴橡胶手套。 （2）避免产生粉尘。避免与还原剂、强酸、铵盐、有机物、易（可）燃物接触。搬运时要轻装轻卸，防止包装及容器损坏。配备相应品种和数量的消防器材及泄漏应急处理设备。 （3）生产过程中需用热媒加热或加工过程中可能引起物料温升的作业点，均应设置温度检测仪器并采取温控措施。 【储存安全】 （1）储存于阴凉、通风、干燥的库房。远离火种、热源。工业氯酸钠保质期为 3 年；逾期可重新检验，检验结果符合要求时，方可继续使用。库房温度不超过 30 ℃，相对湿度不超过 80%。 （2）应与还原剂、强酸、铵盐、有机物、易（可）燃物分开存放，切忌混储。存放时，应距加热器（包括暖气片）和热力管线 300 毫米以上。储存区应备有合适的材料收容泄漏物。禁止震动、撞击和摩擦。禁止使用易产生火花的机械设备和工具。 【运输安全】 （1）运输车辆应有危险品运输标志、安装具有行驶记录功能的卫星定位装置。未经公安机关批准，运输车辆不得进入危险化学品运输车辆限制通行的区域。 （2）运输过程中应有遮盖物，防止曝晒和雨淋、猛烈撞击、包装破损，不得倒置。严禁与酸类、铵盐、有机物、易（可）燃物、还原剂、自燃物品、遇湿易燃物品等同车混运。运输过程中要确保容器不泄漏、不倒塌、不坠落、不损坏。运输时运输车辆应配备相应品种和数量的消防器材。搬运时要轻装轻卸，防止包装及容器损坏。禁止震动、撞击和摩擦。 （3）拥有齐全的危险化学品运输资质，必须配备押运人员，并随时处于押运人员的监管之下，不得超装、超载，不得进入危险化学品运输车辆禁止通行的区域；确需进入禁止通行区域的，应当事先向当地公安部门报告，运输时车速不宜过快，不得强行超车。运输车辆装卸前后，均应彻底清扫、洗净，严禁混入有机物、易燃物等杂质。
应急处置原则	【急救措施】 吸入：迅速脱离现场至空气新鲜处，休息。就医。 食入：漱口。就医。 眼睛接触：立即提起眼睑，用流动清水或生理盐水冲洗。就医。 皮肤接触：立即用大量水冲洗，然后脱去污染的衣着，接着再冲洗，就医。 【灭火方法】 灭火剂：用水灭火。禁止使用沙土、干粉灭火。 大火时，远距离用大量水灭火。消防人员应佩戴防毒面具、穿全身消防服，在上风向灭火。在确保安全的前提下将容器移离火场。用大量水冷却容器，直至火扑灭。切勿开动已处于火场中的货船或车辆。 如果在火场中有储罐、槽车或罐车，周围至少隔离 800 米；同时初始疏散距离也至少为 800 米。 【泄漏应急处置】 隔离泄漏污染区，限制出入。建议应急处理人员戴防尘面具（全面罩），穿防毒服。不要直接接触泄漏物。勿使泄漏物与有机物、还原剂、易燃物接触。小量泄漏：避免扬尘，用洁净的铲子收集于干燥、洁净、且盖子较松的容器中，并将容器移离泄漏区。大量泄漏：收集回收或运至废物处理场所处置，泄漏物回收后，用水冲洗泄漏区。 作为一项紧急预防措施，泄漏隔离距离至少为 25 米。如果为大量泄漏，下风向的初始疏散距离应至少为 100 米。

2 氯酸钾

风险提示	与易燃物、可燃物混合或急剧加热会发生爆炸
理化特性	无色片状结晶或白色颗粒粉末，味咸而凉。溶于水，不溶于醇、甘油。分子量 122.55，熔点 357 ℃，沸点 400 ℃(分解)，相对密度(水=1)2.34。 主要用途：用于火柴、焰火、冶金、医药行业中的氧化剂及制造其他氯酸盐。
危害信息	【燃烧和爆炸危险性】 助燃。与易(可)燃物混合或急剧加热会发生爆炸。如被有机物等污染，对撞击敏感。 【活性反应】 强氧化剂，与还原剂、铵盐、硫化物、有机物、易燃物如硫、磷或金属粉末等混合可形成爆炸性混合物。 【健康危害】 粉尘对呼吸道有刺激性。口服急性中毒，表现为高铁血红蛋白血症，胃肠炎，肝肾损伤，甚至发生窒息。
安全措施	【一般要求】 操作人员必须经过专门培训，严格遵守操作规程，熟练掌握操作技能，具备应急处置知识。 生产过程密闭，加强通风。使用防爆型的通风系统和设备，提供安全淋浴和洗眼设备。可能接触其粉尘时，建议佩戴自吸过滤式防尘口罩。戴化学安全防护眼镜，戴橡胶手套。工作业现场禁止吸烟、进食和饮水。 远离火种、热源。应与禁配物分开存放，切忌混储。 生产、储存区域应设置安全警示标志。禁止震动、撞击和摩擦。配备相应品种和数量的消防器材及泄漏应急处理设备。 输送装置应有防止固体物料黏结器壁的技术保障措施，并应结合工艺特点和生产情况制定定期清扫的管理制度。严禁轴承设置在粉状危险物料中混药、输送等；输送螺旋和混药设备应有应急消防雨淋装置，输送螺旋和混药设备应选择有利于泄爆、清扫、应急处理的封闭方式。 采用湿法粉碎工艺时，应待物料全部浸湿后方可开机；当采用金属球和金属球磨筒方式进行粉碎时，宜用水或含水溶剂作为介质。粉碎混合加工过程中应设置自动导出静电的装置，出料时应将接料车和出料器用导线可靠连接并整体接地。 生产过程中易引起燃烧爆炸的机械化作业应设置自动报警、自动停机、自动泄爆、自动雨淋等安全自控装置；自动化生产线的单机设备除有自动控制系统监控外，在现场还应设置应急控制操作装置。 生产过程中产生的不合格品和废品应隔离存放、及时处理；内包装材料应统一回收存放在远离热源的场所，并及时销毁。 【特殊要求】 【操作安全】 (1)可能接触粉尘时，操作人员佩戴自吸过滤式防尘口罩，戴化学安全防护眼镜，穿静电工作服，戴橡胶手套。 (2)避免产生粉尘。避免与还原剂、强酸、铵盐、有机物、易(可)燃物接触。搬运时要轻装轻卸，防止包装及容器损坏。配备相应品种和数量的消防器材及泄漏应急处理设备。 (3)生产过程中需用热媒加热或加工过程中可能引起物料温升的作业点，均应设置温度检测仪器并采取温控措施。

安全措施	【储存安全】 (1)储存于阴凉、通风、干燥的库房。远离火种、热源。库房温度不超过 30 ℃,相对湿度不超过 80%。 (2)应与还原剂、强酸、铵盐、硫化物、有机物、易(可)燃物分开存放,切忌混储。存放时,应距加热器(包括暖气片)和热力管线 300 毫米以上。储存区应备有合适的材料收容泄漏物。禁止震动、撞击和摩擦。禁止使用易产生火花的机械设备和工具。 【运输安全】 (1)运输车辆应有危险品运输标志、安装具有行驶记录功能的卫星定位装置。未经公安机关批准,运输车辆不得进入危险化学品运输车辆限制通行的区域。 (2)运输过程中应有遮盖物,防止曝晒和雨淋、猛烈撞击、包装破损,不得倒置。严禁与酸类、铵盐、硫化物、有机物、易(可)燃物、还原剂、自燃物品、遇湿易燃物品等同车混运。运输过程中要确保容器不泄漏、不倒塌、不坠落、不损坏。运输时运输车辆应配备相应品种和数量的消防器材。搬运时要轻装轻卸,防止包装及容器损坏。禁止震动、撞击和摩擦。 (3)拥有齐全的危险化学品运输资质,必须配备押运人员,并随时处于押运人员的监管之下,不得超装、超载,不得进入危险化学品运输车辆禁止通行的区域;确需进入禁止通行区域的,应当事先向当地公安部门报告,运输时车速不宜过快,不得强行超车。运输车辆装卸前后,均应彻底清扫、洗净,严禁混入有机物、易燃物等杂质。
应急处置原则	【急救措施】 吸入:迅速脱离现场至空气新鲜处,休息。就医。 食入:漱口,饮一杯水,催吐。就医。 眼睛接触:立即提起眼睑,用流动清水或生理盐水冲洗。就医。 皮肤接触:立即用大量水冲洗,然后脱去污染的衣着,接着再冲洗,就医。 【灭火方法】 灭火剂:用水灭火。禁止使用沙土、干粉灭火。 大火时,远距离用大量水灭火。消防人员应佩戴防毒面具、穿全身消防服,在上风向灭火。在确保安全的前提下将容器移离火场。用大量水冷却容器,直至火扑灭。切勿开动已处于火场中的货船或车辆。 如果在火场中有储罐、槽车或罐车,周围至少隔离 800 米;同时初始疏散距离也至少为 800 米。 【泄漏应急处置】 隔离泄漏污染区,限制出入。建议应急处理人员戴防尘面具(全面罩),穿防毒服。不要直接接触泄漏物。勿使泄漏物与有机物、还原剂、易燃物接触。小量泄漏:用塑料布、帆布覆盖,减少飞散,避免扬尘,用洁净的铲子收集于干燥、洁净且盖子较松的容器中,并将容器移离泄漏区。大量泄漏:收集回收或运至废物处理场所处置,泄漏物回收后,用水冲洗泄漏区。 作为一项紧急预防措施,泄漏隔离距离至少为 25 米。如果为大量泄漏,下风向的初始疏散距离应至少为 100 米。

3 过氧化甲乙酮

风险提示	遇明火、高热、摩擦、震动、撞击可能引起激烈燃烧或爆炸。可致眼和皮肤灼伤。
理化特性	无色或微黄色液体，带有刺激性气味。不溶于水，溶于乙醇、乙醚等多数有机溶剂。分子量 176.21，相对密度（水 = 1）1.042，闪点 82.22 ℃。 主要用途：用作不饱和聚酯的交联剂和引发剂，硅橡胶硫化剂。
危害信息	【燃烧和爆炸危险性】 可燃。受撞击、摩擦、遇明火或点火源可能引起激烈燃烧或爆炸。 【活性反应】 强氧化剂，与还原剂、促进剂、强酸、胺、有机物、可燃物等接触会发生剧烈反应，有燃烧爆炸的危险。被丙酮污染后可产生对震动敏感的过氧化沉积物。 【健康危害】 蒸气有强烈刺激性，吸入引起咽痛、咳嗽、呼吸困难，严重者可引起迟发性肺水肿。口服灼伤消化道，可有肝肾损伤，可致死。可致眼和皮肤灼伤。
安全措施	【一般要求】 操作人员必须经过专门培训，严格遵守操作规程，熟练掌握操作技能，具备应急处置知识。 生产过程密闭，加强通风。使用防爆型的通风系统和设备，提供安全淋浴和洗眼设备。穿防静电工作服，戴化学安全防护眼镜、橡胶防护手套。空气中浓度超标时，佩戴防毒面具。作业现场禁止吸烟、进食和饮水。 远离火种、热源。应与禁配物分开存放，切忌混储。 生产、储存区域应设置安全警示标志。禁止震动、撞击和摩擦。配备相应品种和数量的消防器材及泄漏应急处理设备。 生产过程中易引起燃烧爆炸的机械化作业应设置自动报警、自动停机、自动泄爆、自动雨淋等安全自控装置；自动化生产线的单机设备除有自动控制系统监控外，在现场还应设置应急控制操作装置。 生产过程中产生的不合格品和废品应隔离存放、及时处理；内包装材料应统一回收存放在远离热源的场所，并及时销毁。 【特殊要求】 【操作安全】 （1）装置内配备防毒面具等防护用品，操作人员在操作、取样、检维修时宜佩戴防毒面具。 （2）避免与还原剂、促进剂、强酸、胺、有机物、易（可）燃物接触。搬运时要轻装轻卸，防止包装及容器损坏。配备相应品种和数量的消防器材及泄漏应急处理设备。 （3）不得与促进剂直接接触。如必须使用促进剂，可先加入促进剂，搅拌均匀后再慢慢地逐渐加入本品，避免引发剂堆积或局部过热。 （4）生产过程中需用热媒加热或加工过程中可能引起物料温升的作业点，均应设置温度检测仪器并采取温控措施。 【储存安全】 （1）储存于阴凉、通风的库房。远离火种、热源，避免阳光直射。库房温度不超过 25 ℃。 （2）应与还原剂、促进剂、强酸、胺、有机物、易（可）燃物分开存放，切忌混储。储存区应备有合适的材料收容泄漏物。禁止震动、撞击和摩擦。禁止使用易产生火花的机械设备和工具。

安全措施	【运输安全】 (1)运输车辆应有危险品运输标志、安装具有行驶记录功能的卫星定位装置。未经公安机关批准,运输车辆不得进入危险化学品运输车辆限制通行的区域。 (2)运输过程中应有遮盖物,防止曝晒和雨淋、猛烈撞击、包装破损,不得倒置。严禁与还原剂、促进剂、强酸、胺、有机物、易(可)燃物等同车混运,尤其是促进剂。运输过程中要确保容器不泄漏、不倒塌、不坠落、不损坏。运输时运输车辆应配备相应品种和数量的消防器材。搬运时要轻装轻卸,防止包装及容器损坏。禁止震动、撞击和摩擦。 (3)拥有齐全的危险化学品运输资质,必须配备押运人员,并随时处于押运人员的监管之下,不得超装、超载,不得进入危险化学品运输车辆禁止通行的区域;确需进入禁止通行区域的,应当事先向当地公安部门报告,运输时车速不宜过快,不得强行超车。运输车辆装卸前后,均应彻底清扫、洗净,严禁混入有机物、易燃物等杂质。
应急处置原则	【急救措施】 吸入:迅速脱离现场至空气新鲜处,休息,采取半卧体位。就医。 食入:漱口,饮足量温水,不要催吐。就医。 眼睛接触:立即提起眼睑,用大量流动清水或生理盐水彻底冲洗至少 15 分钟。就医。 皮肤接触:立即脱去污染的衣着,用大量流动清水冲洗至少 15 分钟。就医。 【灭火方法】 灭火剂:小火首选用雾状水灭火,无水时可用泡沫、干粉灭火。 大火时,远距离用大量水灭火。消防人员应佩戴防毒面具、穿全身消防服,在上风向灭火。在确保安全的前提下将容器移离火场。喷水保持火场容器冷却,直至灭火结束。切勿开动已处于火场中的货船或车辆。处在火场中的容器若已变色或从安全泄压装置中产生声音,必须马上撤离。 如果在火场中有储罐、槽车或罐车,周围至少隔离 800 米;同时初始疏散距离也至少为 800 米。 【泄漏应急处置】 根据液体流动和蒸气扩散的影响区域划定警戒区,无关人员从侧风、上风向撤离至安全区。消除所有点火源(泄漏区附近禁止吸烟,消除所有明火、火花或火焰)。建议应急处理人员戴自给正压式呼吸器,穿防毒服。尽可能切断泄漏源。防止流入下水道、排洪沟等限制性空间。小量泄漏:用惰性、湿润的不燃材料吸收,使用洁净的非火花工具收集,置于盖子较松的塑料容器中以待处理。大量泄漏:用水湿润,并筑堤收容。防止泄漏物进入水体、下水道、地下室或密闭空间。在专业人员指导下清除。 作为一项紧急预防措施,泄漏隔离距离至少为 50 米。如果为大量泄漏,下风向的初始疏散距离应至少为 250 米。

4 过氧化(二)苯甲酰

风险提示	干燥时极度易燃,急剧加热时可发生爆炸。
理化特性	白色或淡黄色晶体或粉末,微有苦杏仁味。微溶于水、甲醇,溶于乙醇、乙醚、丙酮、苯、二硫化碳等。分子量 242.24,熔点 105 ℃(分解),相对密度(水=1)1.3,自燃温度 80 ℃,燃烧热 6 855.2 kJ/mol,蒸气压 20 ℃时 0.1 kPa。 主要用途:用作塑料催化剂,油脂的精制,蜡的脱色,医药的制造等。
危害信息	【燃烧和爆炸危险性】 干燥时极度易燃,遇热、摩擦、震动、撞击或杂质污染均可能引起爆炸性分解。急剧加热时可发生爆炸。 【活性反应】 强氧化剂,与强酸、强碱、硫化物、还原剂、促进剂、胺类、金属烷基酸盐等接触会发生剧烈反应,有燃烧爆炸的危险。 【健康危害】 对呼吸道、眼睛和皮肤有刺激。对皮肤有致敏作用。
安全措施	【一般要求】 操作人员必须经过专门培训,严格遵守操作规程,熟练掌握操作技能,具备应急处置知识。 生产过程密闭,加强通风。使用防爆型的通风系统和设备,提供安全淋浴和洗眼设备。可能接触其粉尘时,建议佩戴自吸过滤式防尘口罩。戴化学安全防护眼镜,戴橡胶手套。工作业现场禁止吸烟、进食和饮水。 远离火种、热源。应与禁配物分开存放,切忌混储。 生产、储存区域应设置安全警示标志。禁止震动、撞击和摩擦。配备相应品种和数量的消防器材及泄漏应急处理设备。 采用湿法粉碎工艺时,应待物料全部浸湿后方可开机;当采用金属球和金属球磨筒方式进行粉碎时,宜用水或含水溶剂作为介质。粉碎混合加工过程中应设置自动导出静电的装置,出料时应将接料车和出料器用导线可靠连接并整体接地。 生产过程中易引起燃烧爆炸的机械化作业应设置自动报警、自动停机、自动泄爆、自动雨淋等安全自控装置;自动化生产线的单机设备除有自动控制系统监控外,在现场还应设置应急控制操作装置。 生产过程中产生的不合格品和废品应隔离存放、及时处理;内包装材料应统一回收存放在远离热源的场所,并及时销毁。 【特殊要求】 【操作安全】 (1)可能接触粉尘时,操作人员佩戴自吸过滤式防尘口罩,戴化学安全防护眼镜,穿防静电工作服,戴橡胶手套。 (2)避免产生粉尘。避免与强酸、强碱、硫化物、还原剂、促进剂、胺类、金属烷基酸盐接触。搬运时要轻装轻卸,防止包装及容器损坏。配备相应品种和数量的消防器材及泄漏应急处理设备。 (3)生产过程中需用热媒加热或加工过程中可能引起物料温升的作业点,均应设置温度检测仪器并采取温控措施。

安全措施	【储存安全】 (1)储存时以水作稳定剂,一般含水30%。储存于阴凉、通风的库房。远离火种、热源,避免阳光直射。库房温度保持在2~25 ℃。 (2)应与还原剂、促进剂、强酸、胺、有机物、易(可)燃物分开存放,切忌混储。储存区应备有合适的材料收容泄漏物。禁止震动、撞击和摩擦。禁止使用易产生火花的机械设备和工具。 【运输安全】 (1)运输车辆应有危险品运输标志、安装具有行驶记录功能的卫星定位装置。未经公安机关批准,运输车辆不得进入危险化学品运输车辆限制通行的区域。 (2)运输过程中应有遮盖物,防止曝晒和雨淋、猛烈撞击、包装破损,不得倒置。严禁与强酸、强碱、硫化物、还原剂、促进剂、胺类、金属烷基酸盐等同车混运,尤其是促进剂。运输过程中要确保容器不泄漏、不倒塌、不坠落、不损坏。运输时运输车辆应配备相应品种和数量的消防器材。搬运时要轻装倾卸,防止包装及容器损坏。禁止震动、撞击和摩擦。 (3)拥有齐全的危险化学品运输资质,必须配备押运人员,并随时处于押运人员的监管之下,不得超装、超载,不得进入危险化学品运输车辆禁止通行的区域;确需进入禁止通行区域的,应当事先向当地公安部门报告,运输时车速不宜过快,不得强行超车。运输车辆装卸前后,均应彻底清扫、洗净,严禁混入有机物、易燃物等杂质。
应急处置原则	【急救措施】 吸入:将病人移到空气新鲜处,休息。就医。 食入:漱口,饮1~2杯温水稀释化学品,就医。 眼睛接触:如果佩戴隐形眼镜的话,首先摘除隐形眼镜。立即用大量清水或者生理盐水冲洗15分钟,就医。 皮肤接触:立即脱去污染的衣着,用大量流动清水冲洗,至少15分钟。如有不适感,就医。 【灭火方法】 灭火剂:小火,首选用雾状水灭火。无水时,可用泡沫、干粉灭火。 大火时,远距离用大量水灭火。消防人员应佩戴防毒面具、穿全身消防服,在上风向灭火。在确保安全的前提下将容器移离火场。喷水保持火场容器冷却,直至灭火结束。切勿开动已处于火场中的货船或车辆。处在火场中的容器若已变色或从安全泄压装置中产生声音,必须马上撤离。 如果在火场中有储罐、槽车或罐车,周围至少隔离800米;同时初始疏散距离也至少为800米。 【泄漏应急处置】 迅速撤离泄漏污染区人员至安全区,并进行隔离,严格限制出入。消除所有点火源(泄漏区附近禁止吸烟、消除所有明火、火花或火焰)。建议应急处理人员戴自给正压式呼吸器,穿防毒服。尽可能切断泄漏源。防止流入下水道、排洪沟等限制性空间。小量泄漏:用惰性、湿润的不燃材料吸收,使用洁净的非火花工具收集,置于盖子较松的塑料容器中以待处理。大量泄漏:用水湿润,并筑堤收容。防止泄漏物进入水体、下水道、地下室或密闭空间。在专业人员指导下清除。 作为一项紧急预防措施,泄漏隔离距离至少为25米。如果为大量泄漏,下风向的初始疏散距离应至少为250米。

5 硝化纤维素

风险提示	干燥时极度易燃,急剧加热时可发生爆炸。
理化特性	白色或微黄色各种形态固体,如棉絮状、纤维状等。不溶于水,溶于酯、丙酮。典型分子量504.3,自燃温度160~170 ℃,相对密度(水=1)1.66。 主要用途:用于生产赛璐珞、摄影底片、照相底片、漆片、炸药等。
危害信息	【燃烧和爆炸危险性】 属爆炸品的硝化纤维素大量堆积或密闭容器中燃烧能转化为爆轰;干燥硝化棉因摩擦产生静电而自燃,也可在较低温度下自行缓慢分解放热而自燃。 【活性反应】 与氧化剂、大多数有机胺等接触会发生剧烈反应,有燃烧爆炸的危险。 【健康危害】 本身基本无害。使用商业产品时需关注溶剂的危害。
安全措施	【一般要求】 操作人员必须经过专门培训,严格遵守操作规程,熟练掌握操作技能,具备应急处置知识。 生产过程密闭,加强通风。使用防爆型的通风系统和设备,提供安全淋浴和洗眼设备。可能接触其粉尘时,建议佩戴自吸过滤式防尘口罩。戴化学安全防护眼镜,戴橡胶手套。工作业现场禁止吸烟、进食和饮水。 远离火种、热源。应与禁配物分开存放,切忌混储。 生产、储存区域应设置安全警示标志。禁止震动、撞击和摩擦。配备相应品种和数量的消防器材及泄漏应急处理设备。 生产过程中易引起燃烧爆炸的机械化作业应设置自动报警、自动停机、自动泄爆、自动雨淋等安全自控装置;自动化生产线的单机设备除有自动控制系统监控外,在现场还应设置应急控制操作装置。 生产过程中产生的不合格品和废品应隔离存放、及时处理;内包装材料应统一回收存放在远离热源的场所,并及时销毁。 【特殊要求】 【操作安全】 (1)穿防静电服,戴手套;空气中粉尘浓度较高时,操作人员佩戴自吸过滤式防尘口罩,戴化学安全防护眼镜。 (2)避免产生粉尘。避免与氧化剂、有机胺等接触。搬运时要轻装轻卸,防止包装及容器损坏。配备相应品种和数量的消防器材及泄漏应急处理设备。 (3)生产过程中需用热媒加热或加工过程中可能引起物料温升的作业点,均应设置温度检测仪器并采取温控措施。 【储存安全】 (1)储存于阴凉、通风、干燥的专用库房。远离火种、热源。库房温度不超过25 ℃,相对湿度不超过80%。 (2)应与氧化剂、有机胺等分开存放,切忌混储。存放时,应距加热器(包括暖气片)和热力管线300毫米以上。储存区应备有合适的材料收容泄漏物。禁止震动、撞击和摩擦。禁止使用易产生火花的机械设备和工具。

安全措施	【运输安全】 （1）运输车辆应有危险品运输标志、安装具有行驶记录功能的卫星定位装置。未经公安机关批准，运输车辆不得进入危险化学品运输车辆限制通行的区域。 （2）运输过程中应有遮盖物，防止曝晒和雨淋、猛烈撞击、包装破损，不得倒置。严禁与氧化剂、有机胺等同车混运。运输过程中要确保容器不泄漏、不倒塌、不坠落、不损坏。运输时运输车辆应配备相应品种和数量的消防器材。搬运时要轻装轻卸，防止包装及容器损坏。禁止震动、撞击和摩擦。 （3）拥有齐全的危险化学品运输资质，必须配备押运人员，并随时处于押运人员的监管之下，不得超装、超载，不得进入危险化学品运输车辆禁止通行的区域；确需进入禁止通行区域的，应当事先向当地公安部门报告，运输时车速不宜过快，不得强行超车。
应急处置原则	【急救措施】 吸入：将病人移到空气清新处，休息。就医。 食入：漱口，就医。 眼睛接触：用大量水冲洗数分钟，就医。 皮肤接触：脱去污染的衣物，用大量清水和肥皂清洗接触部分。 【灭火方法】 灭火剂：货物着火时，严禁灭火！因为可能爆炸。切勿开动已处于火场中的货船或车辆。 其他情况下，小火，用大量水灭火，无水时，可用二氧化碳、干粉、泡沫灭火。 大火时，远距离用大量水扑救。消防人员应戴好防毒面具，在上风向灭火。如果可能，并且无危险，可使用无人操作的灭火喷头或可监视喷头远距离灭火。禁止一切通行，清理方圆至少 800 米范围内的区域，任其自行燃烧。 如果在火场中有储罐、槽车或罐车，周围至少隔离 800 米；同时初始疏散距离也至少为 800 米。 【泄漏应急处置】 隔离泄漏污染区，限制出入。消除所有点火源（泄漏区附近禁止吸烟、消除所有明火、火花或火焰）。建议应急处理人员戴防尘口罩，穿消防防护服。作业时使用的所有设备应接地。禁止接触或跨越泄漏物。小量泄漏：用大量水冲洗泄漏区。大量泄漏：用水润湿，并筑堤收容。通过慢慢加入大量水保持泄漏物湿润。 作为一项紧急预防措施，泄漏隔离距离至少为 100 米。如果是大量泄漏，下风向的初始疏散距离应至少为 500 米。

6　硝酸胍

风险提示	加热至150℃ 时分解并爆炸。
理化特性	白色晶体粉末或颗粒。溶于水、乙醇,微溶于丙酮,不溶于苯、乙醚。分子量122.11,沸点212~217 ℃,低于沸点分解,相对密度(水=1)。 主要用途:用于制造炸药、消毒剂、照相化学品等。
危害信息	【燃烧和爆炸危险性】 受热、接触明火、或受到摩擦、震动、撞击时可发生爆炸。加热至150 ℃时分解并爆炸。 【活性反应】 强氧化剂,与硝基化合物和氯酸盐组成的混合物对震动和摩擦敏感并可能爆炸。 【健康危害】 对眼睛、皮肤、黏膜和呼吸道有刺激性。
安全措施	【一般要求】 操作人员必须经过专门培训,严格遵守操作规程,熟练掌握操作技能,具备应急处置知识。 生产过程密闭,加强通风。使用防爆型的通风系统和设备,提供安全淋浴和洗眼设备。可能接触其粉尘时,建议佩戴自吸过滤式防尘口罩。戴化学安全防护眼镜,戴橡胶手套。工作业现场禁止吸烟、进食和饮水。 远离火种、热源。应与禁配物分开存放,切忌混储。 生产、储存区域应设置安全警示标志。禁止震动、撞击和摩擦。配备相应品种和数量的消防器材及泄漏应急处理设备。 输送装置应有防止固体物料黏结器壁的技术保障措施,并应结合工艺特点和生产情况制定定期清扫的管理制度。严禁轴承设置在粉状危险物料中混药、输送等;输送螺旋和混药设备应有应急消防雨淋装置,输送螺旋和混药设备应选择有利于泄爆、清扫、应急处理的封闭方式。 采用湿法粉碎工艺时,应待物料全部浸湿后方可开机;当采用金属球和金属球磨筒方式进行粉碎时,宜用水或含水溶剂作为介质。粉碎混合加工过程中应设置自动导出静电的装置,出料时应将接料车和出料器用导线可靠连接并整体接地。 生产过程中易引起燃烧爆炸的机械化作业应设置自动报警、自动停机、自动泄爆、自动雨淋等安全自控装置;自动化生产线的单机设备除有自动控制系统监控外,在现场还应设置应急控制操作装置。 生产过程中产生的不合格品和废品应隔离存放、及时处理;内包装材料应统一回收存放在远离热源的场所,并及时销毁。 【特殊要求】 【操作安全】 (1)可能接触粉尘时,操作人员佩戴自吸过滤式防尘口罩,戴化学安全防护眼镜,穿防静电工作服,戴橡胶手套。 (2)避免产生粉尘。避免与硝基化合物、氯酸盐等接触。搬运时要轻装轻卸,防止包装及容器损坏。配备相应品种和数量的消防器材及泄漏应急处理设备。 (3)生产过程中需用热媒加热或加工过程中可能引起物料温升的作业点,均应设置温度检测仪器并采取温控措施。

安全措施	【储存安全】 (1)储存于阴凉、通风、干燥的专用库房。远离火种、热源。库房温度不超过 30 ℃,相对湿度不超过 80%。 (2)应与硝基化合物、氯酸盐等分开存放,切忌混储。存放时,应距加热器(包括暖气片)和热力管线 300 毫米以上。储存区应备有合适的材料收容泄漏物。禁止震动、撞击和摩擦。禁止使用易产生火花的机械设备和工具。 【运输安全】 (1)运输车辆应有危险品运输标志、安装具有行驶记录功能的卫星定位装置。未经公安机关批准,运输车辆不得进入危险化学品运输车辆限制通行的区域。 (2)运输过程中应有遮盖物,防止曝晒和雨淋、、猛烈撞击、包装破损,不得倒置。严禁与硝基化合物、氯酸盐等同车混运。运输过程中要确保容器不泄漏、不倒塌、不坠落、不损坏。运输时运输车辆应配备相应品种和数量的消防器材。搬运时要轻装轻卸,防止包装及容器损坏。禁止震动、撞击和摩擦。 (3)拥有齐全的危险化学品运输资质,必须配备押运人员,并随时处于押运人员的监管之下,不得超装、超载,不得进入危险化学品运输车辆禁止通行的区域;确需进入禁止通行区域的,应当事先向当地公安部门报告,运输时车速不宜过快,不得强行超车。运输车辆装卸前后,均应彻底清扫、洗净,严禁混入有机物、易燃物等杂质。
应急处置原则	【急救措施】 吸入:迅速脱离现场至空气新鲜处,休息。就医。 食入:饮足量温水,不要催吐。就医。 眼睛接触:立即提起眼睑,用流动清水或生理盐水冲洗。就医。 皮肤接触:立即用大量水冲洗,然后脱去污染的衣着,接着再冲洗,就医。 【灭火方法】 灭火剂:用水灭火。禁止使用沙土、干粉灭火。 大火时,远距离用大量水灭火。消防人员应佩戴防毒面具、穿全身消防服,在上风向灭火。在确保安全的前提下将容器移离火场。切勿开动已处于火场中的货船或车辆。筑堤收容消防废水。 如果在火场中有储罐、槽车或罐车,周围至少隔离 800 米;同时初始疏散距离也至少为 800 米。 【泄漏应急处置】 隔离泄漏污染区,限制出入。消除所有点火源(泄漏区附近禁止吸烟、消除所有明火、火花或火焰)。建议应急处理人员戴防尘面具(全面罩),穿防毒服。不要直接接触泄漏物。勿使泄漏物与有机物、还原剂、易燃物接触。防止泄漏物进入水体、下水道、地下室或密闭空间。小量泄漏:用大量水冲洗泄漏区。大量泄漏:在专业人员指导下清除。 作为一项紧急预防措施,泄漏隔离距离至少为 25 米。如果为大量泄漏,在初始隔离距离的基础上加大下风向的疏散距离。

7　高氯酸铵

风险提示	急剧加热时可发生爆炸。
理化特性	无色或白色晶体。溶于水、甲醇,不溶于乙醇、丙酮。分子量 117.49,熔点 130 ℃(分解),相对密度(水 =1)1.95。 主要用途:用于制造焰火、无烟炸药、摄影药剂、人工防雹火箭用药和氧化剂等。
危害信息	【燃烧和爆炸危险性】 急剧加热时可发生爆炸。130 ℃开始分解,380 ℃爆炸。 【活性反应】 强氧化剂,与还原剂、有机物、易燃物如硫、磷或金属粉末等混合可形成爆炸性混合物,遇明火、高热、摩擦、震动、撞击可能引起激烈燃烧或爆炸。 【健康危害】 对眼睛、皮肤、黏膜和呼吸道有刺激性。长期或反复接触,可致甲状腺激素水平降低。
安全措施	【一般要求】 操作人员必须经过专门培训,严格遵守操作规程,熟练掌握操作技能,具备应急处置知识。 生产过程密闭,加强通风。使用防爆型的通风系统和设备,提供安全淋浴和洗眼设备。可能接触其粉尘时,建议佩戴自吸过滤式防尘口罩。戴化学安全防护眼镜,戴橡胶手套。工作业现场禁止吸烟、进食和饮水。 远离火种、热源。应与禁配物分开存放,切忌混储。 生产、储存区域应设置安全警示标志。禁止震动、撞击和摩擦。配备相应品种和数量的消防器材及泄漏应急处理设备。 输送装置应有防止固体物料黏结器壁的技术保障措施,并应结合工艺特点和生产情况制定定期清扫的管理制度。严禁轴承设置在粉状危险物料中混药、输送等;输送螺旋和混药设备应有应急消防雨淋装置,输送螺旋和混药设备应选择有利于泄爆、清扫、应急处理的封闭方式。 采用湿法粉碎工艺时,应待物料全部浸湿后方可开机;当采用金属球和金属球磨筒方式进行粉碎时,宜用水或含水溶剂作为介质。粉碎混合加工过程中应设置自动导出静电的装置,出料时应将接料车和出料器用导线可靠连接并整体接地。 生产过程中易引起燃烧爆炸的机械化作业应设置自动报警、自动停机、自动泄爆、自动雨淋等安全自控装置;自动化生产线的单机设备除有自动控制系统监控外,在现场还应设置应急控制操作装置。 生产过程中产生的不合格品和废品应隔离存放、及时处理;内包装材料应统一回收存放在远离热源的场所,并及时销毁。 【特殊要求】 【操作安全】 (1)可能接触粉尘时,操作人员佩戴自吸过滤式防尘口罩,戴化学安全防护眼镜,穿防静电工作服,戴橡胶手套。 (2)避免产生粉尘。避免与还原剂、有机物、易(可)燃物接触。搬运时要轻装轻卸,防止包装及容器损坏。配备相应品种和数量的消防器材及泄漏应急处理设备。 (3)生产过程中需用热媒加热或加工过程中可能引起物料温升的作业点,均应设置温度检测仪器并采取温控措施。

安全措施	【储存安全】 (1)储存于阴凉、通风、干燥的库房。远离火种、热源。工业高氯酸铵保质期为5年;逾期可重新检验,检验结果符合要求时,方可继续使用。库房温度不超过30 ℃,相对湿度不超过80%。 (2)应与还原剂、有机物、易(可)燃物分开存放,切忌混储。存放时,应距加热器(包括暖气片)和热力管线300毫米以上。储存区应备有合适的材料收容泄漏物。禁止震动、撞击和摩擦。禁止使用易产生火花的机械设备和工具。 【运输安全】 (1)运输车辆应有危险品运输标志、安装具有行驶记录功能的卫星定位装置。未经公安机关批准,运输车辆不得进入危险化学品运输车辆限制通行的区域。 (2)运输过程中应有遮盖物,防止曝晒和雨淋、猛烈撞击、包装破损,不得倒置。严禁与还原剂、有机物、易(可)燃物等同车混运。运输过程中要确保容器不泄漏、不倒塌、不坠落、不损坏。运输时运输车辆应配备相应品种和数量的消防器材。搬运时要轻装轻卸,防止包装及容器损坏。禁止震动、撞击和摩擦。 (3)拥有齐全的危险化学品运输资质,必须配备押运人员,并随时处于押运人员的监管之下,不得超装、超载,不得进入危险化学品运输车辆禁止通行的区域;确需进入禁止通行区域的,应当事先向当地公安部门报告,运输时车速不宜过快,不得强行超车。运输车辆装卸前后,均应彻底清扫、洗净,严禁混入有机物、易燃物等杂质。
应急处置原则	【急救措施】 吸入:迅速脱离现场至空气新鲜处。保持呼吸道通畅。如呼吸困难,给输氧。如呼吸停止,立即进行心肺复苏术。就医。 食入:漱口,给饮牛奶或蛋清,不要催吐。就医。 眼睛接触:立即提起眼睑,用流动清水或生理盐水冲洗。就医。 皮肤接触:立即脱去污染的衣着,用肥皂和清水彻底冲洗皮肤。 【灭火方法】 灭火剂:本品不燃。根据着火原因选择适当灭火剂灭火。 如果高氯酸铵处于火场中,严禁灭火!因为可能爆炸。禁止一切通行,清理方圆至少1 600米范围内的区域,任其自行燃烧。切勿开动已处于火场中的货船或车辆。 如果在火场中有储罐、槽车或罐车,周围至少隔离1 600米;同时初始疏散距离也至少为1 600米。 【泄漏应急处置】 隔离泄漏污染区,限制出入。消除所有点火源(泄漏区附近禁止吸烟、消除所有明火、火花或火焰)。建议应急处理人员戴防尘面具(全面罩),穿防毒服。不要直接接触泄漏物。作业时所有设备应接地。避免震动、撞击和摩擦。泄漏源附近100米内禁止开启电雷管和无线电发送设备。用水润湿泄漏物。严禁清扫干的泄漏物。在专业人员指导下清除。 作为一项紧急预防措施,泄漏隔离距离至少为500米。如果为大量泄漏,下风向的初始疏散距离应至少为800米。

8 过氧化苯甲酸叔丁酯

风险提示	急剧加热或震动会发生爆炸。
理化特性	无色至微黄色液体,略有芳香味。不溶于水,溶于多数有机溶剂。分子量 194.27,熔点 8 ℃,沸点 112 ℃(分解),相对密度(水 =1)1.02,闪点 93 ℃,蒸气压 0.044 kPa(50 ℃)。 主要用途:用作化学中间体,聚合引发剂。
危害信息	【燃烧和爆炸危险性】 遇明火、高热、摩擦、震动、撞击可能引起激烈燃烧或爆炸。加热至 115 ℃以上有爆炸危险。 【活性反应】 强氧化剂,与还原剂、促进剂、有机物、易燃物、酸类或胺类等接触会发生剧烈反应,有燃烧爆炸的危险。 【健康危害】 对眼睛、皮肤、黏膜和呼吸道有刺激性。
安全措施	【一般要求】 操作人员必须经过专门培训,严格遵守操作规程,熟练掌握操作技能,具备应急处置知识。 生产过程密闭,加强通风。使用防爆型的通风系统和设备,提供安全淋浴和洗眼设备。穿防静电工作服,戴化学安全防护眼镜、橡胶防护手套。空气中浓度超标时,佩戴防毒面具。作业现场禁止吸烟、进食和饮水。 远离火种、热源。应与禁配物分开存放,切忌混储。 生产、储存区域应设置安全警示标志。禁止震动、撞击和摩擦。配备相应品种和数量的消防器材及泄漏应急处理设备。 生产过程中易引起燃烧爆炸的机械化作业应设置自动报警、自动停机、自动泄爆、自动雨淋等安全自控装置;自动化生产线的单机设备除有自动控制系统监控外,在现场还应设置应急控制操作装置。 生产过程中产生的不合格品和废品应隔离存放、及时处理;内包装材料应统一回收存放在远离热源的场所,并及时销毁。 【特殊要求】 【操作安全】 (1)装置内配备防毒面具等防护用品,操作人员在操作、取样、检维修时宜佩戴防毒面具。 (2)避免与还原剂、促进剂、有机物、酸类、胺类、易(可)燃物接触。搬运时要轻装轻卸,防止包装及容器损坏。配备相应品种和数量的消防器材及泄漏应急处理设备。 (3)不得与促进剂直接接触。如必须使用促进剂,可先加入促进剂,搅拌均匀后再慢慢地,逐渐加入本品,避免引发剂堆积或局部过热。 (4)生产过程中需用热媒加热或加工过程中可能引起物料温升的作业点,均应设置温度检测仪器并采取温控措施。

安全措施	【储存安全】 (1)储存于阴凉、通风的库房。远离火种、热源,避免阳光直射。库房温度不超过 30 ℃,相对湿度不超过 80%。 (2)应与还原剂、促进剂、有机物、酸类、胺类、易(可)燃物分开存放,切忌混储。储存区应备有合适的材料收容泄漏物。禁止震动、撞击和摩擦。禁止使用易产生火花的机械设备和工具。 【运输安全】 (1)运输车辆应有危险品运输标志、安装具有行驶记录功能的卫星定位装置。未经公安机关批准,运输车辆不得进入危险化学品运输车辆限制通行的区域。 (2)运输过程中应有遮盖物,防止曝晒和雨淋、猛烈撞击、包装破损,不得倒置。严禁与还原剂、促进剂、有机物、酸类、胺类、易(可)燃物等同车混运,尤其是促进剂。运输过程中要确保容器不泄漏、不倒塌、不坠落、不损坏。运输时运输车辆应配备相应品种和数量的消防器材。搬运时要轻装倾卸,防止包装及容器损坏。禁止震动、撞击和摩擦。 (3)拥有齐全的危险化学品运输资质,必须配备押运人员,并随时处于押运人员的监管之下,不得超装、超载,不得进入危险化学品运输车辆禁止通行的区域;确需进入禁止通行区域的,应当事先向当地公安部门报告,运输时车速不宜过快,不得强行超车。运输车辆装卸前后,均应彻底清扫、洗净,严禁混入有机物、易燃物等杂质。
应急处置原则	【急救措施】 吸入:迅速脱离现场至空气新鲜处。保持呼吸道通畅。如呼吸困难,给输氧。如呼吸停止,立即进行心肺复苏术。就医。 食入:用水漱口,不要催吐,就医。 眼睛接触:立即提起眼睑,用流动清水或生理盐水冲洗。就医。 皮肤接触:立即脱去污染的衣着,用肥皂和清水彻底冲洗皮肤。 【灭火方法】 灭火剂:小火,首选用雾状水灭火。无水时,可用泡沫、干粉灭火。 大火时,远距离用大量水灭火。消防人员应佩戴防毒面具、穿全身消防服,在上风向灭火。在确保安全的前提下将容器移离火场。喷水保持火场容器冷却,直至灭火结束。切勿开动已处于火场中的货船或车辆。处在火场中的容器若已变色或从安全泄压装置中产生声音,必须马上撤离。 如果在火场中有储罐、槽车或罐车,周围至少隔离 800 米;同时初始疏散距离也至少为 800 米。 【泄漏应急处置】 根据液体流动和蒸气扩散的影响区域划定警戒区,无关人员从侧风、上风向撤离至安全区。消除所有点火源(泄漏区附近禁止吸烟、消除所有明火、火花或火焰)。建议应急处理人员戴正压自给式呼吸器,穿防静电、防腐、防毒服。勿使泄漏物与可燃物质(如木材、纸、油等)接触。穿上适当的防护服前严禁接触破裂的容器和泄漏物。尽可能切断泄漏源。防止泄漏物进入水体、下水道、地下室或密闭性空间。小量泄漏:用惰性、湿润的不燃材料吸收泄漏物,用洁净的无火花工具收集于一盖子较松的塑料容器中。大量泄漏:用水湿润,并筑堤收容。防止泄漏物进入水体、下水道、地下室或密闭空间。在专业人员指导下清除。 作为一项紧急预防措施,泄漏隔离距离至少为 50 米。如果为大量泄漏,下风向的初始疏散距离应至少为 250 米。

9 N,N′-二亚硝基五亚甲基四胺

风险提示	高度易燃,与胺、亚胺混合或急剧加热会发生爆炸。
理化特性	浅黄色粉末。微溶于水、乙醇、氯仿,不溶于乙醚,溶于丙酮。分子量 186.21,熔点 207 ℃(分解),相对密度(水=1)1.4~1.45。 主要用途:用于橡胶、聚氯乙烯等塑料发生微空孔,制造微孔塑料。
危害信息	【燃烧和爆炸危险性】 高度易燃,遇明火、高温能引起分解爆炸和燃烧。 【活性反应】 与胺、亚胺接触会发生剧烈反应,有燃烧爆炸的危险。与碱、酸或酸雾、氯化锌接触将迅速起火燃烧。与氧化剂混合能形成爆炸性混合物。 【健康危害】 吞咽有害。
安全措施	【一般要求】 操作人员必须经过专门培训,严格遵守操作规程,熟练掌握操作技能,具备应急处置知识。 生产过程密闭,加强通风。使用防爆型的通风系统和设备,提供安全淋浴和洗眼设备。可能接触其粉尘时,建议佩戴自吸过滤式防尘口罩。戴化学安全防护眼镜,戴橡胶手套。工作业现场禁止吸烟、进食和饮水。 远离火种、热源。应与禁配物分开存放,切忌混储。 生产、储存区域应设置安全警示标志。禁止震动、撞击和摩擦。配备相应品种和数量的消防器材及泄漏应急处理设备。 采用湿法粉碎工艺时,应待物料全部浸湿后方可开机;当采用金属球和金属球磨筒方式进行粉碎时,宜用水或含水溶剂作为介质。粉碎混合加工过程中应设置自动导出静电的装置,出料时应将接料车和出料器用导线可靠连接并整体接地。 生产过程中易引起燃烧爆炸的机械化作业应设置自动报警、自动停机、自动泄爆、自动雨淋等安全自控装置;自动化生产线的单机设备除有自动控制系统监控外,在现场还应设置应急控制操作装置。 生产过程中产生的不合格品和废品应隔离存放、及时处理;内包装材料应统一回收存放在远离热源的场所,并及时销毁。 【特殊要求】 【操作安全】 (1)可能接触粉尘时,操作人员佩戴自吸过滤式防尘口罩,戴化学安全防护眼镜,穿防静电工作服,戴橡胶手套。 (2)避免产生粉尘。避免与氧化剂、胺、亚胺、酸碱、氯化锌等接触。搬运时要轻装轻卸,防止包装及容器损坏。配备相应品种和数量的消防器材及泄漏应急处理设备。 (3)生产过程中需用热媒加热或加工过程中可能引起物料温升的作业点,均应设置温度检测仪器并采取温控措施。 【储存安全】 (1)储存于阴凉、通风的库房。远离火种、热源。库房温度不超过 35 ℃。 (2)应与氧化剂、胺、亚胺、酸碱、氯化锌等分开存放,切忌混储。存放时,应距加热器(包括暖气片)和热力管线 300 毫米以上。储存区应备有合适的材料收容泄漏物。禁止震动、撞击和摩擦。禁止使用易产生火花的机械设备和工具。

安全措施	【运输安全】 (1)运输车辆应有危险品运输标志、安装具有行驶记录功能的卫星定位装置。未经公安机关批准,运输车辆不得进入危险化学品运输车辆限制通行的区域。 (2)运输过程中应有遮盖物,防止曝晒和雨淋、猛烈撞击、包装破损,不得倒置。严禁与氧化剂、胺、亚胺、酸碱、氯化锌物品等同车混运。运输过程中要确保容器不泄漏、不倒塌、不坠落、不损坏。运输时运输车辆应配备相应品种和数量的消防器材。搬运时要轻装轻卸,防止包装及容器损坏。禁止震动、撞击和摩擦。 (3)拥有齐全的危险化学品运输资质,必须配备押运人员,并随时处于押运人员的监管之下,不得超装、超载,不得进入危险化学品运输车辆禁止通行的区域;确需进入禁止通行区域的,应当事先向当地公安部门报告,运输时车速不宜过快,不得强行超车。
应急处置原则	【急救措施】 吸入:迅速脱离现场至空气新鲜处。保持呼吸道通畅。如呼吸困难,给输氧。如呼吸停止,立即进行心肺复苏术。就医。 食入:给饮牛奶或蛋清,不要催吐。就医。 眼睛接触:立即提起眼睑,用流动清水或生理盐水冲洗至少 15 分钟。就医。 皮肤接触:立即脱去污染的衣着,用肥皂和清水彻底冲洗皮肤。 【灭火方法】 灭火剂:小火,用水、泡沫、二氧化碳、干粉灭火。 大火时,用大量水灭火。从远处或使用遥控水枪、水炮灭火。消防人员应佩戴空气呼吸器、穿全身防火防毒服。在确保安全的前提下将容器移离火场。用大量水冷却容器,直至火扑灭。如果安全阀发出声响或储罐变色,立即撤离。 如果在火场中有储罐、槽车或罐车,周围至少隔离 800 米;同时初始疏散距离也至少为 800 米。 【泄漏应急处置】 隔离泄漏污染区,限制出入。消除所有点火源(泄漏区附近禁止吸烟、消除所有明火、火花或火焰)。建议应急处理人员戴防尘面具(全面罩),穿防毒服。不要直接接触泄漏物。避免震动、撞击和摩擦。小量泄漏:用惰性、湿润的不燃材料吸收,使用无火花工具收集于干燥、洁净、有盖的容器中。防止泄漏物进入水体、下水道、地下室或密闭空间。 作为一项紧急预防措施,泄漏隔离距离至少为 25 米。如果为大量泄漏,下风向的初始疏散距离应至少为 250 米。

10　硝基胍

风险提示	遇明火、高热、摩擦、震动、撞击可能引起激烈燃烧或爆炸。
理化特性	白色针状晶体。微溶于水、乙醇、甲醇，溶于热水、碱液，不溶于醚。分子量 104.07，熔点 239 ℃（分解），相对密度（水＝1）1.71。 主要用途：是硝化纤维火药、硝化甘油火药以及二甘醇二硝酸酯的掺合剂、固体火箭推进剂的重要组分。
危害信息	【燃烧和爆炸危险性】 遇明火、高热、摩擦、震动、撞击可能引起激烈燃烧或爆炸。（干的或含水<20% 为爆炸品，受热 150 ℃分解爆炸；含水>20% 为易燃固体，为脱敏爆炸品，受热 275 ℃发生强烈爆炸） 【活性反应】 与氧化剂等接触会发生剧烈反应，有燃烧爆炸的危险。 【健康危害】 对眼睛、皮肤、黏膜和呼吸道有刺激性。
安全措施	【一般要求】 操作人员必须经过专门培训，严格遵守操作规程，熟练掌握操作技能，具备应急处置知识。 生产过程密闭，加强通风。使用防爆型的通风系统和设备，提供安全淋浴和洗眼设备。可能接触其粉尘时，建议佩戴自吸过滤式防尘口罩。戴化学安全防护眼镜，戴橡胶手套。工作业现场禁止吸烟、进食和饮水。 远离火种、热源。应与禁配物分开存放，切忌混储。 生产、储存区域应设置安全警示标志。禁止震动、撞击和摩擦。配备相应品种和数量的消防器材及泄漏应急处理设备。 输送装置应有防止固体物料黏结器壁的技术保障措施，并应结合工艺特点和生产情况制定定期清扫的管理制度。严禁轴承设置在粉状危险物料中混药、输送等；输送螺旋和混药设备应有应急消防雨淋装置，输送螺旋和混药设备应选择有利于泄爆、清扫、应急处理的封闭方式。 采用湿法粉碎工艺时，应待物料全部浸湿后方可开机；当采用金属球和金属球磨筒方式进行粉碎时，宜用水或含水溶剂作为介质。粉碎混合加工过程中应设置自动导出静电的装置，出料时应将接料车和出料器用导线可靠连接并整体接地。 生产过程中易引起燃烧爆炸的机械化作业应设置自动报警、自动停机、自动泄爆、自动雨淋等安全自控装置；自动化生产线的单机设备除有自动控制系统监控外，在现场还应设置应急控制操作装置。 生产过程中产生的不合格品和废品应隔离存放、及时处理；内包装材料应统一回收存放在远离热源的场所，并及时销毁。 【特殊要求】 【操作安全】 （1）可能接触粉尘时，操作人员佩戴自吸过滤式防尘口罩，戴化学安全防护眼镜，穿防静电工作服，戴橡胶手套。 （2）避免产生粉尘。避免与氧化剂、强还原剂、强碱等接触。搬运时要轻装轻卸，防止包装及容器损坏。配备相应品种和数量的消防器材及泄漏应急处理设备。 （3）生产过程中需用热媒加热或加工过程中可能引起物料温升的作业点，均应设置温度检测仪器并采取温控措施。

安全措施	【储存安全】 (1)为安全起见,储存时可加不少于15%的水作稳定剂。储存于阴凉、通风的爆炸品专用库房。远离火种、热源。库房温度不超过30℃,相对湿度小于80%。 (2)应与氧化剂、还原剂、强碱分开存放,切忌混储。存放时,应距加热器(包括暖气片)和热力管线300毫米以上。储存区应备有合适的材料收容泄漏物。禁止震动、撞击和摩擦。禁止使用易产生火花的机械设备和工具。 【运输安全】 (1)运输车辆应有危险品运输标志、安装具有行驶记录功能的卫星定位装置。未经公安机关批准,运输车辆不得进入危险化学品运输车辆限制通行的区域。 (2)运输过程中应有遮盖物,防止曝晒和雨淋、猛烈撞击、包装破损,不得倒置。严禁与氧化剂、还原剂、强碱等同车混运。运输过程中要确保容器不泄漏、不倒塌、不坠落、不损坏。运输时运输车辆应配备相应品种和数量的消防器材。搬运时要轻装轻卸,防止包装及容器损坏。禁止震动、撞击和摩擦。 (3)拥有齐全的危险化学品运输资质,必须配备押运人员,并随时处于押运人员的监管之下,不得超装、超载,不得进入危险化学品运输车辆禁止通行的区域;确需进入禁止通行区域的,应当事先向当地公安部门报告,运输时车速不宜过快,不得强行超车。运输车辆装卸前后,均应彻底清扫、洗净,严禁混入有机物、易燃物等杂质。
应急处置原则	【急救措施】 吸入:迅速脱离现场至空气新鲜处。保持呼吸道通畅。如呼吸困难,给输氧。如呼吸停止,立即进行心肺复苏术。就医。 食入:用水漱口。就医。 眼睛接触:立即提起眼睑,用大量流动清水或生理盐水彻底冲洗至少15分钟。就医。 皮肤接触:立即脱去污染的衣着,用肥皂和清水彻底冲洗皮肤。就医。 【灭火方法】 灭火剂:用水灭火。 如果硝基胍处于火场中,严禁灭火!因为可能爆炸。禁止一切通行,清理方圆至少1 600米范围内的区域,任其自行燃烧。切勿开动已处于火场中的货船或车辆。 如果在火场中有储罐、槽车或罐车,周围至少隔离1 600米;同时初始疏散距离也至少为1 600米。 【泄漏应急处置】 隔离泄漏污染区,限制出入。消除所有点火源(泄漏区附近禁止吸烟、消除所有明火、火花或火焰)。建议应急处理人员戴防尘面具(全面罩),穿防毒服。不要直接接触泄漏物。作业时所有设备应接地。避免震动、撞击和摩擦。泄漏源附近100米内禁止开启电雷管和无线电发送设备。用水润湿泄漏物。严禁清扫干的泄漏物。在专业人员指导下清除。 作为一项紧急预防措施,泄漏隔离距离至少为500米。如果为大量泄漏,下风向的初始疏散距离应至少为800米。

11 2,2′-偶氮二异丁腈

风险提示	遇明火、高热、摩擦、震动、撞击可能引起激烈燃烧或爆炸。受热时性质不稳定,逐渐分解甚至能引起爆炸。
理化特性	白色晶体或粉末。不溶于水,溶于乙醇、乙醚、甲苯等。分子量164.24,熔点105 ℃(分解),相对密度(水=1)1.1。 主要用途:作为橡胶、塑料等发泡剂,也用于其他有机合成。
危害信息	【燃烧和爆炸危险性】 遇明火、高热、摩擦、震动、撞击可能引起激烈燃烧或爆炸。受热时性质不稳定,40 ℃逐渐分解,至103~104 ℃时激烈分解,释放出大量热和有毒气体,能引起爆炸。溶解在有机溶剂时,有燃烧爆炸危险。易累积静电。 【活性反应】 与醇类、酸类、氧化剂、丙酮、醛类和烃类混合,有燃烧爆炸危险。 【健康危害】 大量接触可出现头痛、头胀、易疲劳、流涎和呼吸困难等症状。对本品作发泡剂的泡沫塑料加热或切割时产生的挥发性物质可刺激咽喉,口中有苦味,并可致呕吐和腹痛。本品分解能产生剧毒的甲基琥珀腈。长期接触可引起神经衰弱综合征,呼吸道刺激症状以及肝、肾损害。
安全措施	【一般要求】 操作人员必须经过专门培训,严格遵守操作规程,熟练掌握操作技能,具备应急处置知识。 生产过程密闭,加强通风。使用防爆型的通风系统和设备,提供安全淋浴和洗眼设备。建议佩戴自吸过滤式防尘口罩,戴化学安全防护眼镜,戴橡胶手套。工作业现场禁止吸烟、进食和饮水。 远离火种、热源。应与禁配物分开存放,切忌混储。 生产、储存区域应设置安全警示标志。禁止震动、撞击和摩擦。配备相应品种和数量的消防器材及泄漏应急处理设备。 采用湿法粉碎工艺时,应待物料全部浸湿后方可开机;当采用金属球和金属球磨筒方式进行粉碎时,宜用水或含水溶剂作为介质。粉碎混合加工过程中应设置自动导出静电的装置,出料时应将接料车和出料器用导线可靠连接并整体接地。 生产过程中易引起燃烧爆炸的机械化作业应设置自动报警、自动停机、自动泄爆、自动雨淋等安全自控装置;自动化生产线的单机设备除有自动控制系统监控外,在现场还应设置应急控制操作装置。 生产过程中产生的不合格品和废品应隔离存放、及时处理;内包装材料应统一回收存放在远离热源的场所,并及时销毁。 【特殊要求】 【操作安全】 (1)操作人员佩戴自吸过滤式防尘口罩,戴化学安全防护眼镜,穿防静电工作服,戴橡胶手套。 (2)避免产生粉尘。避免与醇类、酸类、氧化剂、丙酮、醛类和烃类等接触。搬运时要轻装轻卸,防止包装及容器损坏。配备相应品种和数量的消防器材及泄漏应急处理设备。 (3)生产过程中需用热媒加热或加工过程中可能引起物料温升的作业点,均应设置温度检测仪器并采取温控措施。

安全措施	【储存安全】 (1)储存于阴凉、通风的库房。远离火种、热源。库房温度不超过 35 ℃。 (2)应与醇类、氧化剂、丙酮、醛类和烃类等分开存放,切忌混储。存放时,应距加热器(包括暖气片)和热力管线 300 毫米以上。储存区应备有合适的材料收容泄漏物。禁止震动、撞击和摩擦。禁止使用易产生火花的机械设备和工具。 【运输安全】 (1)运输车辆应有危险品运输标志、安装具有行驶记录功能的卫星定位装置。未经公安机关批准,运输车辆不得进入危险化学品运输车辆限制通行的区域。 (2)运输过程中应有遮盖物,防止曝晒和雨淋、猛烈撞击、包装破损,不得倒置。严禁与醇类、酸类、氧化剂、丙酮、醛类和烃类等同车混运。运输过程中要确保容器不泄漏、不倒塌、不坠落、不损坏。运输时运输车辆应配备相应品种和数量的消防器材。搬运时要轻装轻卸,防止包装及容器损坏。禁止震动、撞击和摩擦。 (3)拥有齐全的危险化学品运输资质,必须配备押运人员,并随时处于押运人员的监管之下,不得超装、超载,不得进入危险化学品运输车辆禁止通行的区域;确需进入禁止通行区域的,应当事先向当地公安部门报告,运输时车速不宜过快,不得强行超车。
应急处置原则	【急救措施】 吸入:迅速脱离现场至空气新鲜处。保持呼吸道通畅。如呼吸困难,给输氧。呼吸、心跳停止,立即进行人工呼吸(勿用口对口)和胸外心脏按压术。如出现中毒症状给予吸氧和吸入亚硝酸异戊酯,将亚硝酸异戊酯的安瓿放在手帕里或单衣内打碎放在面罩内使伤员吸入 15 秒,然后移去 15 秒,重复 5 ~6 次。口服 4 - D 米 AP(4 - 二甲基氨基苯酚)1 片(180 毫克)和 PAPP(氨基苯丙酮)1 片(90 毫克)。 食入:如伤者神志清醒,催吐,洗胃。如果出现中毒症状,处理同吸入。 眼睛接触:立即提起眼睑,用流动清水或生理盐水冲洗。如有不适感,就医。 皮肤接触:立即脱去污染的衣着,用流动清水或 5% 硫代硫酸钠溶液彻底冲洗。如果出现中毒症状,处理同吸入。 【灭火方法】 灭火剂:小火,用水、泡沫、二氧化碳、干粉灭火。 大火时,用大量水扑救。从远处或使用遥控水枪、水炮灭火。消防人员应佩戴空气呼吸器、穿全身防火防毒服。在确保安全的前提下将容器移离火场。用大量水冷却容器,直至火扑灭。 如果在火场中有储罐、槽车或罐车,周围至少隔离 800 米;同时初始疏散距离也至少为 800 米。 【泄漏应急处置】 隔离泄漏污染区,限制出入。消除所有点火源(泄漏区附近禁止吸烟、消除所有明火、火花或火焰)。建议应急处理人员戴防尘面具(全面罩),穿防毒服。不要直接接触泄漏物。避免震动、撞击和摩擦。小量泄漏:用惰性、湿润的不燃材料吸收,使用无火花工具收集于干燥、洁净、有盖的容器中。防止泄漏物进入水体、下水道、地下室或密闭空间。 作为一项紧急预防措施,泄漏隔离距离至少为 25 米。如果为大量泄漏,下风向的初始疏散距离应至少为 250 米。

12 2,2′-偶氮-二-(2,4-二甲基戊腈)(即偶氮二异庚腈)

风险提示	易燃,急剧加热或震动会发生激烈燃烧或爆炸。
理化特性	白色晶体。不溶于水,溶于甲醇、甲苯和丙酮等有机溶剂。分子量 248.42,有顺式和反式两种异构体,熔点分别为 55.5~57 ℃和 74~76 ℃,相对密度(水=1)0.99,在甲苯中温度为 64 ℃和 51 ℃时分解半衰期分别约为 1 小时和 10 小时,活化能 122 kJ/mol。 主要用途:用于本体聚合、悬浮聚合与溶液聚合。
危害信息	【燃烧和爆炸危险性】 易燃,遇明火、高热、摩擦、震动、撞击可能引起激烈燃烧或爆炸。 【活性反应】 与醇类、酸类、氧化剂、丙酮、醛类和烃类混合,有燃烧爆炸危险。 【健康危害】 皮肤接触、吸入和吞咽有害。
安全措施	【一般要求】 操作人员必须经过专门培训,严格遵守操作规程,熟练掌握操作技能,具备应急处置知识。 生产过程密闭,加强通风。使用防爆型的通风系统和设备,提供安全淋浴和洗眼设备。可能接触其粉尘时,建议佩戴自吸过滤式防尘口罩,戴化学安全防护眼镜,戴橡胶手套。工作业现场禁止吸烟、进食和饮水。 远离火种、热源。应与禁配物分开存放,切忌混储。 生产、储存区域应设置安全警示标志。禁止震动、撞击和摩擦。配备相应品种和数量的消防器材及泄漏应急处理设备。 采用湿法粉碎工艺时,应待物料全部浸湿后方可开机;当采用金属球和金属球磨筒方式进行粉碎时,宜用水或含水溶剂作为介质。粉碎混合加工过程中应设置自动导出静电的装置,出料时应将接料车和出料器用导线可靠连接并整体接地。 生产过程中易引起燃烧爆炸的机械化作业应设置自动报警、自动停机、自动泄爆、自动雨淋等安全自控装置;自动化生产线的单机设备除有自动控制系统监控外,在现场还应设置应急控制操作装置。 生产过程中产生的不合格品和废品应隔离存放、及时处理;内包装材料应统一回收存放在远离热源的场所,并及时销毁。 【特殊要求】 【操作安全】 (1)可能接触其粉尘时,操作人员佩戴自吸过滤式防尘口罩,戴化学安全防护眼镜,穿防静电工作服,戴橡胶手套。 (2)避免产生粉尘。避免与醇类、酸类、氧化剂、丙酮、醛类和烃类等接触。搬运时要轻装轻卸,防止包装及容器损坏。配备相应品种和数量的消防器材及泄漏应急处理设备。 (3)生产过程中需用热媒加热或加工工程中可能引起物料温升的作业点,均应设置温度检测仪器并采取温控措施。 【储存安全】 (1)储存于阴凉、通风的库房。远离火种、热源。库房温度不超过 10 ℃。 (2)应与醇类、氧化剂、丙酮、醛类和烃类等分开存放,切忌混储。存放时,应距加热器(包括暖气片)和热力管线 300 毫米以上。储存区应备有合适的材料收容泄漏物。禁止震动、撞击和摩擦。禁止使用易产生火花的机械设备和工具。

安全措施	【运输安全】 (1)运输车辆应有危险品运输标志、安装具有行驶记录功能的卫星定位装置。未经公安机关批准,运输车辆不得进入危险化学品运输车辆限制通行的区域。 (2)低温运输。运输过程中应有遮盖物,防止曝晒和雨淋、猛烈撞击、包装破损,不得倒置。严禁与醇类、酸类、氧化剂、丙酮、醛类和烃类等同车混运。运输过程中要确保容器不泄漏、不倒塌、不坠落、不损坏。运输时运输车辆应配备相应品种和数量的消防器材。搬运时要轻装轻卸,防止包装及容器损坏。禁止震动、撞击和摩擦。 (3)拥有齐全的危险化学品运输资质,必须配备押运人员,并随时处于押运人员的监管之下,不得超装、超载,不得进入危险化学品运输车辆禁止通行的区域;确需进入禁止通行区域的,应当事先向当地公安部门报告,运输时车速不宜过快,不得强行超车。
应急处置原则	【急救措施】 吸入:迅速脱离现场至空气新鲜处。保持呼吸道通畅。如呼吸困难,给输氧。呼吸、心跳停止,立即进行人工呼吸(勿用口对口)和胸外心脏按压术。如出现中毒症状给予吸氧和吸入亚硝酸异戊酯,将亚硝酸异戊酯的安瓿放在手帕里或单衣内打碎放在面罩内使伤员吸入15秒,然后移去15秒,重复5~6次。口服4-D米AP(4-二甲基氨基苯酚)1片(180毫克)和PAPP(氨基苯丙酮)1片(90毫克)。 食入:如伤者神志清醒,催吐,洗胃。如果出现中毒症状,处理同吸入。 眼睛接触:立即提起眼睑,用流动清水或生理盐水冲洗。如有不适感,就医。 皮肤接触:立即脱去污染的衣着,用流动清水或5%硫代硫酸钠溶液彻底冲洗。如果出现中毒症状,处理同吸入。 【灭火方法】 灭火剂:小火,用水、泡沫、二氧化碳、干粉灭火。 大火时,远距离用大量水灭火。从远处或使用遥控水枪、水炮灭火。消防人员应佩戴空气呼吸器、穿全身防火防毒服。在确保安全的前提下将容器移离火场。用大量水冷却容器,直至火扑灭。如果安全阀发出声响或储罐变色,立即撤离。 如果在火场中有储罐、槽车或罐车,周围至少隔离800米;同时初始疏散距离也至少为800米。 【泄漏应急处置】 隔离泄漏污染区,限制出入。消除所有点火源(泄漏区附近禁止吸烟、消除所有明火、火花或火焰)。建议应急处理人员戴防尘面具(全面罩),穿防毒服。不要直接接触泄漏物。避免震动、撞击和摩擦。小量泄漏:用惰性、湿润的不燃材料吸收,使用无火花工具收集于干燥、洁净、有盖的容器中。防止泄漏物进入水体、下水道、地下室或密闭空间。在专业人员指导下清除。 作为一项紧急预防措施,泄漏隔离距离至少为25米。如果为大量泄漏,下风向的初始疏散距离应至少为250米。

13　硝化甘油

风险提示	受撞击、摩擦,或遇点火源及易爆炸;有毒。
理化特性	白色或淡黄色黏稠液体,低温易冻结。微溶于水,与乙醇、乙醚、苯等混溶。分子量227.11,熔点13 ℃,沸点218 ℃(爆炸),相对密度(水=1)1.6,相对蒸气密度(空气=1)7.8,燃烧热1 540 kJ/mol,饱和蒸气压0.03 Pa(20 ℃)。 主要用途:制造军事和商业用炸药。
危害信息	【燃烧和爆炸危险性】 遇明火、高热、摩擦、震动、撞击可能引起激烈燃烧或爆炸。50~60 ℃开始分解,大于145 ℃剧烈分解,在215~218 ℃爆炸。强烈紫外线照射,使其至100 ℃时产生爆炸。 【活性反应】 与路易氏酸、臭氧等接触会发生剧烈反应,有燃烧爆炸的危险。 【健康危害】 少量吸收即可引起剧烈的搏动性头痛,常有恶心、心悸,有时有呕吐和腹痛,面部发热、潮红;较大量产生低血压、抑郁、精神错乱,偶见谵妄、高铁血红蛋白血症和紫绀。饮酒后,上述症状加剧,并可发生躁狂。本品易经皮肤吸收,应防止皮肤接触。慢性影响:可有头痛、疲乏等不适。
安全措施	【一般要求】 操作人员必须经过专门培训,严格遵守操作规程,熟练掌握操作技能,具备应急处置知识。 生产过程密闭,加强通风。使用防爆型的通风系统和设备,提供安全淋浴和洗眼设备。建议佩戴自吸过滤式防毒面具,戴化学安全防护眼镜,戴橡胶手套。工作业现场禁止吸烟、进食和饮水。 远离火种、热源。应与禁配物分开存放,切忌混储。 生产、储存区域应设置安全警示标志。禁止震动、撞击和摩擦。配备相应品种和数量的消防器材及泄漏应急处理设备。 生产过程中易引起燃烧爆炸的机械化作业应设置自动报警、自动停机、自动泄爆、自动雨淋等安全自控装置;自动化生产线的单机设备除有自动控制系统监控外,在现场还应设置应急控制操作装置。 生产过程中产生的不合格品和废品应隔离存放、及时处理;内包装材料应统一回收存放在远离热源的场所,并及时销毁。 【特殊要求】 【操作安全】 (1)操作人员佩戴自吸过滤式防毒面具,戴化学安全防护眼镜,穿聚乙烯防护服,戴橡胶手套。 (2)避免与路易氏酸、臭氧、氧化剂等接触。搬运时要轻装轻卸,防止包装及容器损坏。配备相应品种和数量的消防器材及泄漏应急处理设备。 (3)生产过程中需用热媒加热或加工过程中可能引起物料温升的作业点,均应设置温度检测仪器并采取温控措施。

安全措施	【储存安全】 （1）储存于阴凉、通风的爆炸品专用库房。远离火种、热源。库房温度不超过32℃，相对湿度不超过80%。 （2）应与路易氏酸、臭氧、氧化剂等分开存放，切忌混储。存放时，应距加热器（包括暖气片）和热力管线300毫米以上。储存区应备有合适的材料收容泄漏物。禁止震动、撞击和摩擦。禁止使用易产生火花的机械设备和工具。 【运输安全】 （1）运输车辆应有危险品运输标志、安装具有行驶记录功能的卫星定位装置。未经公安机关批准，运输车辆不得进入危险化学品运输车辆限制通行的区域。 （2）运输过程中应有遮盖物，防止曝晒和雨淋、猛烈撞击、包装破损，不得倒置。严禁与路易氏酸、臭氧、氧化剂等同车混运，尤其是促进剂。运输过程中要确保容器不泄漏、不倒塌、不坠落、不损坏。运输时运输车辆应配备相应品种和数量的消防器材。搬运时要轻装轻卸，防止包装及容器损坏。禁止震动、撞击和摩擦。 （3）拥有齐全的危险化学品运输资质，必须配备押运人员，并随时处于押运人员的监管之下，不得超装、超载，不得进入危险化学品运输车辆禁止通行的区域；确需进入禁止通行区域的，应当事先向当地公安部门报告，运输时车速不宜过快，不得强行超车。 （4）车辆遇有临时停车时，应避开人员密集地区和重要设施，并设专人监护；车辆故障必须进行检修时，严禁在车辆周围近50米范围内进行明火作业。
应急处置原则	【急救措施】 吸入：迅速脱离现场至空气新鲜处。保持呼吸道通畅。如呼吸困难，给输氧。如呼吸停止，立即进行心肺复苏术。就医。 食入：漱口，催吐，给服活性炭浆，就医。 眼睛接触：立即提起眼睑，用流动清水或生理盐水冲洗。就医。 皮肤接触：立即脱去污染的衣着，用肥皂和清水彻底冲洗皮肤。 【灭火方法】 灭火剂：用水灭火。 如果硝化甘油处于火场中，严禁灭火！因为可能爆炸。禁止一切通行，清理方圆至少1 600米范围内的区域，任其自行燃烧。切勿开动已处于火场中的货船或车辆。 如果在火场中有储罐、槽车或罐车，周围至少隔离1 600米；同时初始疏散距离也至少为1 600米。 【泄漏应急处置】 隔离泄漏污染区，限制出入。消除所有点火源（泄漏区附近禁止吸烟、消除所有明火、火花或火焰）。建议应急处理人员戴防尘面具（全面罩），穿防毒服。不要直接接触泄漏物。作业时所有设备应接地。避免震动、撞击和摩擦。泄漏源附近100米内禁止开启电雷管和无线电发送设备。用水润湿泄漏物。严禁清扫干的泄漏物。在专业人员指导下清除。 作为一项紧急预防措施，泄漏隔离距离至少为500米。如果为大量泄漏，下风向的初始疏散距离应至少为800米。

14 乙醚

特别警示	极易燃液体，不得使用直流水扑救（用水灭火无效）；有全身麻醉作用。
理化特性	无色透明液体，有芳香气味，极易挥发。微溶于水，溶于乙醇、苯、氯仿、等多数有机溶剂。分子量 74.1，熔点 -116 ℃，沸点 35℃，相对密度（水 = 1）0.7，相对蒸气密度（空气 = 1）2.6，临界压力 3.61 MPa，临界温度 192.7 ℃，闪点 -45 ℃（闭杯），爆炸极限 1.7% ~48%（体积比），自燃温度 160 ℃ ~180 ℃，燃烧热 2748.4 kJ/mol。 主要用途：工业上用作溶剂、萃取剂，医药上用作麻醉剂。
危害信息	【燃烧和爆炸危险性】 极易燃，与空气可形成爆炸性混合物，遇明火、高热有燃烧爆炸的危险。蒸气比空气重，能在较低处扩散到相当远的地方，遇火源会着火回燃和爆炸。 【活性反应】 与过氯酸、氯气、氧气、臭氧等氧化剂强烈反应，有发生燃烧爆炸的危险。 【健康危害】 本品的主要作用为全身麻醉。饮用含酒精饮料可能增加危害。 急性影响：大量接触，早期出现兴奋，继而嗜睡、呕吐、面色苍白、脉缓、体温下降和呼吸不规则，而有生命危险。急性接触后的暂时后作用有头痛、易激动或抑郁、流涎、呕吐、食欲下降和多汗等。液体或高浓度蒸气对眼有刺激性。 慢性影响：长期低浓度吸入，有头痛、头晕、疲倦、嗜睡、蛋白尿、红细胞增多症。长期皮肤接触，可发生皮肤干燥、皲裂。 职业接触限值：PC - TWA（时间加权平均容许浓度）（mg/m^3）：300；PC - STEL（短时间接触容许浓度）（mg/m^3）：500。
安全措施	【一般要求】 操作人员必须经过专门培训，严格遵守操作规程，熟练掌握操作技能，具备应急处置知识。 密闭操作，防止泄漏，全面通风。 生产、使用及储存场所应设置泄漏检测报警仪，使用防爆型的通风系统和设备。操作人员应穿防静电工作服，戴耐油橡胶手套，当空气中浓度超标时，佩戴过滤式防毒面具。远离火种、热源，工作场所严禁吸烟。 储罐等压力容器和设备应设置安全阀、压力表、液位计、温度计，并应装有带压力、液位、温度远传记录和报警功能的安全装置。 避免与氧化剂接触。 生产、储存区域应设置安全警示标志。搬运时要轻装轻卸，防止包装及容器损坏。配备相应品种和数量的消防器材及泄漏应急处理设备。 【特殊要求】 【操作安全】 （1）设置必要的安全连锁及紧急排放系统、易燃物质检测报警系统以及正常及事故通风设施，通风设施应每年进行一次检查。 （2）在传送过程中，容器、管道必须接地和跨接，防止产生静电。 （3）保持设备的压力正常，有关管线要畅通。维护保养好设备，消除跑、冒、滴、漏等现象，使设备处于完好状态。 （4）生产区域内，严禁明火和可能产生明火、火花的作业。生产需要或检修期间需动火时，必须办理动火审批手续。

安全措施	【储存安全】 (1)储存于阴凉、通风良好的专用库房或储罐内,远离火种、热源。库房温度不宜超过29 ℃,保持容器密封。 (2)应与氧化剂等分开存放,切忌混储。采用防爆型照明、通风设施。禁止使用易产生火花的机械设备和工具。储存区应备有泄漏应急处理设备和合适的收容材料。搬运时要轻装轻卸,防止包装及容器损坏。仓库内设置乙醚检测报警仪。 (3)注意防雷、防静电,厂(车间)内的储罐应按《建筑物防雷设计规范》(GB 50057)的规定设置防雷防静电设施。 【运输安全】 (1)运输车辆应有危险品运输标志、安装具有行驶记录功能的卫星定位装置。未经公安机关批准,运输车辆不得进入危险化学品运输车辆限制通行的区域。 (2)采用专用槽罐车运输,配备相应品种和数量的消防器材及泄漏应急处理设备。运输时所用的槽(罐)车应有接地链,槽内可设孔隔板以减少震荡产生静电。装运该物品的车辆排气管必须配备阻火装置,禁止使用易产生火花的机械设备和工具装卸,禁止溜放。严禁与氧化剂等混装混运。运输途中应防曝晒、防雨淋,防高温。中途停留时应远离火种、热源、高温区,勿在居民区和人口稠密区停留。高温季节最好早晚运输。 (3)拥有齐全的危险化学品运输资质,必须配备押运人员,并随时处于押运人员的监管之下,不得超装、超载,不得进入危险化学品运输车辆禁止通行的区域;确需进入禁止通行区域的,应当事先向当地公安部门报告,运输时车速不宜过快,不得强行超车。
应急处置原则	【急救措施】 吸入:迅速脱离现场至空气新鲜处。保持呼吸道通畅。如呼吸困难,给输氧。呼吸、心跳停止,立即进行心肺复苏术。就医。 食入:饮水,禁止催吐。如有不适感,就医。 眼睛接触:提起眼睑,用流动清水或生理盐水冲洗。如有不适感,就医。 皮肤接触:脱去污染的衣着,用肥皂水和清水彻底冲洗皮肤。如有不适感,就医。 【灭火方法】 灭火剂:闪点很低,用水灭火无效。 小火时,用干粉、二氧化碳、水幕或抗醇泡沫灭火。 大火时,用水幕、雾状水或抗醇泡沫灭火,不得使用直流水扑救。消防人员应佩戴防毒面具、穿全身消防服,在上风向灭火。在确保安全的前提下将容器移离火场。用大量水冷却容器,直至火扑灭。切勿开动已处于火场中的货船或车辆。处在火场中的容器若已变色或从安全泄压装置中产生声音,必须马上撤离。 如果在火场中有储罐、槽车或罐车,周围至少隔离800米;同时初始疏散距离也至少为800米。 【泄漏应急处置】 根据液体流动和蒸气扩散的影响区域划定警戒区,无关人员从侧风、上风向撤离至安全区。消除所有点火源(泄漏区附近禁止吸烟、消除所有明火、火花或火焰)。建议应急处理人员戴自给正压式呼吸器,穿防毒服。尽可能切断泄漏源。小量泄漏:用干土、沙或其他不燃性材料吸收或覆盖并收集于容器中,使用洁净的非火花工具收集。大量泄漏:在液体泄漏物前方筑堤收容。雾状水能抑制蒸气的产生,但在密闭空间中的蒸气仍能被引燃。防止泄漏物进入水体、下水道、地下室或密闭空间。在专业人员指导下清除。 作为一项紧急预防措施,泄漏隔离距离至少为50米。如果为大量泄漏,下风向的初始疏散距离应至少为300米。

附录三　危险化学品事故应急救援预案编制导则(单位版)

国家安全生产监督管理局于2004年4月8日编制印发了《危险化学品事故应急救援预案编制导则(单位版)》,其内容如下:

1　范围

本导则规定了危险化学品事故应急救援预案编制的基本要求。一般化学事故应急救援预案的编制要求参照本导则。

本导则适用于中华人民共和国境内危险化学品生产、储存、经营、使用、运输和处置废弃危险化学品单位(以下简称危险化学品单位)。主管部门另有规定的,依照其规定。

2　规范性引用文件

下列文件中的条文通过在本导则的引用而成为本导则的条文。凡是注日期的引用文件,其随后所有修改(不包括勘误的内容)或修订版均不适用本导则,同时,鼓励根据本导则达成协议的各方研究是否可使用这些文件的最新版本。凡是不注日期的引用文件,其最新版本适用于本导则。

《中华人民共和国安全生产法》(中华人民共和国主席令第70号)

《中华人民共和国职业病防治法》(中华人民共和国主席令第60号)

《中华人民共和国消防法》(中华人民共和国主席令第83号)

《危险化学品安全管理条例》(国务院令第344号)

《使用有毒物品作业场所劳动保护条例》(国务院令第352号)

《特种设备安全监察条例》(国务院令第373号)

《危险化学品名录》(国家安全生产监督管理局公告2003第1号)

《剧毒化学品目录》(国家安全生产监督管理局等8部门公告2003第2号)

《化学品安全技术说明书编写规范》(GB 16483)

《重大危险源辨识》(GB 18218)

《建筑设计防火规范》(GBJ 16)

《石油化工企业设计防火规范》(GB 50160)

《常用化学危险品贮存通则》(GB 15603)

《原油和天然气工程设计防火规范》(GB 50183)

《企业职工伤亡事故经济损失统计标准》(GB 6721)

3　名词解释

3.1　危险化学品

指属于爆炸品、压缩气体和液化气体、易燃液体、易燃固体、自燃物品和遇湿易燃物品、氧化剂和有机过氧化物、有毒品和腐蚀品的化学品。

3.2　危险化学品事故

指由一种或数种危险化学品或其能量意外释放造成的人身伤亡、财产损失或环境污染事故。

3.3 应急救援

指在发生事故时,采取的消除、减少事故危害和防止事故恶化,最大限度降低事故损失的措施。

3.4 重大危险源

指长期地或临时地生产、搬运、使用或者储存危险物品,且危险物品的数量等于或者超过临界量的单元(包括场所和设施)。

3.5 危险目标

指因危险性质、数量可能引起事故的危险化学品所在场所或设施。

3.6 预案

指根据预测危险源、危险目标可能发生事故的类别、危害程度,而制订的事故应急救援方案。要充分考虑现有物质、人员及危险源的具体条件,能及时、有效地统筹指导事故应急救援行动。

3.7 分类

指对因危险化学品种类不同或同一种危险化学品引起事故的方式不同发生危险化学品事故而划分的类别。

3.8 分级

指对同一类别危险化学品事故危害程度划分的级别。

4 编制要求

(1)分类、分级制订预案内容;

(2)上一级预案的编制应以下一级预案为基础;

(3)危险化学品单位根据本导则及本单位实际情况,确定预案编制内容。

5 编制内容

5.1 基本情况

主要包括单位的地址、经济性质、从业人数、隶属关系、主要产品、产量等内容,周边区域的单位、社区、重要基础设施、道路等情况。危险化学品运输单位运输车辆情况及主要的运输产品、运量、运地、行车路线等内容。

5.2 危险目标及其危险特性、对周围的影响

5.2.1 危险目标的确定

可选择对以下材料辨识的事故类别、综合分析的危害程度,确定危险目标:

(1)生产、储存、使用危险化学品装置、设施现状的安全评价报告;

(2)健康、安全、环境管理体系文件;

(3)职业安全健康管理体系文件;

(4)重大危险源辨识结果;

(5)其他。

5.2.2 根据确定的危险目标,明确其危险特性及对周边的影响

5.3 危险目标周围可利用的安全、消防、个体防护的设备、器材及其分布

5.4 应急救援组织机构、组成人员和职责划分

5.4.1 应急救援组织机构设置

依据危险化学品事故危害程度的级别设置分级应急救援组织机构。

5.4.2 组成人员

(1)主要负责人及有关管理人员；

(2)现场指挥人。

5.4.3 主要职责

(1)组织制订危险化学品事故应急救援预案；

(2)负责人员、资源配置、应急队伍的调动；

(3)确定现场指挥人员；

(4)协调事故现场有关工作；

(5)批准本预案的启动与终止；

(6)事故状态下各级人员的职责；

(7)危险化学品事故信息的上报工作；

(8)接受政府的指令和调动；

(9)组织应急预案的演练；

(10)负责保护事故现场及相关数据。

5.5 报警、通信联络方式

依据现有资源的评估结果，确定以下内容：

(1)24 小时有效的报警装置；

(2)24 小时有效的内部、外部通信联络手段；

(3)运输危险化学品的驾驶员、押运员报警及与本单位、生产厂家、托运方联系的方式、方法。

5.6 事故发生后应采取的处理措施

(1)根据工艺规程、操作规程的技术要求，确定采取的紧急处理措施；

(2)根据安全运输卡提供的应急措施及与本单位、生产厂家、托运方联系后获得的信息而采取的应急措施。

5.7 人员紧急疏散、撤离

依据对可能发生危险化学品事故场所、设施及周围情况的分析结果，确定以下内容：

(1)事故现场人员清点、撤离的方式、方法；

(2)非事故现场人员紧急疏散的方式、方法；

(3)抢救人员在撤离前、撤离后的报告；

(4)周边区域的单位、社区人员疏散的方式、方法。

5.8 危险区的隔离

依据可能发生的危险化学品事故类别、危害程度级别，确定以下内容：

(1)危险区的设定；

(2)事故现场隔离区的划定方式、方法；

(3)事故现场隔离方法；

(4)事故现场周边区域的道路隔离或交通疏导办法。

5.9 检测、抢险、救援及控制措施

依据有关国家标准和现有资源的评估结果，确定以下内容：

(1)检测的方式、方法及检测人员防护、监护措施；

(2)抢险、救援的方式、方法及人员的防护、监护措施；

(3)现场实时监测及异常情况下抢险人员的撤离条件、方法；

(4)应急救援队伍的调度；

(5)控制事故扩大的措施；

(6)事故可能扩大后的应急措施。

5.10　受伤人员现场救护、救治与医院救治

依据事故分类、分级，附近疾病控制与医疗救治机构的设置和处理能力，制订具有可操作性的处置方案，应包括以下内容：

(1)接触人群检伤分类方案及执行人员；

(2)依据检伤结果对患者进行分类现场紧急抢救方案；

(3)接触者医学观察方案；

(4)患者转运及转运中的救治方案；

(5)患者治疗方案；

(6)入院前和医院救治机构确定及处置方案；

(7)信息、药物、器材储备信息。

5.11　现场保护与现场洗消

5.11.1　事故现场的保护措施

5.11.2　明确事故现场洗消工作的负责人和专业队伍

5.12　应急救援保障

5.12.1　内部保障

依据现有资源的评估结果，确定以下内容：

(1)确定应急队伍，包括抢修、现场救护、医疗、治安、消防、交通管理、通信、供应、运输、后勤等人员；

(2)消防设施配置图、工艺流程图、现场平面布置图和周围地区图、气象资料、危险化学品安全技术说明书、互救信息等存放地点、保管人；

(3)应急通信系统；

(4)应急电源、照明；

(5)应急救援装备、物资、药品等；

(6)危险化学品运输车辆的安全、消防设备、器材及人员防护装备；

(7)保障制度目录

①责任制；

②值班制度；

③培训制度；

④危险化学品运输单位检查运输车辆实际运行制度(包括行驶时间、路线，停车地点等内容)；

⑤应急救援装备、物资、药品等检查、维护制度(包括危险化学品运输车辆的安全、消防设备、器材及人员防护装备检查、维护)；

⑥安全运输卡制度(安全运输卡包括运输的危险化学品性质、危害性、应急措施、注意事项及本单位、生产厂家、托运方应急联系电话等内容。每种危险化学品一张卡片。每次运输前，运输单位向驾驶员、押运员告之安全运输卡上有关内容，并将安全卡交驾驶员、押运员各一份)；

⑦演练制度。

5.12.2 外部救援

依据对外部应急救援能力的分析结果,确定以下内容:

(1)单位互助的方式;

(2)请求政府协调应急救援力量;

(3)应急救援信息咨询;

(4)专家信息。

5.13 预案分级响应条件

依据危险化学品事故的类别、危害程度的级别和从业人员的评估结果,可能发生的事故现场情况分析结果,设定预案的启动条件。

5.14 事故应急救援终止程序

5.14.1 确定事故应急救援工作结束

5.14.2 通知本单位相关部门、周边社区及人员事故危险已解除

5.15 应急培训计划

依据对从业人员能力的评估和社区或周边人员素质的分析结果,确定以下内容:

(1)应急救援人员的培训;

(2)员工应急响应的培训;

(3)社区或周边人员应急响应知识的宣传。

5.16 演练计划

依据现有资源的评估结果,确定以下内容:

(1)演练准备;

(2)演练范围与频次;

(3)演练组织。

5.17 附件

(1)组织机构名单;

(2)值班联系电话;

(3)组织应急救援有关人员联系电话;

(4)危险化学品生产单位应急咨询服务电话;

(5)外部救援单位联系电话;

(6)政府有关部门联系电话;

(7)本单位平面布置图;

(8)消防设施配置图;

(9)周边区域道路交通示意图和疏散路线、交通管制示意图;

(10)周边区域的单位、社区、重要基础设施分布图及有关联系方式,供水、供电单位的联系方式;

(11)保障制度。

6 编制步骤

6.1 编制准备

(1)成立预案编制小组;

(2)制订编制计划;

(3)收集资料;

(4)初始评估；
(5)危险辨识和风险评价；
(6)能力与资源评估。

6.2 编写预案

6.3 审定、实施

6.4 适时修订预案

7 预案编制的格式及要求

7.1 格式

7.1.1 封面

标题、单位名称、预案编号、实施日期、签发人(签字)、公章。

7.1.2 目录

7.1.3 引言、概况

7.1.4 术语、符号和代号

7.1.5 预案内容

7.1.6 附录

7.1.7 附加说明

7.2 基本要求

(1)使用 A4 白色胶版纸(70 g 以上)；
(2)正文采用仿宋 4 号字；
(3)打印文本。

危险货物运输标记

序号	标记名称	标记图形
1	危害环境物质和物品标记	 符号：黑色　底色：白色
2	方向标记	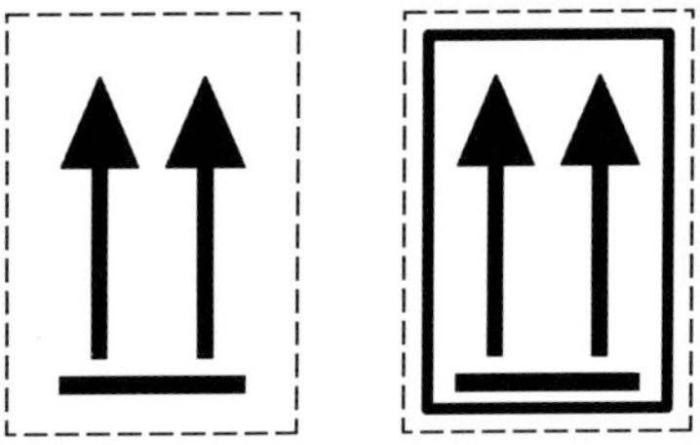 符号：黑色或正红色　底色：白色
3	高温运输标记	 符号：正红色　底色：白色

危险货物运输标签

序号	危险品名称	标志图形	对应的危险货物类项号
1	爆炸品		1.1 1.2 1.3
		 	1.4 1.5
		 符号：黑色　底色：橙红色 ★★：属于危险类别的位置，如果爆炸性是次要危险性就留空白。 ★：配装组字母的位置。如果爆炸性是次要危险性就留空白。	1.6

序号	危险品名称	标志图形	对应的危险货物类项号
2	易燃气体	 符号：黑色　底色：正红色  符号：白色　底色：正红色	2. 1
	非易燃无毒气体	 符号：黑色　底色：绿色 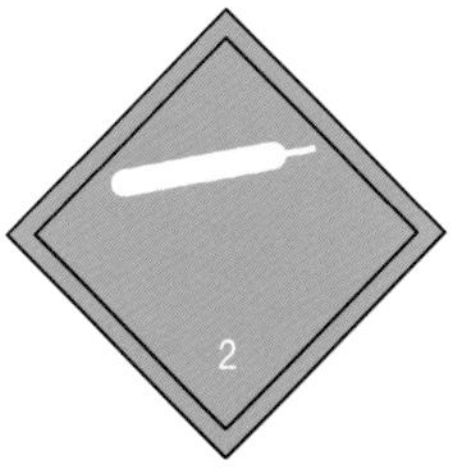 符号：白色　底色　绿色	2. 2
	毒性气体	 符号：黑色　底色：白色	2. 3

序号	危险品名称	标志图形	对应的危险货物类项号
3	易燃液体	 符号：黑色　底色：正红色  符号：白色　底色：正红色	3
4	易燃固体	 符号：黑色　底色：白色红条	4. 1
	易于自燃的物质	 符号：黑色　底色：上白下红	4. 2
	遇水放出易燃气体的物质	 符号：黑色　底色：正红色  符号：白色　底色：正红色	4. 3

序号	危险品名称	标志图形	对应的危险货物类项号
5	氧化性物质	 符号：黑色　底色：柠檬黄色	5. 1
	有机过氧化物	 符号：黑色 底色：红色和柠檬黄色  符号：白色 底色：红色和柠檬黄色	5. 2
6	毒性物质	 符号：黑色　底色：白色	6. 1
	感染性物质	 符号：黑色　底色：白色	6. 2

序号	危险品名称	标志图形	对应的危险货物类项号
7	一级放射性物质	 符号：黑色　底色：白色，附一条红竖条	7A
	二级放射性物质	 符号：黑色　底色：上黄下白，附两条红竖条	7B
	三级放射性物质	 符号：黑色　底色：上黄下白，附三条红竖条	7C
	裂变性物质	 符号：黑色　底色：白色，黑色文字	7E

序号	危险品名称	标志图形	对应的危险货物类项号
8	腐蚀性物质	 符号：黑色　底色：上白下黑	8
9	杂项危险物质和物品	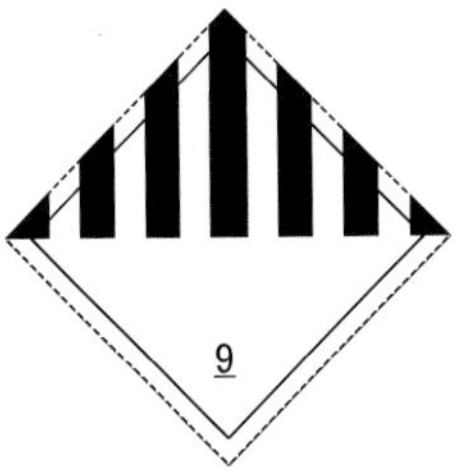 符号：黑色　底色：白色	9